Cheap Coffee

スペシャルティコーヒーの経済学

カール・ウィンホールド

古屋美登里・西村正人 訳

AKASHI SHOTEN

Roast Magazine®

(U.S. Trademark Reg. No. 2885464)

roast

MAGAZINE

Cheap Coffee

BEHIND THE CURTAIN OF
THE GLOBAL COFFEE TRADE

Cheap Coffee

: Behind the Curtain of the Global Coffee Trade

By Karl Wienhold

Published by Roast Magazine

ウンベルト・ペクパケに捧ぐ

解説

ネイビーブルー株式会社
福澤由佑（代表取締役社長）

コーヒー業界のバリューチェーン（価値連鎖）の現状、また、そこに参加する大勢の人のあいだに存在する情報格差について、あなたはどれくらい知っているだろうか？

バリューチェーンとは、ある事業活動の各段階において生み出されていく価値を、全体の流れのなかでとらえる考え方だ。原材料の調達から生産、仲卸、加工、輸出入、販売、そして消費者に届くまでには、さまざまな段階や工程があるからだ。

本書を執筆したカール・ウィンホールドについて、まず簡単に紹介したい。

経営や国際貿易のコンサルタントとしてキャリアをスタートさせたウィンホールドは、アメリカ・サンダーバード大学（現アリゾナ州立大学の一部）、ブラジル・リオデジャネイロ連邦大学でＭＢＡを取得。２０１２年にオックスファム（ケニア・ナイロビに本部を置く、貧困と不正を根絶するための持続的な支援・活動を90カ国以上で展開する団体）から依頼を受けたプロジェクトで、中米とコロンビアで農業支援に携わることになる。コロンビアのカウカ県にある先住民コミュニティとの出会いが彼の使命を決定づけ、環境に配慮した小規模コーヒー農家の協同組合「セドロ・アルト」

を現地で立ち上げた。スペシャルティ品質のコーヒー栽培と農家の自立を支援し、従来のサプライチェーンに立ち向かう形となった。

しかし、植民地支配の時代から続く支配と隷属による人々の分断が、幾度となく彼の前に立ちはだかり、本書の刊行後ウィンホールドは苦渋の末に10年近い年月を費やしたセドロ・アルトを離れることに。現在は、コーヒー農家が直面している問題をより深く分析するため、ポルトガルのリスボン大学の博士課程で研究を続けている。同時に、スペシャルティコーヒー商取引ガイド（Specialty Coffee Transaction Guide）といった産業プロジェクトのサポートにも従事している。

ウィンホールドが本書で言及している重要な部分は、例えば次のようなことだ。

バリューチェーンの上流から下流にいたるまでコーヒー業界では一極集中が続き（大手の業者は成長しつづけ、中小の業者は淘汰される）、迅速な投資が世界規模で進められている。その結果生じた不当競争で、コーヒーのバリューチェーンに参加する弱小な個人事業者や家族経営の業者は大きな損失を被った。富の獲得はこれまで、ごく少数の人々が多くの人々を犠牲にしたうえに成り立つバリューチェーンから成されてきたし、今もそれは変わらない。バリューチェーンを支配するさまざまな制度がもたらす多様性によって、この交渉力に不均衡がもたらされ、さらには各場所で役割を担うコーヒー業界の人々の生活水準にも、不均衡が生じている。

本書を手に取った皆さんは、コーヒー愛好者あるいはコーヒーを生業としている方、さらには経済学に興味のある方などさまざまだろう。しかし、「コーヒーのバリューチェーン」という言葉はあまり聞き慣れないかもしれない。

コーヒーは、北緯25度から南緯25度の域内に広がる温暖な国で栽培されている。コーヒーとは豆自体を指す言葉ではなく、コーヒーチェリーという赤い実の種の部分を指す。「農家」がこのコーヒーチェリーから木を育て、「ピッカー」と呼ばれる収穫者が手作業で実を摘む。「農家」がこのチェリーを選別したうえで乾燥させたり発酵させたりすることもあるし、「仲介業者」や「協同組合」がチェリーを買い付けて「精製所」へ運ぶこともある。どこかで目にしたことがあるだろうが、緑色をしたコーヒー生豆の状態になると出荷ができる。

「民間の輸出業者」や「国営組織」がこのコーヒー生豆を買い付け、「船会社」によって海を渡り、消費者のいる「輸入業者」の国へ運ばれる。その後、「焙煎業者」や「コーヒー会社」が品質と価格を基準に生豆を仕入れる。そしてここから、誰もが知る茶色のコーヒー豆となって「小売店」で販売され、直接「消費者」の手に渡る。

このように、ある段階において逐次新しい価値が付加されていくこと――これが今の日本や世界に構築されたコーヒーのバリューチェーンなのだ。

本書の監修を務める私たちネイビーブルー株式会社は、このバリューチェーン内の「焙煎業者」や「コーヒー会社」に当たる存在だ。コーヒー豆だけではなく、コーヒー（豆）を煎るための機械（焙煎機）やコーヒー液を抽出する機械（エスプレッソマシンなど）の輸入会社でもある。そういった観点から、日本国内の焙煎事業者やカフェ、コーヒーショップを裏方としてサポートしている。

本書『スペシャルティコーヒーの経済学』（原題 *Cheap Coffee*）の刊行にあたって、コーヒー業界での知見と経験をもとに訳稿に目を通し、本解説と巻末のあとがきを執筆させていただいた。私自身、現在のキャリアは著者と同じく異業種からの参入だった。広告代理店で海外の広告システムの輸入販売を経験したのち、米国のマーケティング会社に移り、顧客の市場調査からブランディング戦略の構築まで、総合的なコンサルティング業務に従事していた。２０１６年、日本のメディアから仕事を受けたその会社は、日本進出を果たしたアメリカ・オークランドのBlue Bottle Coffee創業者であるジェームス・フリーマンに取材をかけた。日本語への記事翻訳を私が担当したのだが、そのときジェームス氏のコーヒーへの情熱に打たれ、コーヒーというプロダクトに心底惹かれてしまった。そして帰国後、コーヒーの事業を興すこととなった。

本書は、著者がコロンビアの零細生産者とともに過ごしながら見てきたコーヒーのバリューチェーンに生じている不均衡、そこから生まれる徒労や自己犠牲などへの疑問から書かれたものだ。最終的には「蔑視」という独善的な差別意識にまで行きついてしまうこの現実に向き合うことで、どこがどうおかしいのか、どこでボタンを掛け違ってしまったのかを「コーヒーを取り巻く経済」の観点から分析した、非常に稀有な書といえる。

第5章では著者の考える解決策について綴られているが、それもあくまで現時点で考えられる方向性でしかない。唯一の正解と言えるものはまだ見つかっていないのだ。ただ、ウィンホールドはこうも言っている。

「この悪循環から抜け出すには、共感し合える関係を築くこと、つまり、相手を理解することだ。コーヒーのバリューチェーン内にいる他の関係者が置かれている現状や、彼らの動機また義務を理解する必要があるだろう。コーヒーの苗を植えることから、コーヒーカップを洗うことまで、コーヒー産業には本当に広範な段階と作業があるが、その流れの初めから終わりまでを理解することが、同じバリューチェーンにいる関係者同士の理解と共感をうながし、将来的にも、誠実で公平な協調関係の道を切り拓くことにつながるはずだ」

先に不安に感じさせてしまったら申し訳ないが、本書を一読された後、どこか後味の悪い気持ちになる方も一部いるかもしれない。というのも、この本に書かれている多くの問題点は、多くの人がなんとなく感じている（気づいている）ことでもあるからだ。この業界にいる人々にとっては、あえて口にするのは躊躇《ためら》われるような類の――。

しかし、それを〝なんとなく感じている〟レベルではなく、しっかり知識として把握しておくことが、これからの時代、より重要になってくるはずだ。さらには、誰かとその意識を共有できるかどうかも問われてくる。日本におけるコーヒー業界を今後も前進させていくために、この本はきっと役に立ってくれる、そう私は感じている。

「で、どうすればいいのだ?」と思う読者のために、本書を活かして次のアクションへつなげていくためのポイントを提案しておこう。コーヒーに向き合うそれぞれの立ち位置によって、着目すべき観点もおのずと変わってくるはずだ。

自宅やカフェでコーヒーを楽しむ愛好家の方

本書で述べられていることの多くは、コーヒー業界ではマイノリティ側の視点に立っている。なぜなら著者はバリューチェーンの末端にいる零細生産者と長く対話を重ねてきたからだ。だからといって、皆さんが普段訪れるカフェやコーヒーショップが悪いことをしている（バリューチェーンの不均衡に加担している）と糾弾しているわけではないし、スーパーでコーヒー豆を販売している大手業者は陰謀の黒幕だといった話でもない。

しかし皆さんには知る権利、責任を持つ権利があり、その選択をすることができる。つまりコーヒーやコーヒー豆を買うということは一種の選択であり、無意識のうちに皆さんはどこかの誰かのバリューチェーンに投票をしているのだ。このことを念頭に置いて、何を知って、何に責任を持ちたいと思うか、自分なりに考えながら読み進められるといいだろう。

コーヒーに関係する仕事をされている方

本文中の各所で、焙煎業者や大手コーヒー会社に対する皮肉を込めた分析に触れることになるはずだ。本書は「生産者」の立場から経済学の観点に立ってコーヒーのバリューチェーン力学を説明しているため、ある意味、これは避けられない分析だろう。お金はお金のあるほうに動く。

これが経済の実相だ。けっして著者の恣意的な主張や偏った物言いではなく、経済学的な論考として受け取ってほしい。折々に「弱者救済」「貧困」といったキーワードも出てくるが、私たちは「生産者」ではなく「消費者」側にある。よって、これもバリューチェーンの反対側に位置する人々からの声として解釈していただければ幸いだ。

自分がバリューチェーンのどの位置にいて、「誰」と仕事をしているのかよく考えながら本書を読んでいただくと理解がスムーズだろう。たとえば、もしスペシャルティコーヒーを取り扱っている方なら、普段ご自身が「生産者」と呼んでいるのはいったい誰なのかを思い浮かべてみてほしい。それは「輸出業者」なのか「協同組合」なのか「農園グループ」なのか、「本当にいちばん末端の農家」のことなのか。

「経済学」という観点から本書を開いた方

この本はコーヒーのバリューチェーンに存在する力学を経済学の視点で読み解いたものだ。著者自身の経験をもとに、各種のインタビューやデータ取集などを統合し一冊の本にまとめられている。ただ、原書が刊行された2021年、4月1日時点での米国コーヒー先物「アラビカコーヒー」の市場価格は125セント／lb《ポンド》だったが、日本語版の内容を確認している現在（2024年2月17日時点）は190セント／lbと市場は大きく変動もしている。また本書内で引用されている調査データには一部古いものもあり、かならずしも現在のコーヒー業界の数字をとらえているわけではない。しかし、コーヒー業界の歴史や流れをたどるという意味で、本書が極めて有益であることに変わりはない。皆さんには世界の経済力学というものが今日のコーヒーをめぐる経済にどう作用しているか、業界の外から見たときにどんなことが言えるか、またコミットが可能かを考えながら読んでいただけるとありがたい。

また普段スペシャルティコーヒーを中心に扱われている方には聞き慣れない用語も出てくるので、簡単に説明をしておく。コモディティコーヒーの取引において、ICO（国際コーヒー機関）の分類として、下記4種類が存在している。

1 コロンビアマイルド：コロンビア、タンザニア、ケニアなどのアラビカ種ウォッシュトコーヒー
2 アザーマイルド：1以外の生産国のアラビカ種ウォッシュトコーヒー
3 ブラジル／ナチュラルアラビカ：ブラジルを中心にエチオピアなどのアラビカ種ナチュラルコーヒー
4 ロブスタ：ロブスタ種

本文中では、1と2をまとめてウォッシュトアラビカやマイルドアラビカ、3をナチュラルアラビカやハードアラビカ、4をナチュラルロブスタなどの表現で記載している。

最後に、著者カール・ウィンホールドから託された本書への想いを記しておく。

この本を読み終えたとき、それをもって、みなさんの調査研究の終わりにならないことを願っている。この本が、ここで語られていないことを研究し、検討し、それを実践して、好奇心の扉を開くきっかけとなることを願っている。この本は初心者向けのものであり、極めて複雑で微妙なさまざまな問題を簡単にまとめたにすぎない。コーヒーをきっかけにして本書を手にした読者が多いだろうが、この本はグローバリズムとポストコロニアル時代における地方開発の、ひとつのケーススタディにすぎないのだ。この研究がどこまで続くのか、また途中に分岐点はいくつあるのか、いまはまだ研究の途上なのではっきりしたことは言えない。本書で紹介している分析や状況が、読者のみなさんを取り巻く現状を理解するための助けとなることを願っている。持続可能であることの前に立ちはだかる障壁の正体を明らかにすることで、将来みなさん自身がよいアイディアや解決策を見出せるようになれば、著者として望外の喜びだ。

前半の経済学入門は、この手の論考を読み慣れていない方にはそれなりに時間がかかるかもしれない。可能なかぎり著者の意図からずれないよう、同時に日本の読者に読みやすくなるように翻訳家の古屋美登里氏、西村正人氏のお力を借り、またその他の方々のご意見も参考に尽力したが、それでも難しそうに感じられた場合は、本を閉じる前に、ぜひ中ほどの「コーヒーの価値」の節（159ページ）から読んでみてほしい。

ゆっくりでいい。おいしいコーヒーを片手にこの本をじっくりと味わっていただけたら、監修として心よりうれしく思う。

もくじ　スペシャルティコーヒーの経済学

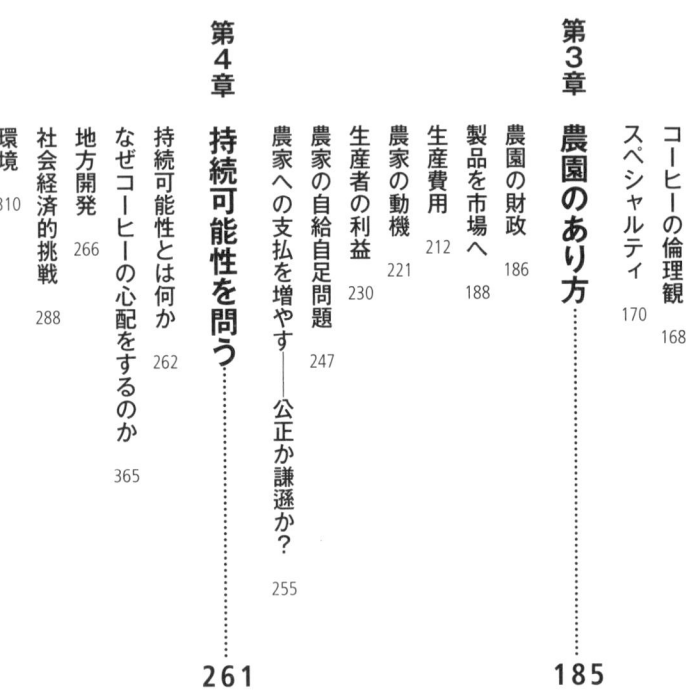

本書について

朝の一杯のコーヒーにはどんな事情があるのだろう。まずはそれについて考えてみたい。でも、そのことを本当に知りたいだろうか。ソーセージがどのように作られているかを本当に知りたいと思うだろうか。本当のことを知ってしまったら、もう二度と大好きなコーヒーをおいしく飲めなくなるかもしれない。

知らないほうが幸せでいられるかもしれない。知ることで不安に苛《さいな》まれ、しかも知ることで責任まで生じる。しかしちゃんとした知識を得て、ほかの人たちが知らないままのほうが幸せだと考えている物事の責任を引き受ければ、世の中をよくすることができるかもしれない。確かに厳しい現実を知ると不安になって、なんとか変えられないものかと思う。知性は知識とは異なる。知性は、得られた知識を内在化することができる。そして知性は、新たな情報に基づいて人の考えを深めるための力となる。

私たちは自身の世界観に逃げ込む。この世界観とは、巨大で複雑で恐ろしい世界から送られてくる情報を判断するために使われるルールで成り立っている。そのおかげで世界は少しだけ理解しやすくなる。ところが、このようなルールや精神的に楽なやり方があるせいで、新たな発想をきちんと分析できなくなる。というのも、私たちはルールを基準にして手早く分類しようとし、そのルールや楽なやり方が私たちの感じ方や行動の仕方によくない影響を及ぼすことがあるからだ。世の中の働きに対してそうした見方をしているからこそ私たちは、本来なら無限の色合いや質感のあるものを白黒や善悪といった単純なものに分けてしまう。

本書の目的は、読者にとって未知なる情報を伝えていくことにある。その情報のなかには、不快なものもあるかもしれない。世界経済がどのように機能しているか、あるいは自分のビジネスがほかの人々にどう影響するかということに関してみなさんの考え方と対立するものもあるかもしれない。

「政治には近づくな」。これは、情報が自分たちの価値観と対立するときに人々がよく使う言葉だ。本書は政治の本ではない。政党や特定の候補者のことには一切触れていない。本書では、政治家が実施しようとして手を貸した政策を批判し、将来、政治家に立法化してほしいと思う政策を提案している。また、共感力や人間のあるべき姿、他者への思いやり、あるいは社会的公平さの意味についても論じている。私たちにできることは、自分たちの価値観を示すことだ。私たちの価値観が、支援する政策や指導者を決めるのだ。その逆ではない。アクティビズムはそうした価値観の表明であり、伝達だ。AかBか、どちらのコーヒーを買うかという決断は積極的な活動であり、明確な経済的シグナルを送る活動である。アクティビズムには人を不快にするものもあるかもしれないが、だからといって価値観に基づいて交流したり支援したりすることを避けるべきではない。

本書は、コーヒービジネスと、一般的な国際サプライチェーンがどう機能しているのかという、単純でわかりやすい解釈を徹底的に打ち砕くものになる。次に述べる考えを腹立たしく思う方がいたら、この本をすぐに閉じてもかまわない。

ここに示した情報を読んで後ろめたい気持ちになる人や、これまで最善だと判断して行動したり考えたりしてきたことが間違っていたと知って驚く人がいるかもしれない。私自身もここに書いた内容を調べているときに何度も同じような気持ちになった。なにも知らなかった自分を悔やむことに時間とエネルギーを使うのは無駄なことだ。もし後ろめたい気持ちになったら、その唯一の解決策とは、学び、成長し、進歩し、誤りを訂正することなのだ。

私の主張にどうしても納得いかずに却下したくなったら、情報元を参照して、オリジナルの資料を読むことをお勧めする。それでもよくわからなければ、よりわかりやすく説明された文書を見つけて、参考にしてほしい。

本書の内容の大半は、科学ではなく人間性にかかわるものであり、ここで論じられた力関係について私たちが理解したことは、この産業が新しい発想を検討し判断するにつれて絶え間なく変化していくはずだ。これから十年のうちに、私たちがここで述べている意見に反駁《はんばく》し、もっと正確な議論をしようとする人が現れるかもしれない。私は、意義ある反論は、どんなものでも心から歓迎する。それこそが、私たちの学ぶやり方なのだから。

本書は、複雑で微妙な違いのある多くのテーマを紹介し、それを単純化した入門書に過ぎない。そうした複雑なテーマをできる限り正直に客観的に要約することに全力を尽くしたが、どう要約しようと、ある種の繊細さに欠けてしまうのはいたしかたないことだ。読者のみなさんが、コーヒー栽培とその取引に関して最重要でありながら誤解されているように思われることを広く詳しく理解できるように心がけた。

これはコーヒーを救うためのマニュアルではないが、本書を読めば否定的な結果に繋がらない特別な「たやすく達成できる目標」が見つかるだろう。納得のいく結果を導き出せる意見と、その達成法をだれかが見出すのを願ってやまない。また、新たな解決案や理論や課題も見つかるだろう。今後やってはならないことや、これまでやってこなかったこと、さらには私の考えるその理由も書かれている。本書は、将来みなさんが目にする、もしくは設計して提案する、実行可能で影響力のある、持続可能な構想を評価するためのレンズのようなものだ。この本は多くの神話を破壊するために書かれた。私利私欲によって作りだされ、普及し、広く受け入れられるようになった神話を破壊するために。

安価なコーヒーの何が悪いのか

お得な買い物が嫌いな人はいない。限りある資源を利用している人は、できるだけその資源を長持ちさせたいと思う。私たちは必要なものを買い、それからもし余裕があれば、欲しいものを買う。必需品にお金をなるべく使わないでいれば、好きなものを買う金が残る。コーヒーが好きな人もいれば、コーヒーを飲まないではいられない人もいる。よく知られているのは、世界じゅうの心配性な親たちがよく言った、「安物買いの銭失い」という言葉である。とはいえ、安くても良い物というのはあるのだろうか。私が子どもの頃、父親が気に入っていた店――「良い物を安く」という店だ――のことを思い出す。そこのオーナーによれば、看板に偽りなしだという。

もしも高価なものが安く提供されていたら、それは埋め合わせをしている人がいるか、不当な扱いを受けている人がいるかのどちらかなのだ。「良い物を安く」では、ほかの正規販売店の売れ残りが原価以下で特売品として販売されていたのだが、その赤字部分はおそらく、「ショッピングモールのカモ」が埋め合わせをしてくれたのだ。そのおかげでこちらは、電球やフランネルのシャツや、一月に売れ残ったポインセチアを安く手に入れることができた。その一方で、これは二〇一八年に本当にあった話だが、ある仲介業者がほかの業者には一ポンドあたり二・五〇ドルで販売している、コロンビアのウィラの小規模農園が生産している八七点のコーヒーの生豆を、あなたに一・六〇ドルで提供できるという場合、それはコーヒーの生産者が買い叩かれていて、ほかの誰かが不当な利益を得ているからにほかならない。安価なコーヒーが好きで、しかも味にはこだわらない、あるいは焦げた米とヒヨコマメであってもかなわない、というのならどうぞそれを召し上がれ。しかし、コーヒーが安くて品質も良い場合、おそらくそれは生産者が騙された結果なのだ。どうして？　どうやって？　自分はだれかの不幸から利益を得ているのではない、と言い切れる人がいるだろうか？　だれかが自分のせいで正当な利益を得られずにいるなどということはありえない、と言い切れる人がいるだろうか？　これはそうしたことについて書かれた本である。

第 1 章

コーヒー経済学入門

INTRODUCTION TO COFFEE ECONOMICS

コーヒーは、次の理由によって国際経済学とポストコロニアル時代の経済発展における恰好のケーススタディだと言える。

・市場規模——二〇〇〇億ドル（二〇一六年）。そのうちの二〇〇〇億ドルが生産国の個人と企業の収入。[1][2]

・就業人口——二五〇〇万世帯の直接収入および雇用を賄う。[3]

・多くの地域で生産されている。少なくとも世界五〇カ国で栽培され、世界のすべてではないにしても、ほぼすべての国で消費されている。[4] 生産国の大半はヨーロッパの旧植民地であり、全世界の生産量の三〇パーセントはヨーロッパで消費され、[5] 残り七〇パーセントが国際的に取引されている。

『消費者心理』の著者、トーマス・ロバートソンによれば、経済学とは「乏しい資源を活用する選択を社会がどうおこなうか」に関する研究であるという。[6] 本書が目指すのは、一個の製品を取り上げ、それが個人にどれほどの影響を与えるかを考えることで、いかに多数の人が対象でも、経済学に関する議論の大半はミクロ経済学に限定されることになる。そのため、私たちは国内総生産（GDP）や失業率などの国家規模の指標ではなく、個々の商取引を検討していくつもりだ。とはいえ、必要に応じてマクロ経済学の領域に踏み込むこともあるだろう。

ミクロ経済学は、「人間の行動による将来的な影響を研究する社会科学であり、とりわけ人間の行動が乏しい資源の活用と分配に与える影響を研究している。ミクロ経済学は、さまざまな商品ごとにその価値がどのように異なるのか、またその理由はなにか、各個人はより効率的な、あるいはより生産的な決定をどのようにおこなうのか、そしてその個人はほかの人とどう協力し合えばいいのかを明らかにする」と定義されている[7]。

　私たちが意識するしないにかかわらず、経済学、つまりさまざまな資源をいかに分配するかについての意思決定は、私たちの環境や日常生活のあらゆる面に影響を与える。経済学は人間性の学問であり、それゆえに限りなく複雑で微妙で、ダイナミックであって、経済学者がその程度をいかに少なく見積もろうとも、ある程度の予測不能な問題が含まれてしまう。しかし、いかに非論理的に見えてもその背後にある経済的要因が明らかになれば、多くは完全に理にかなっていることがわかる。

　一九六〇年代には使い捨てプラスチック容器はほとんど使用されていなかったが、今日では、私たちが環境に対して並々ならぬ関心を抱いて最善の手を打とうとしているにもかかわらず、この容器による環境汚染が少しも改善されない状況が生じている。そこには経済学的要因がある。ほかの素材よりも安く、しかも製品をより効果的に保護できるプラスチックという素材の製造法を考案した人がいるのだ。いまとなっては、プラスチック包装の製品を販売している企業は、そのプラスチックを使わなくなれば、競合他社よりはるかに不利な立場になる。日陰で栽培されたコーヒーのほうが生産費用がかからず、品質が高く、農業従事者が農薬にさらされる危険が少なく、本来の生態系を維持できるのに、なぜ農業経営者は驚くべき勢いで森林を伐採しているのだろう。ここに経済学的要因がある（323ページ「なぜ伐採するのか」参照）。世界の飢餓を抑止するのに年間三〇〇億ドルしかかからないのに、なぜ世界はクルーズ旅行に年間一二六〇億ドルも使っているのか。そこにもまた経済学的要因がある。

資本主義

資本主義は善でも悪でもない。それには頭脳がない。資本主義とは、個人や企業が土地や労働力や資本といった生産要素およびそれらから生じる利益を私的に所有するためのひとつの政治制度だ。今日の世界で私たちが取り組まないわけにはいかない現実だ。自由市場と私有財産に対する政治的レトリックや歪曲の有無や程度にかかわらず、貿易や産業の大半は、利益追求を目的とする個人や私的企業が運営している。私たちは資本主義や自由市場経済、あるいは自由貿易などの長所と短所をここで分析するつもりはない。ただ、コーヒー経済を詳細に調査することを本書の探究の基本姿勢としたい。

鍵となる基本原理

大学などの経済学入門コースを除けば、話題になることはあまりないかもしれないが、少なくとも多くの先進諸国では、ある種の基本原理や理論が存在し、ビジネスや経済発展が国民にとって絶対的な力だという信念を生み出している。一七七六年に出版されたアダム・スミスの画期的な著作『国富論』は、いまもなお重要な書だが、この九五〇ページに及ぶ作品に含まれる微妙な多くのニュアンスは見落とされている。

効率的市場仮説

分業――分業とは、個々人がひとつのことをおこなって作業効率を追求することであり、その対極にあるのが、個々人が食料の栽培から家の建設、病気の治療にいたるまですべてをひとりでおこなうことだ。特化という概念はこの分業と関係が深い。人々が最適に（もっとも効率的に）できることに専念するというこの概念は、地域社会だけでなく国家にも適用できる。特化を可能にする状況を「比較優位」、つまり、「貿易相手よりも低い機会費用（ほかのものを生産しなかったことによる損失）で商品やサービスを生産できる経済力」であると言われる。[8] この用語は普通、国家レベルの文脈で使われ、国家間の自由貿易を論じる際の根拠のひとつになる。特化が進めば効率が向上し、それによって生み出される利益も増加するものだが、その一方で自給率は下がる。たとえばコーヒー農家は、恵まれた肥沃な土地に住んでいるにもかかわらず栄養不足に陥っている。それというのも、コーヒーに特化しすぎたせいで、コーヒー価格が安くなれば食糧が十分に手に入らないからだ。また、輸入された化石燃料への依存も、その原因のひとつだ。

見えざる手――行動や意思決定を導く目に見えない力は、製品やサービスの需要に基づいている。[9] アダム・スミスによれば、もっとも効率的な用途に生産要素を配分することを決定するのは、利己心だという。

効用理論[10]――効用とは商品やサービスの有用性、あるいは消費者がなにかを購入して得られる満足感や幸福感である。効用理論によれば、人々は限られた収入で、自分にとって最大の効用を生み出す商品やサービスの組み合わせを購入しなければならない。効用の尺度は人によって異なり、さまざまな製品やサービスが人々に効用をもたらす。そのため、携帯電話は毎年買い替えるが、スペシャルティコーヒー〔以降訳注・味や香りなどが決められた評価基準を満たし、コーヒー豆の生産から消費に至るまで徹底した管理がされている高品質のもの〕を「買うお金はない」という人がいるのだ。この場合は、スペシャルティコーヒーからはその値段に見合った効用（満足感）が得られない、ということだ。その一方で、スペシャルティコーヒーを飲んで、古着を着る人がいる。こうした製品が生み出す効用が、消費者の意思決定を左右している。人があなたから製品を買わないのは、その人がわからず屋だったりけちだったりするからではなく、あなたが期待しているほど彼らはあなたの製品から効用を得られないだけのことだ。

生産理論〔11〕——企業や個人は、製品やサービスを生産するとき、製品の期待値が最大で、生産と輸送に割くリソースが最小となる方法を追求する。

競争

アダム・スミスによれば、自由市場における利己的な意思決定による資本の効率的な配分は、完全競争の条件のもとでは道徳的な結果をもたらす。特定の関係者（企業）が価格に対して影響力を持つことができない状況のことだが、これは実際には非常に稀《まれ》なケースだ。企業秘密や、概念としての知的財産保護でさえ、その性質上、不完全競争状態を作り出すとして非難されてきた。独占的な市場参入によって約束された利益がなければ、WindowsやiPhone、あるいは人の命を救う医薬品の研究開発を支援しようと考える投資家が現れることはないだろう。

売手独占または買手独占は、究極の不完全競争であり、一個の企業が商品やサービスの価格を決定できる。(12) 身近な例を挙げれば、特許を取得した人命にかかわる医薬品だ。ある企業だけが製造販売しているもので、それがなければ死んでしまう場合には、生き延びるためにありったけの大金を払ってその製品を買うだろう。さらに、一部の当事者だけが価格に影響力を持つ取引では、いかなる交渉力の不均衡も不完全競争と見なすことができる。この影響力は直接的に行使されないことのほうが多い。

コーヒーチェリー〔コーヒーノキの果実、中にコーヒー豆が二個入っている〕のバイヤーや共同所有ではないウォッシングステーションなど、買い手〔コーヒーバッグを作りたい売船業者〕がひとりか数人で売り手〔チェリーを売りたい農家〕が大勢いる場合、売り手は価格を下げることで競争するか、買い手の言い値を受け入れる以外に方法はない。これが買い手独占あるいは買い手寡占である。

コーヒーバッグ〔挽いたコーヒーを入れた袋〕工場の場合のように、売り手が少数で買い手が非常に多いときには、買い手は商品を手に入れるためにより高い金額を提示するか、売り手の言い値を受け入れるしかない。これが売り手寡占である。

容易に想像できることだが、完全競争は非常に稀であり、ある経済学者によれば、実現不可能だという。幸いにも、アダム・スミスは道徳的な結果をもたらす利己心についても明言している。ただ、残念なことに、不完全な競争状態において企業が利己的に行動する権利を正当化するためにアダム・スミスの理論が間違って引用される例がしばしば見られる。

不完全競争、または「市場の失敗」には多くの原因が挙げられる。たとえば、

・規模の経済――より小さな企業と比べた規模からの優位性を導き出す。たとえば、大手の売り手がその規模の大きさゆえにほかのところよりも安価に生産できる場合など。

・参入障壁――資本へのアクセスや専門的な知識と能力、輸出許可に関する分野で一般的な政府規制、医薬品などの知的財産保護などが該当する。

・情報へのアクセス――取引の参加者は、情報間の格差が価格に影響を与える場合がある。たとえば、コーヒーの買い手は過去二日間でC価格〔C価格とはニューヨーク証券取引所で取引される価格のことで、世界共通のコーヒー価格の指標とされる〕が上昇したことを知っているが、売り手はインターネットにアクセスできないためにそのことを知らない、といった状況だ。あるいは、輸入業者には品質分析ラボと分析スキルがあるが、焙煎業者にはそれらがない場合、輸入業者は価格に影響力を発揮できる。

・共謀――市場参加者の規模と数のほか、その行動も不完全競争の程度に影響を与え、価格を左右する可能性がある。共謀とは、その共同体の競争上の地位を向上させるためにおこなわれるあらゆる種類の協調である。企業の共謀には、競合他社を締め出すこと、石油輸出国機構（OPEC）や国際コーヒー協定などのようなカルテルが価格をつり上げるために生産量を制限すること、または商品が希少な場合にも価格の上昇を認めないことに同意することなどがある。また、共謀がおこなわれていない場合、競合他社から顧客を奪うために価格を引き下げたり、競売などで希少な商品の価格を釣り上げたりすることによって競合他社間で価格競争が起きる

こともあり得る。

独占禁止法は、多くの地域で共謀と独占を防止し、不完全競争を最小限に抑えることを目的として施行されている。それにもかかわらず、その施行が不十分なときがある。ポストコロニアル経済の発展途上国では、これに該当する法律がない場合や、稀にしか施行されない場合がある。さらに、企業が世界的な規模で活動していたり、（コーヒーのように）その産業が本質的に世界規模であったりすると、行為が独占的であることを証明するのは難しく、それを訴追するとなればさらに困難である。[13] 世界貿易機関（WTO）は国際競争政策とその規制に対して責任を担っているが、国際貿易規制協議の度重なる失敗の後では、その能力は限定的だと言わざるをえない。

価格理論：需要と供給

商品の価格は需要と供給によって決まる。現在の価格は市場均衡、もしくは需要と供給の交点を示している。[14]

たとえば、ある農家が農業市場にスイカを十五個持ち込んだとしよう。この農家はそれらを五ドルで売りたいと考えている。この価格のとき、スイカを買いたい人は二十人いた。農家は価格を六ドルに引き上げた。それでも買いたい人は十七人いた。そこで農家は価格を七ドルに上げた。もとの客二十人のうち十五人が七ドルでもスイカを買いたいと考えた場合、それがその市場のその日におけるスイカの市場均衡価格になる（図1－1参照）。

また、別の農家が十五個のカボチャを農業市場に持ちこんだとしよう。この農家はそれらを一個五ドルで売りたいと考えている。ところがカボチャを五ドルで買いたい人は十人しかいなかった。売り切らなければカボチャは腐ってしまうので、農家は価格を四ドルに下げた。四ドルでカボチャを買いたい人は十五人いたためにすべて売り切れた。四ドルが需要と供給の均衡する価格だった（図１‐２参照）。

大半の市場では需要と供給の条件が常に変化し、市場参加者も生産と消費をおこなっているため、均衡価格も変動するはずである。本質的に、世界中の何千もの買い手と売り手の総計に基づいて、コーヒーの価格（たとえば、三カ月のアラビカ種先物契約）はこのようにして決められている。

一七七六年にアダム・スミスが初めて示したこうした理論は、後の経済学者たちによって大部分は受け入れられはしたが、この理論の前提条件に、独占のような市場の失敗が想定されていないことが、アダム・スミスの理論の有効性を減少させると述べる経済学者も多い。たとえば、こうした理論は、市場参加者が合理的であるという前提で成り立っている。私たちはこれが正しくないことを知っている。そして市場参加者が自分の利益にならない決定をすることがあること、各自の利己的な決定の総計が常に望ましい結果をもたらすとは限らないことも知っている。[15] 市場参加者の投資期間も意思決定のやり方に多大な影響を及ぼす。多くの人が非難しているのは、コーヒー焙煎業者や貿易業者が農業を持続不可能な状態にさせるような価格を設定している点だ。利己心からの行動であれば、重要な投資先である農業を保護するためのインセンティブが必要である。しかし、プライベート・エクイティ・ファンド（「企業を安く買って高く育てる」というコンセプトの投資ファンド）にとってみれば、

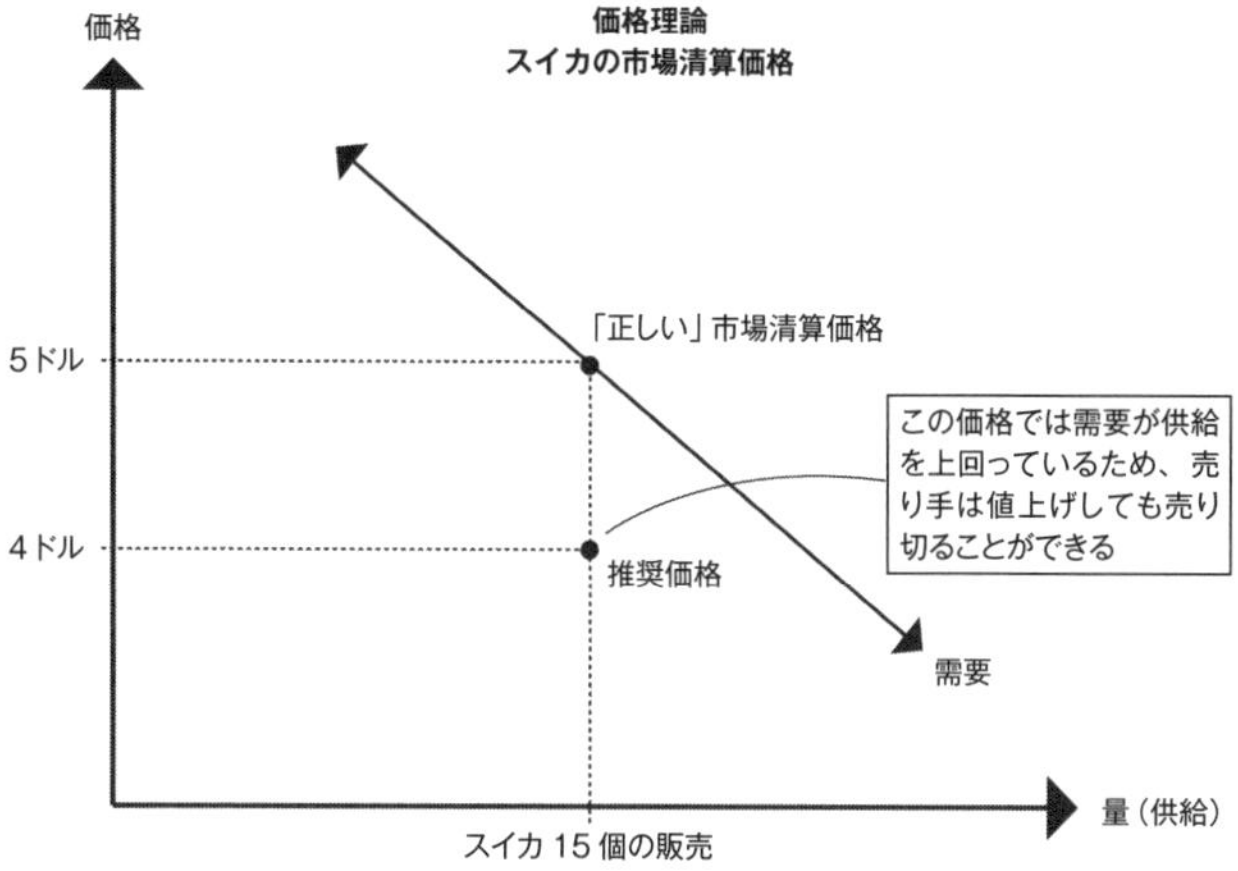

製品が希少である場合、より高い価格が受け入れられる。製品が十分にある場合、売り切るには価格をより安くしなければならない。

図1-1　市場清算価格 例1

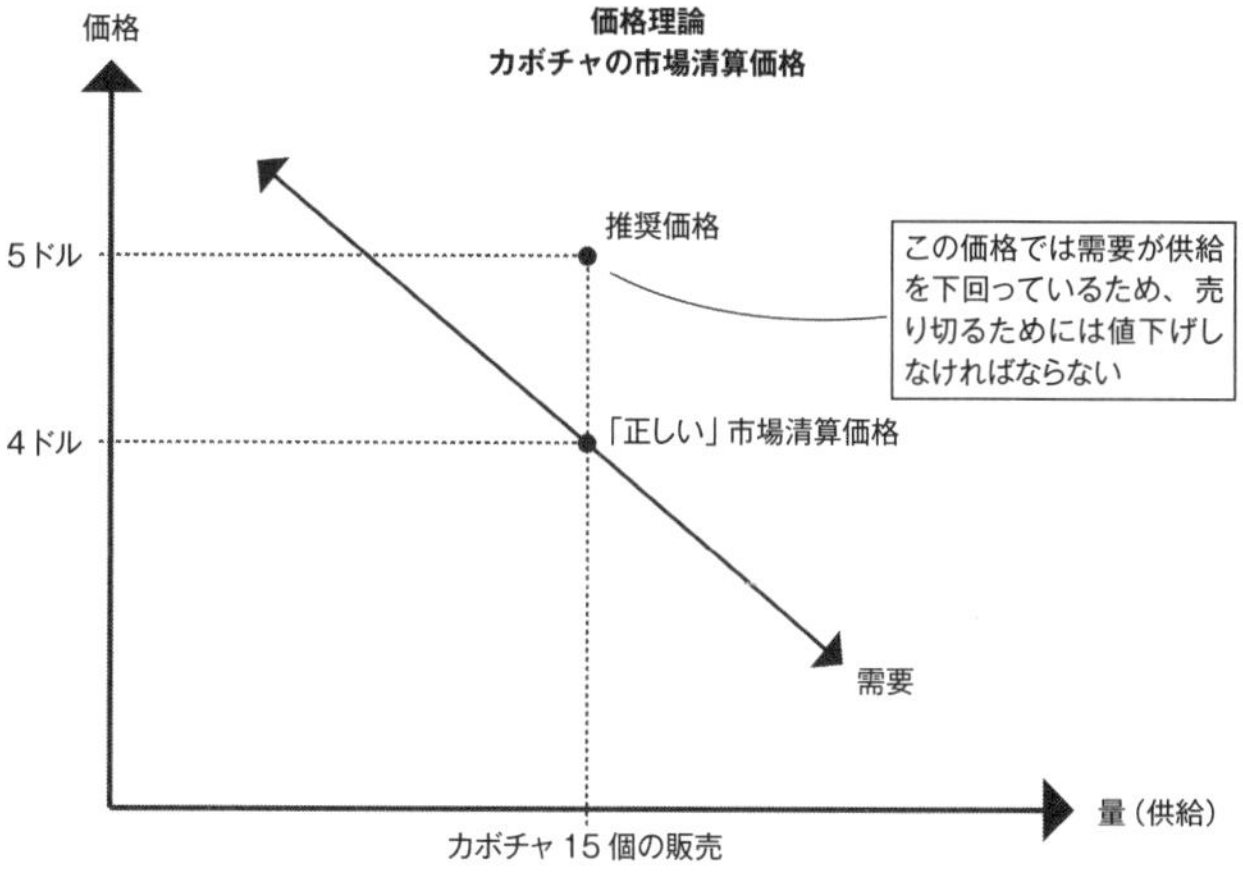

図1-2　市場清算価格 例2

コーヒー焙煎会社を五年間しか所有するつもりがないなら、十五年先にコーヒーの生豆がまだ入手できるかなどどうでもよいことなのだ。それでもこの需要と供給の考え方は、個人や企業の経済行動を予測し、その結果生じる因果関係を解釈するのに有用な枠組みだ。

外部性

外部性とは「ある行動が他者へ強制的な損失や利益を与える活動」のことである。[16] 外部性は、コーヒー経済の持続可能性と環境への影響を議論する際の鍵となっている。外部性の最たる例が、水洗式《ウォッシュト》プロセスやハニー・プロセスで発生する水質汚染と、それが水系下流部の漁業に与える損失だ。また、日陰栽培でコーヒーを作れば鳥の生息地は増える。

こうしたことには経済的補償がされないため、外部的だと言われている。コーヒー農家は、コーヒーを生産したために漁民に与えた損失を補償したりしない。棲家が増えたからといって鳥たちはコーヒー農家にお礼をすることはない。持続可能性への取り組みのなかには、負の外部性や環境などの公共財に及ぼす損害を最小限に抑え、(真の価格を)定量化し、[17] 補償することを目的としているものもある。

環境破壊や汚染のような外部性に対する政府の規制について考えれば、そうした規制が施されていない管区内で事業を展開するほうが、規制内で展開するよりも優位になり得る。規制外で事業を展開する側は、自分の行動が引き起こした外部性の社会的影響を無視して利益を得ることができる。つまり、公共財を破壊しておきながら代償を払っていないのだ。これは今日の国際貿易交渉で真剣に議論されている問題だ。経済的外部性のなかには、ずさんな土地管理が引き起こす地滑り、食品含有物によって生じる健康被害、搾取的融資が原因の貧困、集約農業によって引き起こされる生物的多様性の損失なども含まれる。

通貨価値

通貨の価値は、別の通貨との関係でのみ定量化できる。私の国の新聞には、ユーロ、ドル、ポンドに対するわが国の通貨の強さが明示されているが、日本にいる人と商売をする場合には、こうした指標は大して役に立たない。日本が相手の場合、私にとって重要なのは、自国の通貨が円でどの程度の価値があるかということだ。ある通貨の価値を他のいくつかの通貨の「バスケット」と比べるために使用する指標はあるが、実務家であれば実際に気にするのは、取引相手（国際サプライヤーと顧客）の通貨に対する自国通貨の価値だけである。

外国為替（FX）リスク――これは、ある通貨の価値が他の通貨と比べて変動することによって生じる損失を受けやすいというリスクである。私がインドに拠点を置き、ドイツに輸出する業者だとすれば、すべてではないにしても、大半の費用はルピーで換算される。ユーロ建ての販売契約にサインし、その時点でユーロが何ルピーの価値であるかを基準に自分の利益を計算する。輸出の二カ月後にクライアントが支払うとき、ルピーに対してユーロが上昇していれば、二カ月前の予想よりも利益は多くなる。しかし、ルピーに対してユーロが下落していれば、利益は予想より減ってしまう。このようなリスクについては、後述するさまざまな現物商品や金融商品を使用することで回避《ヘッジ》することができる。

金融政策――通貨の価値は、コーヒーの価値や株価やその他ほとんどのものの価値と同じように、需要と供給によって決まる。通貨の供給量は中央銀行（またはその他の政府機関）がどれだけ通貨を発行するかで決まる。中央銀行は、民間に対して融資をおこなう金融機関に融資する際の金利を調整して供給をコントロールしている。

輸入と輸出――ある通貨を使用する国または地域への輸出量とそこからの輸入量の差、いわゆる国際収支は、通貨の需要と供給に影響を与え、ひいては他の通貨に対するその通貨の価値に影響を与える。異なる通貨が流通している国から商品を輸入する場合、輸入国の通貨を輸出国の通貨に交換する（売る）必要がある。このことが輸入国の通貨の供給量を増やし、その価値に下落圧力がかかる。ある企業が別の通貨を使用している国に物品を輸出すると、その外貨が「輸入」されて自国通貨に変換され、自国通貨の需要が増加し、結果としてその価値に上昇圧力がかかる。

金利

中央銀行が債券への投資に対して債券の購入者に支払う金利と民間金融機関へ貸し出す際の基準金利は、一般に通貨の需要に影響を与えるという意味では同じ働きをする。中央銀行が決定する金利は、その国の他の金融機関が設定して請求する場合の金利に影響を与える。支払われる金利がリスクに比べて十分に魅力的であれば、投資家はその国の通貨を購入し、その国で投資をおこなうことができる。国内投資家は、自国通貨を売却して国外の市場に投資したり、投資機会が十分に魅力的であれば自国通貨を国内で保持することもできる。

多くの国、とりわけ自国の通貨を使っている発展途上国は、外貨建ての対外債務を抱え込んでいる。政府はその債務を他国の通貨で支払わねばならない。政府は自国通貨で徴税し、同じ自国通貨でローンの返済もするため、返済に必要な外貨を購入するのに十分な強さが自国通貨にあることを保証する必要がある。マイナス面は、通貨高になると国際市場で競争する輸出業者の力が制限されることである。輸出業者は、自国通貨建ての高いコストを十分に賄えるだけの金額を買い手に請求しなければならないからだ。また、自国の通貨が強い場合には輸入品が安くなり、自国商品への購入意欲が減じるので、その結果、自国企業を支援したり自国内に資本を保持したりすることが困難になる。高金利に支えられた強い通貨から生じるもう一つの大きなマイナス面は、小規模ビジネスと新興企業の設立を含む事業への融資が途方もない高利となって、起業や競争や革新に対する意欲を挫き、窒息さえさせかねないことだ。後の章で、金利が高く、運転資金のための金利を支払うことに汲々として、競争力をつけられないコーヒー生産国の地元企業に対して、低金利管区で資本にアクセスできる多国籍企業が圧倒的優位に立つようになる過程を検証するつもりでいる。

経済発展理論

この研究の分野は広大なため、ここに挙げたリストは十分なものではない。この数十年のあいだにコーヒー経済の多くの局面で適用されてきた重要な理論をごく簡単に紹介したものにすぎない。

新自由主義

新自由主義経済の哲学によれば、経済活動における商品やサービスの分配に関して、市場はいかなる意思決定メカニズムや統治機関よりも優れており、市場の資源配分や資本主義的生産に政府が介入すれば市場効率を低下させるという。つまり、基本的には何ごとも放任しておくことがもっとも効率的であり、それがだれにとっても望ましく、功績と勤勉に基づいてだれもが正当な対価を手にすることになる[18]。

エモリー大学の人類学教授のペギー・F・バーレット[19]は新自由主義政策を次の6つの原則に要約している。

・財政再建——赤字支出を削減し、収入内でやりくりする

・民営化――政府所有の産業、機関、土地を民間企業に売却する
・価格統制の撤廃――価格統制や補助金を廃止し、自国通貨為替レートを公開市場で変動させる
・金融政策の統制の撤廃――政策金利や通貨為替レートを需要と供給に応じた変動制とする
・貿易自由化――関税、割当制、輸入税などを撤廃し、外国製品を自由に参入させ、国内製品と競争させる
・投資の自由化――外国人による国内産業への投資を許可する

コロンビア大学の人類学教授のペイジ・ウェストの挙げる原則もこのリストに加えておこう。[20]

・社会および環境の規制緩和
・資源採取に重点を置き、経済的関心を輸出に集中させる
・国家による補助金の廃止
・均衡予算を図り、汚職を排除する

新自由主義的発展理論は、比較優位の活用に大きく依存している。発展途上国が先進国のような独自の産業を創出しようとして失敗することがあるが、この場合の対応策は、たとえそれが生産能力、給与、利益の向上につながらないとしても、自らの得意なものを選んでそれに固執することだとされた。新自由主義指向の状況下で各国は、最大の利益を生み出す活動に専念するべき

だと言われる。いちばん金を稼げるものを作ることに専念すれば、そうしなかった場合に自分たちが作れたかもしれないものを買うことができるし、余った金でさらにほかのものを買うこともできる。

新自由主義的発展理論は、関心の中心を各農家の収入から、歳入や労働の役割分担、商品輸出の利害や長所へと移行させる。[21] 個人の利益は、国家が主導する成長政策よりうまく市場の需給を調整すると信じられている。[22] 価格を統制する取り組みは農家の収入を安定させるのに効果的だが、その効果に引き合わないほどの多大な費用がかかると考えられている。[23] この考え方に従っている政府は、「搾取的かつ恩顧主義的な機械」と見なされる。[24]

この考え方は、一九七〇年代から政府の政策に転用されるようになり、レーガン＝サッチャー時代および冷戦期になると、発展途上国を「近代化」するために世界銀行やＩＭＦの融資制度の条件とされた「構造調整」計画を介し、さらに発展を遂げていった。これに関して多くの専門家が次のような観点に立ち、議論を戦わせた。

底辺への競争

世界規模の特化、そして制限のない自由貿易とそれへの依存が進むと、誰かに過失があるわけでなくとも、すべての人のためにはならないやり方でその資本主義的な効果が現れる。世界規模の競争は、「労働力の質と価格、減税政策などの面で資本家を優遇することによって（先進国と発展途上国の両方で）労働者と地域を経済的底辺に追い込む[25]」。また、この低コストによる比較優位の探求には、環境規制を緩和する政策を支持する傾向があり、本質的には地域の今後の生産性と主権を抵当に入れることで、現在の低コスト生産を維持しようとする。[26]

不公平

資本主義によって自然に決定される富と機会をより公平に分配しようとするプログラムや制度を廃止すれば、当然のことに所得分配は縮小していくだろう。しかし、論理的に考えれば、大きな成長が起きれば、貧しい人々も恩恵を受けることになる。「満ち潮はすべての船を持ち上げる」とは、新自由主義経済学者たちのお気に入りの格言だ。ところが、ラテンアメリカでは大幅な構造調整と新自由主義政策を実施したところ、改革が始まった一九七〇年代より一九九〇年代のほうが所得分配が悪化した。「一九八〇年代以来、生活最低線以下で暮らすラテンアメリカ人口は劇的に増加を遂げ、（略）人口の上位二五パーセントの所得は増加した。所得減少の多くはラテンアメリカの農村部で見られる[27]」。さらに、「国内および国家間の所得分配の動きが著しく不均衡になってきたことを示す圧倒的な証拠がある[28]」。

環境

環境保護論者たちが新自由主義経済政策を厳しく批判しているのは、長期的な戦略として常に経済を成長させ続けるならば、天然資源は早晩枯渇し成長の副産物を吸収する地球の能力も限界に達するということだ。こうした批判に対する一般的な反応は、「これらの問題の解決」にはさらなる自由化が必要、というものなのだ。[29]

構造主義者

構造主義経済発展理論は、一次産品の輸出の特化に反対する理由をいくつか提起している。[30] 一次産品輸出の部門は、投資や消費をおこなう先進国の経済の前哨基地であり、旧植民地による宗主国への奉仕だと考えられている。またこの部門は、本来なら同様の直接的利益を引き出せるはずの製造部門からリソースを奪っているとみられている。しかし、その一方、それによって教育、技術、生産能力によい影響を与え、より多くの製品の需要を作り出してもいる。さらに、構造主義者たちは、一次産品と加工製品のあいだの交易条件は時間が経つにつれて悪化すると思っている。[31]

彼らの分析によれば、加工製造国で生産性が向上すれば給与と利益が増加するが、周辺の一次産品輸出国では生産性が向上すると価格が低下したという。これは製造品よりも原材料のほうが需要の弾力性が低いからとも考えられる。[32] たとえば、テレビの価格が非常に安くなれば、家にテレビを四台置くこともできるが、トウモロコシはそうはいかない。価格がどうであれ、限られた量しか食べることはできない。この考え方はエンゲル係数で定義されている。つまり、収入が増えるにつれて、食糧需要の所得弾力性は減る。収入にかかわりなく、トウモロコシを食べられる量には限界があるからだ。

「輸入代替工業化」は構造主義の影響を受けた開発計画の目標であり、これを促進する政策は過去五十年間に旧植民地や発展途上国で幾度となく施行されてきたものだ。製造部門を発展させるために、一次産品輸出国は工業製品の輸入関税率を引き上げ、輸入品を自国で作るために国内の製造能力に投資した。この投資資金を調達するために主要輸出品には課税がおこなわれた[33]。技術や機械を安く輸入するために、人為的に通貨の価値をつり上げ、一次産品の輸出部門に間接的に課税した[34]。これにより、問題となる財政赤字と国際収支の赤字が発生し、通貨の価値を維持することができなくなった。

製造業、とりわけ技術の未熟な労働者たちを使っている外資系製造業で気を付けなければならないのは、賃金上昇に繋がらず、商品化された工業製品の交易条件が一次産品と同様に悪化するという現象である。

従属理論

従属理論によれば、低開発の状態というのは、大国が政治的手段から低開発国に課した不平等な貿易・交換システムの結果である[35]。「ラテンアメリカはまだ、政府が、新たな依存にほかならない採取主義[36]的な輸出政策の拡大へと繋がっていく開発神話を信じている時代を生きている[37][38]」。今後ラテンアメリカ諸国が行き詰まるかどうかは、特定の産品と、それを購買する諸国や企業の動向による。

ポストモダン

コロンビア大学の経済学教授ジェフリー・サックスと彼の同僚のポストモダン経済学者たちは、開発努力一般を、「進歩は正しいとする間違った考えを反映し、独創性がなく、文化的に貧しく、政治的に重苦しい社会の展望を押しつけるもの」と見なしている。[39] また、諸国家は、繁栄と進歩に関する独自の文化的見解を、利害や価値観が大きく異なる受益者集団にあてはめている、と述べている。開発哲学に対するポストモダニストたちの一般的な批判は、だれもが自分には低開発に貢献した責任がないことを主張するためにその哲学を利用できることだ。人類学教授のウィリアム・M・ローカーは、この見方は「大規模な貧困と搾取という喫緊の問題から知的なやり方で離脱する危険な道を示している」という。この離脱が、サックスが自分の哲学を発展させる上での目標であったのかどうかはわからないが、いかなるイデオロギーも著者の意図を大きく逸れてねじ曲げられ、解釈され得ることを表している。

成長は進歩なのか?

開発経済学では、開発を経済成長または一人当たりの国内総生産の増加と同一視している場合が多い。「トリクルダウン政策」が詐欺であったことは、いまでは多くの人が知っているが、まったく前例がないわけではないため、金持ちがさらに豊かになるのなら、貧しい人もそれ相応に豊かになるということが一般にまだ信じられている。[40] 政府は負債を気にかけない。なぜなら、成長が続くかぎり、課税ベースが負債の利息よりも速く増えつづけるからだ。許容可能なインフレ水準もこのモデルを支持している。なぜなら、生産要素、とりわけ土地などの生産的資産を所有する人々は、そこから高額の賃貸料を得ていて、またその資産価値も上がるからだ。しかしその一方で、その資産を賃貸して消費している人々は常にもっと多く支払わなければならず、彼らの貯蓄は日々目減りしていくことになる。

この開発パラダイムは、経済成長が続いているかぎり、ある程度よい結果をもたらす。人口が安定している場合、インフレを起こさずに経済成長幅を拡大するにはどうすればよいか。流通速度とは、金が人の手から手に渡っていく速さのことだ。流通速度が上がると、消費が増える。これに理論上の問題はないが、実際には、各自がより多く消費し、より多く物を処分することを意味する。そのため、大量に物を生産しなければならず、それだけ多くの燃料が消費され、肥料が使われ、耕作に適した土地を得るためにますます森林伐採をするようになる。そして大量の物が埋立地に捨てられ、二酸化炭素が大量に排出されることになる。[41] GDPが一ドル増えるごとに大気中に排出される炭素は〇・三二五キロ増えるという。[42] この本の趣旨からは外れるが、一人当たりのGDPは国の発展を示す指標とするには不適切である点に注意すべきだろう。よりよい指標となるのは、国境の内側で交換される通貨の合計ではなく、社会を構成している人々の幸福度を表す人間開発指数が挙げられる。もうひとつ、関連する尺度として「繁栄度」があるが、これは必ずしも経済や財政とは結びついていない。[43]

経営学者ティム・ジャクソンは、『成長なき繁栄 *Prosperity Without Growth*』のなかで、「繁栄」について次のように書いている。

「繁栄には否定できない物質的な側面がある。食料や住居が不足している地域が（発展途上国の何十億もの人々の場合がそうであるように）うまくいっているわけがない。しかし、量が増えれば質が上がるというような単純な見方が一般的には誤りであることも明らかになっている。何カ月も食糧がなく、収穫が再びうまくいかなかったとき、どのような食物でも神の賜物である。アメリカ式の大型冷凍庫にいろいろな種類の食糧がすでに大量に詰まっているとき、わずかな食べ物でも負担になるかもしれない。食べなければならないとなるとなおさらだ。

さらに強力な発見は、繁栄の要件は物質的な支えをはるかに超えているということだ。繁栄には重要な社会的かつ心理的な側面がある。成功することは、愛情を与えたり受けたりする能力、仲間の尊敬を享受する能力、有益な仕事に貢献する能力、コミュニティへの帰属意識と信頼を知る能力とある程度関係している。つまり、繁栄の重要な要素とは、社会生活に有意義に参加できる力である[44]」

経済成長、企業成長、あるいは個人の所得増加を制限するのは、機会費用である。しかし、環境経済学者は、環境修復にかかる将来的なコストと、環境悪化による生産性損失のコストは、いま現在環境破壊的な経済活動をおこなわないことで生じる機会費用よりはるかに大きくなることを認めている[45]。

農業の重要性

農業は「開発」や成長や地方の生活の質にとって重要なものである。「多くの発展途上国において、農業は依然として大幅な経済成長を見込める要素になっている。農業の成長と農業生産性の向上が、持続的な経済成長と発展に必要不可欠であることは歴史を見れば明らかだ」。国連（UN）の報告書によれば「貧困を根絶するために鉱業や製造業やサービス業の成長より農業の成長がきわめて重要になるのは、高水準の収入格差が特徴的でない諸国においてである」という。[47]さらに、貧困の緩和に小規模農園が特に重要である。同じ国連の報告書はまた、中小規模農園が農業の成長を牽引してきた地域では、貧困状態が劇的に減ったとある。大規模な産業農業経営は、ある程度はさまざまなタイプの雇用を創り出しているが、その利益が「資本集約的な商品やサービスの輸入」に使われる傾向にある。[48]ところが、小規模の自給自足経営では、その利益の多くが地元で生産された、労働集約的な商品やサービスに費やされる傾向にある。

繁栄は消費なのか？

特化と技術力、特にオートメーションという比較優位を利用することで効率は上がり、製品を作り出したり人間の欲求や願望を満たしたりするコストが減ってきた。世界人口の四五パーセントに当たる三十四億人[49]は、依然として人間の基本的な欲求が満たされていない状況にあるが、[50]豊かな世界ではこれまでにないほど消費活動がおこなわれている。永続的な経済成長モデルは、増加し続ける消費で支えられている。しかし、人はどれだけ消費すれば気が済むのだろう。製品を消費するには環境費用もかかるし、そもそも環境は有限なものだ。政治的な議論を進めないで、国際社会はどうすれば効率化とイノベーションがもたらした利益を、世界の問題解決のために転用することができるのだろうか。この時代の大きな課題のひとつは、個人の動機や関与や向上心を維持しながら個人消費の増加以外の結果を求めることである。

採取主義

世界市場に競争力のある製品を輸出することは国際収支にとって望ましい（国外から国内にお金をもたらす）ことで、経済成長に繋がるのだが――やり方しだいで一部の人、あるいは多くの人にも望ましい結果をもたらすが――その一方でひもつきになるかもしれない。再生不可能なものを国やコミュニティが販売するようになれば、採取、すなわち採取主義がマイナスの結果をもたらしかねない。一種類の製品または少数の製品に依存しすぎると、何か起きたときにコミュニティが不安定になり、基本的な欲求を満たすために他者に依存するようになるかもしれない。「発展途上国は一種類の農作物に過度に特化しているために、依存、農業危機、小規模農民の廃業などが生じる恐れがある[51]」

ラテンアメリカのコーヒー生産国は、大部分の農村の人々の外貨および収入の源としてコーヒーに大きく依存しがちだが、アジアの輸出経済はより多様化の傾向にある。政治学者で国際関係学教授のシェーン・J・バーターによれば、アジアやアフリカの小規模農園のコーヒー生産者は、かなり多様化しているという[52]。彼らは、コーヒー価格が安くなったときにほかの農作物に頼ることができる。つまり収入源がほかにあるため、輸出農作物の販売による金銭収入に頼らない食料源を常に確保している。ところが、生産者の規模が大きくなればなるほど「単一栽培が特徴になっていく[53]」。単一の作物に集中すれば、多様な作物を栽培する人より効率的に作業できるようになるからだ。コーヒーの場合、後で見るように、規模の経済の潜在力が大きくないので、専門農家でも大幅な効率化は望めない。コーヒー栽培がもっとも高い収益を得られるという理由でコーヒーに特化している場合、ほかの作物を栽培することには機会費用が生じる。多様な農作物を生産すれば、不作や価格暴落時のリスクが軽減されることになる。

経済的外部化

国家の天然資源が豊かであれば、価値を作り出すことに汲々となる国民はいないだろう[54]。つまり、土や海から物を採取して大きな利益が得られるのなら、事業主は人々と取引しようと思わないし、売れるものを作ろうとも思わない。この場合、高度な経済成長は達成できるが、雇用創出は難しくなる。生産要素を所有し、採取と輸出から利益を得る人だけが恩恵を受ける。輸出市場で多くの金が支払われ、多くのものが買えるのであれば、国内市場で売ることに関心を抱く人はいなくなる。人々がまずいコーヒーを飲んでいるのが普通のコーヒー生産国では、こうした嘆きがよく聞かれる。その結果、国内の製品やサービスが不足して、国内価格が上昇する。たとえば、農家が一ヘクタールの土地でコーヒーを栽培すれば一〇〇〇シリングを稼げ、豆を栽培すれば五〇〇シリングを稼げるのであれば、たとえその地域で食糧が不足することになろうと、輸出用のコーヒーを栽培する道を選ぶだろう。国内市場への関心が低く、採取生産性にかかわる国民の技術や、労働への評価が低ければ、経済的・社会的不公平と階層化がさらに進むことになる。

採取主義的特化

現在のコーヒー生産国の大半は、かつての帝国主義諸国の旧植民地であり、原地住民の暮らしぶりや生活の質の向上はまったく考慮されず、宗主国へ富を移転するためだけの搾取の経済エンジンとして利用されていた。つまるところ、植民地化の大きな目的は富の獲得だった。奇妙なことだが、現在は独立国家となっている旧植民地の多くは、かつての宗主国に課せられた採取・輸出モデルからたいして離れていない。天然資源が豊富で、その主たる経済を採取と輸出に大きく依存する旧植民地が発展していくことがいかに困難かはすでに言い尽くされている。経済の基盤をわずかな一次産品、つまり未加工の原料に依存している場合、国の発展はなおさら困難となる。[55][56]

実際に、財政の制御や貧困の軽減を必要とする発展途上国のためにＩＭＦ、世界銀行、その他の多国間機関が用意した方策は、前節で述べたような新自由主義的開発の信者たちの万能薬である輸出主導の成長によるものだった。オックスファム〔貧困者を支援する英国の民間救済機関〕によれば、このような諸国は「製品がスーパーマーケットの棚に並ぶまで付加価値をまったく得られない原材料の販売に汲々としている[57]」。この考え方には、ブドウ農場経営者がワインを作るように、コーヒー生産者または生産国関係者が焙煎もするよう提言されている背景がある。こうした諸国にとって資源採取を後ろ盾にして発展することは不可能ではないが、問題はむしろ、収益の配分の仕方であり、労働集約的・知識集約的な部門を伸ばすために資金が使われるかどうかにかかっている[58]。コーヒーの場合、資金を投入するべきは焙煎ではないのかもしれない。さらに地方特性を活かした新しい加工の仕方にあるのかもしれない。

　宗主国に運ばれる富を生み出すために作られた植民地では、財産権や「抑制と均衡」〔政府各部門の力に制限を加え権力の集中を防ぐ〕はたいして問題視されていなかった。こうした旧植民地が独立する過程というのは、全面的な見直しではなく、むしろ下層階級の労働の成果に対する同じ権利意識に基づき、宗主国の君主に代わって国土の所有者が、蓄積された富を最上階層へ移転するというものであった。こうして過去二百年間の政策は、ゆっくりと採取重視から国民の利益へと転換していった[59]。

　採取とは再生不可能な資源のことを言う場合が多いが、水や日光などの再生可能なはずの資源に依存しているコーヒーでさえ、天然資源が補充される前に枯渇したり、生産活動のせいで天然資源が破壊されたりすれば再生不可能になる。たとえば、森林伐採、単作農業（コーヒーの日なた栽培）、牛の放牧による熱帯雨林地域の砂漠化だ[60]。また、採取への依存は、採取や輸出収入の恩恵を受けない国やコミュニティの大部分にとって望ましくないマクロ経済状況を作り出す。「オランダ病」はその望ましくない症状のひとつだ。オランダ病とは、たとえば投下資本がコーヒー栽培のような収益の上がる輸出部門に集中して、製造業のような労働集約的な非採取産業を離れることである。輸出が好調になると、輸出に際して自国通貨が買われて、自国通貨の需要が生じる。その結果、自国通貨が強くなり、輸入商品の値段が安くなり、国内産業はさらに衰退する。採取から得た利益も国民に十分に分配されず、国内産業の強化・発展や雇用の創出につながらないことが多い。たとえば、国連の研究者アストラ・ボニーニが引用しているが、英国の繊維産業は植民地の綿花の栽培と紡績の機能を所有して垂直統合（技術開発、生産、販売、サービス提供などの異なった業務を単一の企業（グループ）がすべて担うビジネスモデル）しようとせず、むしろ、それらの部門を発展させてそこから利益を得られるよう、植民地を支援し、資金を提供した[61]。

しかしボニーニによれば、二〇世紀になると、多国籍で垂直統合された構造を持つ米国企業（欧州やその他の地域の多国籍企業も同様だ）が、発展途上国の原料生産者と競争するために、資金調達や税制度などの面での競争的優位および比較優位を利用し、それによって発展途上国で付加価値をより多く引き出し、利益を他国に運び出す。「アメリカは、自国の市場や資本、技術、知識などへのアクセスを提供して、他国が独立した原料生産者として発展することを支援せずに、原料輸出市場でも競争しつつ、他国での原料生産における付加価値の大部分を占有してきた。（略）この経済構造では、競争力のある原料分野が他の諸国に生まれる余地はないに等しい[62]」

商品

代替可能性／互換性

生産された商品《コモディティ》は、その性質として代替可能（他のものに代替できる）であり、通常は同質であると見なされる。「代替可能であるということは、無防備な商品であり、生産者は他の生産者や商品に取って代わられるほど弱い立場にあるということだ〔62〕」

商品はだれにでも販売できるため、生産者には都合のよいものである。砂糖を買おうという人は、検査可能な客観的仕様を満たしている限り、だれもが同じ砂糖を買う。コーヒーとは何か、砂糖とは何か、原油とは何かということには、厳密な定義がある。コーヒーを注文したのに米が届くというようなことは起きない。規格化と分類のシステムが標準化されているからだ。

商品の取引方法が農家に不利に働く場合がある。世界規模での競争が激しいあまり、農家はあらゆる手段を高じてどこよりも安く生産して供給するか、世界のどこかから一袋あたり〇・五セント安く市場に出す者が現れて市場から排除されるか、という底辺への競争に参加することを強いられるからだ。サプライチェーンは不透明だ。標準化された分類システムと銀行取引のおかげで、すぐに結果がわかる。標準化された商品をあなたに届けている人は、あなたにその供給者《サプライヤー》の連絡先を教えようとしないだろう。あなたが自分でその商品を供給者から手に入れることを恐れるからだ。商品については何の問題もないので、買い手がその出所を知る必要はない。

これと対照的なのが衣料品の小売だ。ネパールにいる人物が「衣類」を提供していて、オークランドにいるあなたが新しい衣類を必要としている場合、あなたはネパールの人物から衣類を買うだろうか。買わないだろう。その衣類というのが使い古されたゴム長なのか、品質のよいシルクの蝶ネクタイなのか知りようがない。また、ネパールの人物があなたに品物を届ける確実な方法も、あなたが騙されないように確認してくれる銀行もないのだ。

商品の買い手はだれから買うかを気にかける理由がなく、売り手が参入する障壁は非常に低いために、価格競争が熾烈化する傾向にある。[64]

コーヒーは、感覚的特性が標準化されず、徹底した定量化が不可能であるために、完全には商品とはならなかった。しかし、感覚的な品質に焦点を当てたスペシャルティコーヒーが市場で重要な存在になる前には、コーヒーは今よりもっと商品化されていた。一七〇〇年から一七五〇年代にかけて、コーヒーの名は一般的に港の名前で区別するか、モカ（イエメン）、ブルボン（レユニオン）、ジャワ（インドネシア）など、生産地からいちばん近い有名な港の名前で分類されるかした。[65]一八八〇年代には、ニューヨーク先物市場は取引の標準化に取り組んでいた。一九〇七年、ブラジルではコーヒーの生豆の品質分類が六十四等級あったが、同年後半にはニューヨークの標準の九等級に減らされた。一九八六年、アラビカ種の先物取引がＮＹ ＩＣＥ市場で始まり、二〇カ国から配送されてくることが可能になったが、標準として使用されたのは中米の品質であった。[66]

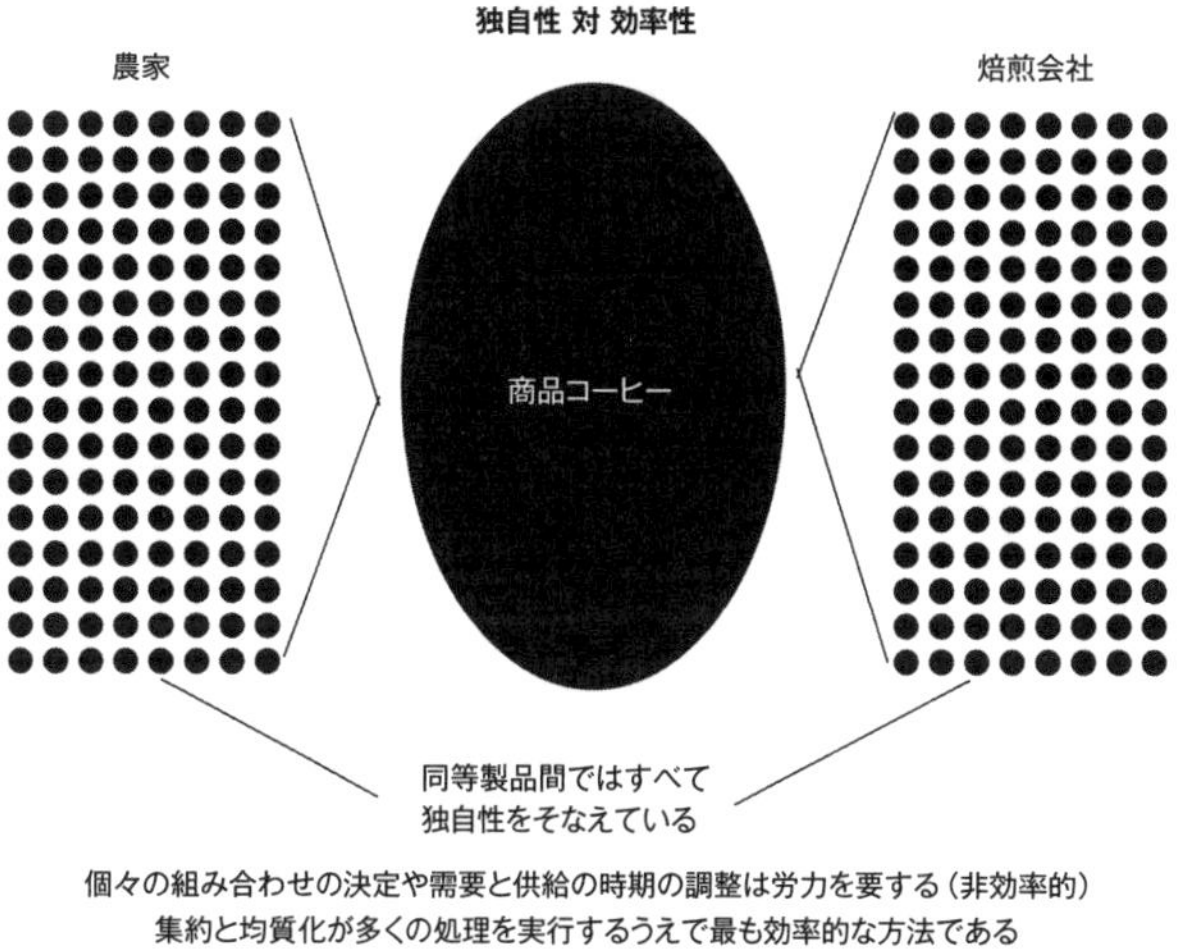
独自性 対 効率性
農家
焙煎会社
商品コーヒー
同等製品間ではすべて
独自性をそなえている
個々の組み合わせの決定や需要と供給の時期の調整は労力を要する（非効率的）
集約と均質化が多くの処理を実行するうえで最も効率的な方法である

図1-3　商品のフェティシズム

商品の本質とその物質の価値が生産された場所や労働から切り離されることを、マルクスは『資本論』で「商品のフェティシズム」と呼んでいる。[67] 商品がブランド化され、一般消費者向け製品になるとき、その「物語」と本質が変わってしまう。たとえば、研究者で大学教授のスティーヴン・ダンコムの直截的な解説では、「スターバックスがコーヒーを一杯出すたびに、土や豆や自然は消滅して、きれいな純白のカップに置き換わる。また、肌の色が黒いコーヒー生産者はいなくなり、かっこいいグリーンマーメイドに置き換わる」[68]（図１‐３参照）。

規格化された商品は売買を単純化し、商取引の効率を上げる。良くも悪しくも個性や奇抜さがない。国際開発の研究者で大学教授のギャビン・フリデルは、資本主義的交換の本質について次のように書いている。「資本主義のもとでは、あらゆる市場の関係者（労働者、小規模生産者、大資本家）は市場で、抽象的な商品として労働なり製品なりを売って、そうして得た貨幣で今度は消費者としてその市場で、ほかの抽象的な商品を買わなければならない。その結果、人々は商品の生産や流通に際して直接かかわり合うことなく、商品がいかに生産されるかという情報を与えられないまま、市場の選択をするための基準は個々人の欲求だけとなり、孤立した関係者として市場に関わることになる[69]」。資本主義のこの本質的で基本的な特性は、それが労働者の搾取にせよ、環境破壊にせよ、その他の何にせよ、虐待への口火を切ることで問題が明らかになる。すべての消費がこのような経路を辿るわけではない。追跡可能性《トレーサビリティ》や透明性、そして一般的に関与している倫理的消費主義を追求する運動は、このような資本主義の基本原理や、巧妙に脱商品化された製品と明らかな対照をなしている。

比較優位

地理的条件によって、あるグループは自分たちでは関与できないさまざまな理由から、ほかのグループより特定の製品を効率的に生産できたりできなかったりし、またはほかのグループより優れた品質の製品を生産できたり、悪い品質の製品しか生産できなかったりする。これがそのグループの、ほかの地域にいる別のグループに対する比較優位である。家族、コミュニティ、国家などの人によって形成されたグループは、自分たちにもっとも適した活動に引き寄せられる傾向にある。たとえば、ブラジルとベトナムは、コーヒーを効率的に、しかも安く生産することにかけては世界のほかの大部分の国に比べて大きな比較優位性がある[70]。その優位性には、地理的なもの（消費者あるいは港に近い）、気候的なもの（降雨量が安定している）、人口統計上のもの（労働年齢人口が高密度である）などが考えられる。

比較優位は政治的なものでもある。こうした優位は統合されたり破壊されたりもする。政府が輸入関税を課して貿易戦争を始めるかもしれない。または、安価に輸出するために補助金を出すかもしれない。あるいは、排除したいほかの生産国に対して禁輸措置を取るかもしれない。たとえば、「EU（欧州連合）とUS（米国）の保護主義政策は、発展途上国の農業従事者がほかの生産物で利益を得ることを効果的に妨げている」[71]。欧州や米国の農業従事者は政府から補助金を得ているので、その生産物はほかの国々にとても安価で輸入されており、その国の農業従事者はとても太刀打ちできない。

交易条件の悪化

交易条件とは、輸出価格と輸入価格の違いのことだ。経済学者ラウル・プレビッシュの理論によれば、付加価値商品は原材料よりも急速に値上がりし、原材料生産者の交易条件の悪化を招く[72]。定義上、商品は原産地に関係なく交換可能なため、本当の競争上の優位性を持てる者はひとりもいない。最低賃金や労働者の権利などの地理的な、あるいは社会的な条件によって、ある者がほかの者より安く生産できるという比較優位があるだけだ。原材料は本来ローテクであり、それに付加価値をのせたり、コストを大幅に削減したりすることはできない。「一次産品における特化という彼ら（発展途上国）が採用した道が、低水準の収入の主たる原因（そしておそらくは結果）

であることは必然的に明らかである。これは、一次産品（商品）の交易条件が（略）体系的に悪化しているためである[73]」

ある研究では、一九〇〇年から一九八六年のあいだに、完成品に対する原料の交易条件――国の輸出価格と輸入価格との比率――が年間〇・五～四パーセント悪化したと推定されている[74]。多くの国に無数の原料と完成品が存在するため、平均値を計算してこの理論を証明したり反証したりするのは非常に困難だ。当然、なかには原料生産者にとって交易条件が悪化していないことを示すデータもある。実際に改善されることもあるので、交易条件が必ずしも悪化するとはかぎらないが、ただ、前世紀（旧植民地のグローバル化が進んだ）のあいだは一貫して悪化の傾向が続いていた。「人為的介入と環境介入との両方の結果による偶発的価格高騰であったにもかかわらず、（国連DME輸出指数に対して収縮した）コーヒーの交易条件は長期的な悪化の一途を辿っている[75]」。コーヒーの場合、交易条件が実際に悪化しているのは明らかだ。末端の消費者向けのコーヒー価格は絶えず上昇しているが、C価格は実質ベースで下落している。これは加工品やブランド品の生産者が悪辣だからではなく、よく否定されることだが、単なる自然現象にすぎない。「農業生産物の価格は二〇世紀を通して下落し続けてきたが、この二十年間でほとんどの生産物の価格下落速度は増した[76]」。より広い地域で国際商取引ができるようになるにつれて、グローバル価格は下落してきた。世界でもっとも安価な生産費用が、もっとも実現可能性の高い生産費用になる。それは、ベトナムの低級のロブスタコーヒーや、ブラジルの「ハードな」ナチュラル・プロセスのアラビカコーヒーといった、いちばん安いものと競争しようとする者がひとりもいな

コーヒーの平均価格指標（1965年＝100）／
国連 DME輸出指標（1965年＝100）および傾向線

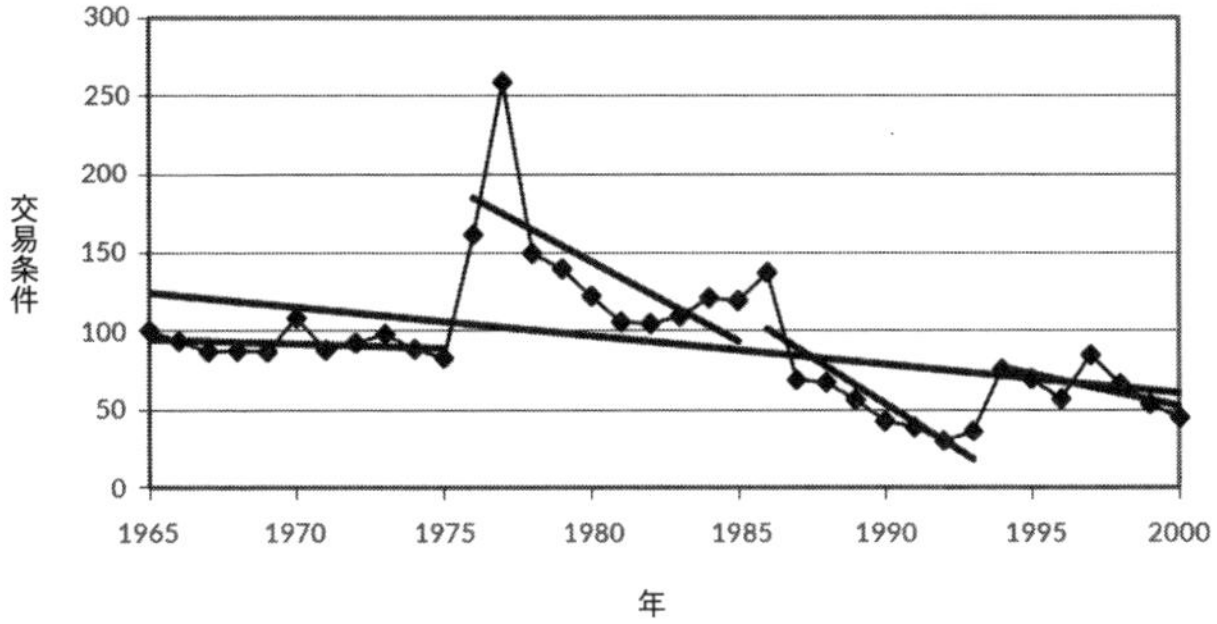

ロバート・フィッターとラファエル・カプリンスキー（2009）「差別化が進むコーヒー市場において製品賃貸から利益を得るのは誰か　バリューチェーン分析」IDS 報告書 32. 69-82

図1-4　コーヒーの交易条件

いからだ[77]（図1・4参照[78]）。

交易条件の悪化は商品市場の特徴であり、交易条件が不公平なやり方で操作されていないのであれば、これには議論の余地があるが、必ずしも悪いこととはいえない。オーストラリアのコンクリートの価格がコンクリート市場への新規参入者のために停滞したり下落したりし、その一方で完全に独立した市場原理によってメルボルンのコンクリート住宅の価格が上がったとしたら、それに激怒した建築会社がサミットを開催し、コンクリートメーカーに住宅価格上昇の公平な負担を求めるように世界の指導者たちに圧力をかけたりするだろうか。もちろん、そんな馬鹿げたことはしない。住宅とコンクリートは違うものであり、任意の価格で売買することを人に強制するような者はいない。それはたとえばクッキーやビスケットの価格の公平な負担を要求する小麦農家がいないのと同じだ。小規模農業従事者の経済的持続可能性を案じるのはやめるべきだ、と言っているのではない。その反対で、絶対に案じるべきだと言っている。しかし、原因ではなく症状を治す方法を探したり、スケープゴートを求めたりすることに時間と労力を費やすのは、我々が支援しようとしている人々には大きな迷惑だといえる。

弾力性

ものごとを秩序立てて考えれば、この概念はそれほど難しいものではない。一歩一歩着実に進んでいこう。

需要の価格弾力性

これは、買い手が消費習慣を変えるまでにどれだけの価格変動に耐えられるかということだ。価格感度の逆の値を測る。価格が上昇したら、世の人たちはどの時点で、どれくらい消費量を減らすのだろう。価格が下がったときには、どの時点でどれくらい消費量を増やすのか。スペシャルティコーヒー協会（SCA）の元事務局長リック・ラインハートは、次のように語っている。「エンドユーザーであるコーヒーの消費者にはガードレールがあるので価格の弾力性はまったくない。（略）つまり、米国の消費者が一日あたり三杯のコーヒーを飲むと仮定して、そのコーヒーが無料になっても消費量が九杯になることはない。（略）消費者の習慣に沿って、消費量は三杯のままである」。同様に、コーヒー一杯の価格が上昇しても、消費者は「ほとんどの場合、やはり三杯のコーヒーを飲むだろう」[79]。価格の弾力性がなく、価格が上下しても需要がほぼ変わらないとすれば、コーヒー市場が供給ショック〔商品・サービスの供給を変化させ、商品・サービスの価格を変化させるような突発的な出来事〕にどう応じるかに大きく関係する。つまり、価格に応じて需要も変動する場合、すなわち供給の制御によって価格を平準化できる場合よりも、価格はいっそう変動する。

需要の所得弾力性

これは、ある人の収入が増えたり減ったりした場合に、その人物の消費がどれだけ変化するかを示すものだ。収入が増えたら、コーヒーをたくさん買うのか。収入が減れば、コーヒーを飲む量は減るのか。複数の研究者によれば、コーヒーは、需要の所得弾力性も低いという[80]。二〇〇八年の不況の時期に、「(米国の)コーヒー消費量はまったく減少しなかった。(略)人々は外ではなく家でコーヒーを飲むようになったが、全体的な消費量は少しも変わらなかった。それどころか、ほんのわずかだが増加した」とラインハートは言っている[81]。人々は安くなったからといって、コーヒーを大量に飲むわけではない(また、焙煎業者や貿易業者は、必ずしもその差額を消費者に還元するわけでもない)。

ここではコーヒーの需要に焦点を当てているが、価格弾力性は供給にもある。これは価格が上下した場合に生産量がどれだけ増減するかを示すものだ。コーヒーの場合、これも低くなるのだが、それはコーヒーが収穫できるまでに生育するのに三年かかる樹木作物であるために、価格に従って生産量を簡単に変えられないからである。価格が安いからといって農家は季節半ばにコーヒーの木を伐採したりはしない。植栽と収穫の投資を回収しなければならないからだ。[82][83]

樹木作物

コーヒー、カカオ、ゴムなどの樹木作物は、生産者が市場の変化にただちに適応することができないという点で、ほかの商品とも農産物とも異なっている。コーヒーの場合、植栽に投資してから完全な収穫を迎えるまでに三年かかる。[84]収益のない三年間の埋没費用を含んだコーヒー植栽の投資は、コーヒーの木の寿命に応じて農家が投資を回収して利益を得たいと思うときに償却される。農家がコーヒーの木を植え、三年間待ち、木が完全に生育した後の最初の収穫物が、市場価格が低いために赤字になった場合、農家はコーヒーの木を引き抜いて別の種類の木を植えるべきだろうか。大きな投資をして三年間その世話をしたからには、そんなことはしないはずだ。農家は苦境に耐え、コーヒーの木の寿命が尽きるまで、できるかぎり収穫をして利益を得ようとするだろう。コーヒーの木の国際平均寿命は十五年から二十年で、品種や生育条件や栽培方法によって違いはあるだろうが、だいたい八年から十年で収穫量が減りはじめる。数回の収穫後に代価が生産費用を下回ったままでも、埋没費用のこともあり、価格が回復するかもしれないことを考えれば、生産者がただちに市場の変化に対応するとは考えにくい。[85]

第２章

国際的なバリューチェーン

THE INTERNATIONAL VALUE CHAIN

サプライチェーン

「我々はサプライチェーンを、最終的な顧客要件を満たすことを目的とした一連の（意思決定・実行の）過程《プロセス》と（材料・情報・資金の）流れ《フロー》として捉えている。この過程と流れは、生産から最終消費に至る連続体に沿ったそれぞれに異なる段階の内側や段階のあいだで起きる」[86]。貿易業者と焙煎業者と小売業者が、コーヒーのサプライチェーンの多くのレバーを動かし、彼ら自身と原産国のあまり力のない無数の関係者とのあいだで取り分をどう分配するかを決定している。

小売と食料品店

国連の報告によれば、「コーヒー消費量の七〇から八〇パーセントが、スーパーマーケット・チェーンでの購入による」という[87]。同じく、焙煎コーヒーの小売販売額の六〇パーセントを小売業者が占めている[88]。また別の報告では、コーヒーの全カテゴリーの小売販売額の四五パーセントは、家庭で消費されるために販売されている[89]。今日、大規模小売チェーンとスーパーマーケットが農産物品のサプライチェーンで絶大な影響力を持っているのは、購買力があり、消費者のあいだでブランドが認知されているからだ。「グローバル化した農産物チェーンでは、生産者よりも小売業者に有利な力が働くようになっている」[90]。小売業者は、生産者がどうしても必要とする消費者とのあいだに入っているからだ。プライベート・レーベルや「ストアブランド」などと呼ばれる製品カテゴリーを利用して、小売業者は生産者と顧客に対する支配を強固なものにしている。[91]

世界の多くの地域では、食品小売店は過密状態にある。欧州の小売業者五社と米国の小売業者四社が、それぞれの地域での食品総売上高の約五割を占めている。[92] こうした小売業者が重要であるのは、一般消費者との繋がりがあるからだ。彼らが高利益を要求する理由もここにある。さらに焙煎会社に価格を引き下げさせるための圧力をかけられる。価格の引き下げのために、生豆を含むコーヒーの売上原価（COGS）を削減している。[93] スーパーマーケットの棚で競争ができる価格にするには大きな規模が必要だ。食料小売店で販売されるコーヒーの約四〇パーセントを七つの焙煎会社が占めている。[94]「強引な取引をしたり、契約受注のための競売を頻繁に利用したりといった、積極的な交渉戦略を通して、小売業者は生産者が受け取る価格や利益を抑えてきたのである。[95]」

焙煎業者

焙煎業者は、生豆と焙煎豆というまったく別の製品の大きく異なる市場に参加している。生豆がなければ立ち行かない焙煎業者は、豆を調達するために世界規模のサプライチェーンを持たなければならない。また、至近距離での戦いと巧妙なブランドのポジショニングを介して、ひとりひとりの消費者の心をつかまなければならない。今はブランド力がきわめて重要であり、またこのビジネスには財務的、技術的、感情的なニーズを管理するためのインフラ開発が困難かつ複雑なため、焙煎会社は過去十年のあいだに大幅に統合された。

業者への集中と圧力

効率と経済的な規模を追求する焙煎会社が統合され、製品の焦点は差別化から一貫性に変わった。小規模ブランドは、注目を集めるために群れのなかで際立つ必要がある。大規模でどこにでもあるブランドのもとで販売している焙煎会社は、いつでも手に入る利便性と価格に基づくさまざまな要素を活用し、標準化されたブレンドを手に入れるよう努力してきた。たとえば大手焙煎業者のなかには、コストを削減し、重量を減らすために、ときには品質を犠牲にしてまで焙煎時間を短縮しているところがある。成長しなくなった大手焙煎会社が小規模な焙煎業者を買収するのは、取り扱い商品を増やして市場占有率を獲得するためだ。[96]

大手焙煎業者がその傘下にある消費者市場を支配するほど大きくなると、世界中で取引されている焙煎豆の量を支配するようにもなる。生豆の貿易業者にとって焙煎業者の重要性が増すにつれて、焙煎業者はより強い交渉力を発揮するようになった。[97] 二つの焙煎会社が世界の焙煎豆市場の四分の一を手に入れている。[98]「コーヒー生豆の輸入量のおよそ四五パーセントを、フィリップ・モリス、ネスレ、サラ・リー、プロクター・アンド・ギャンブル、チボという五大焙煎業者が購入している」。[99][100] ソリュブル・コーヒーやインスタント・コーヒーでは、ネスレとフィリップ・モリスが世界の四九パーセントを占め、最大手五社が世界の生産量の六九パーセントを占める。

置換——焙煎業者対原産地

大手焙煎業者や貿易業者が寡占の立場を利用して世界価格に影響を与えたかどうかについて議論されているが[101]、それよりも明らかになっているのは彼らが利益を増やすために豆の置き換えをしていることだ。二〇〇五年の国連の報告によれば、「コーヒーの生豆の価格が上昇すると、それに従って小売価格を上げる努力をするよりも、高品質の豆を低品質の豆に置き換えることが頻繁におこなわれ」、その結果、利益が一定に保たれているという。

しかし、生豆の価格が下落してもブレンドの構成はそのままで、利益は増すことになる[102]。一九九〇年代に、焙煎業者はサプライヤー管理在庫（ＳＭＩ）の実践を採用するようになり、焙煎業の商売を維持するために、貿易業者を説得して焙煎業者の在庫を彼らの帳簿上に保持させ、在庫を保持する経済的負担を押しつけた。

現在では、これが業界の標準的な慣例となっていて、焙煎豆のブランドが成長するにつれて、貿易業者（彼らも成長をつづけている）に対する影響力も増していく。焙煎業者は貿易業者に銀行のように在庫を保管させることで、自由にできるキャッシュを確保している。このシステムのもとで、市場への流動性を持ち、ブランドのマーケティングおよびポジショニング、店舗の展開、高級品のグラム単位のはかり売りなどをおこなっている。

二〇一八年のコーヒー・バロメーター・レポート（二年ごとに発行されるコーヒー業界の持続可能性に関する報告書）は、ＪＡＢホールディングスの投資傘下にある焙煎会社について次のように述べている。「その規模と市場への影響力の拡大によってJABコーヒーは現在、貿易業者に対し、支払期日を最長三百日まで伸ばすことを要求している。（略）これほど長期の資金繰りに対応できるのは非常に規模の大きな貿易業者だけだ。競争が激しくなるにつれて、貿易業者の淘汰が進み、支払期間が長くなるリスクが生じる恐れがある」[103]。支払期間が長くなるという業界の慣例が一般的になり、先進国の貿易業者の淘汰がいっそう進んでいけば、サプライチェーン内のパワーバランスは生産国の関係者にとって不利な方向へと変化していくだろう[104]。

大手焙煎業者のブレンドは以前よりも臨機応変になっているが、それはコーヒー豆を適宜置き換えることで、特定の貿易業者や生産者、さらには原産国にさえ依存しないようにしているからだ。焙煎業者は供給元の会社や国を変えるという脅しを使って、自身に有利になる条件を出したり、生豆の価格を下げさせたりすることができる。「焙煎業者は、特定の味や風味を維持できるもっとも安価な豆の組合せを手に入れることで、コストを最小限に抑えようとする」[105]。焙煎業者が産地にこだわらず、いちばん安い豆を購入しようとすれば、各国の貿易業者や各国政府が、焙煎業者とのビジネスを繋ぎとめるために価格戦争に突入し、身動きがとれない状況になる[106]（もちろん、すべての焙煎業者がこのように考えたり、実行したりしているわけではないが）。

大規模な焙煎ビジネスを手に入れて維持するために生産国のあいだでは競争が激化し、価格競争が起きる。そしていちばん安い豆を提供したところだけが生き残る。サステナブル・ハーヴェストの設立者デイヴィッド・グリスウォルドによれば、「原産地に関しては、少なくとも最初は淘汰が進み、選択肢が減る。売れる人が減るからだ[107]」。コロンビア大学の人類学教授ペイジ・ウェストによれば、「世界最大のコーヒー会社のひとつは、もっとも人気あるブレンドの消費需要を満たすために、高高度の火山土壌で育ったアラビカ種豆を一定量確保しなければならない。しかし、その会社のバイヤーは、その豆がパプアニューギニア、ケニア、ブルンジ、コスタリカの四カ国のどこから来たのか、それとも「アザーマイルド」を生産するその他の国から来たのか、ということにこだわらない[108]」。

「一九九〇年代以来、『アザーマイルド』、『ナチュラル』、『ロブスタ』といった種類の低価格コーヒーが世界的にトレンドになっている。ロブスタに対するアラビカ種の豆の生産量の割合は徐々に減少してきた。（略）アラビカからロブスタへの最初の大きな移行は、一九九七年にニューヨークのコーヒー先物取引価格（アラビカ価格）が史上最高値に近いところまで上昇したときに起きた。それに連動して焙煎業者が安価なロブスタコーヒーのほうに大きく方向転換したのだ。以来、ロブスタの割合は全体の三分の一にまで増えている[109]」。アラビカの価格がロブスタに比べて急騰した一九九七年以降、焙煎業者はロブスタを蒸してクセのある風味を薄めるなどの方法を使い、ブレンドにロブスタをより多く配合する方法を考案するようになった[110]。

焙煎会社は、競争環境のなかで市場シェアと顧客の愛着度《カスタマーロイヤルティ》を最大に高めようとしているため、自社のブランド経験だけに頼り、自社のブレンドの品質と独自性を強調するのに血眼になって、原産地の個性などの要素をおざなりにしている[111]。「自社のブレンド豆が、原料となる特定のコーヒー豆の味わいに近づくほど、ブレンダーには高い豆を安い豆に置き換えてコストを低く抑えるのが難しくなることがわかるだろう[112]」。ケニア産のコーヒーが好きになった消費者は、いつも買うことに決めている気に入った焙煎ブランドだけでなく、いくつもの他の焙煎ブランドでも好みの豆を買えることに気づく。これに対して焙煎業者は市場シェアと最高の収益を維持するために、適切な価格で入手可能な豆ならどんなものでも使って自社のブレンドを維持している[113]。

もっとも、サプライヤーが倒産するところまで価格を下げさせることが、賢明な長期戦略であるわけがない[114]。とはいえ、競合他社すべてがやっているのに、自社だけはしないと決めたりすれば、不利な競争を強いられて、市場シェアと競争力を失うかもしれない。投資家に分配できる利益は少なくなり、広告モデルのようになりたいと人々に思わせるようなライフスタイル・マーケティングへの投資も減らさざるを得なくなる。今のところ「(略)コーヒー豆の焙煎と小売における利益率と取引倍率は世界的に上昇しており、その傾向が特に米国では顕著だが、それは消費者の嗜好がより高品質でより高価なコーヒーに移行しているためだ。上場飲料および小売スナック企業の取引倍率は現在、三一・五倍であり、この傾向はコーヒー業界の大規模で買収的な企業でも変わっていない[115]」。

貿易業者／輸入業者

生産された生豆の八〇パーセントはすぐに輸出される[116]。これを実現させていくのはそう簡単な仕事ではない。

集中

コーヒー生豆の有名な貿易会社の大半は非公開企業であるために、その正確な規模、販売量、利益はわかっていない。[117] しかし、市場がますます集中していることは明らかで、これは一九九〇年代と二〇〇〇年代に生じた価格変動の衝撃に耐えられずに、多くの小規模貿易業者が淘汰されたことでも明らかだ。[118] 一九九八年にはヴォルカフェとノイマングルッペが世界のコーヒー豆の一九パーセントを支配し、上位六社が五割を占有していると報告された。二〇〇〇年代初めには、貿易会社の上位三社が世界のコーヒー豆の四五パーセントを占めるようになった。最終的に二〇一四年には、ノイマングルッペ、ヴォルカフェ、イーコムが世界のコーヒー輸入量の五割近くを支配するようになった。[119] それから今日に至るまで、五大貿易会社が世界貿易の約五割を支配していると考えられており、状況はそれほど変わっていない。[120]

焙煎豆の価格のうち生産者に返還される割合が大幅に減少している一方で、たいていの場合価値の集中は物流の部門ではなく焙煎業者と小売業者のところで起きている。「バリューチェーンで大儲けしているのは、『ジェネリック』〔代替可能な、差別化されていないコモディティ（商品）〕コーヒー製品の原料を扱う地元の貿易業者、輸出業者、国際貿易業者や輸入業者ではない。儲けているのはブランドを管理する焙煎業者であり、それに比べたら儲けは少ないが、小売業者である[121]」

世界中のたいていの商業と同じくコーヒー豆の取引でも、金融の重要性がますます大きくなっている。貿易業者が付加する価値の第一は、一般に想像されているような、世界の遠い場所からコーヒーの生豆を調達して輸送することではなくて、むしろ事業を実行しリスクを背負うための資金を提供することだ。サプライヤー管理在庫（ＳＭＩ）が大手焙煎業者のあいだで当たり前のことになり、その後ほとんどの焙煎業者に普及した九〇年代後半以来、貿易業者は低金利資金へのアクセスがあり、原則として委託販売で生豆を得る焙煎業者に魅力的な条件を提示する能力があることを支えに競争を展開してきた。焙煎業者のビジネスモデルのこの傾向は、貿易業者の集中と小規模貿易業者の競争力低下を招いている。[122] 貿易業者が金融業者としての能力を持つことが重要となる一方で、技術革新のおかげで生産者と焙煎業者とのあいだが、そして生産者のことを知りたいと考えている消費者とのあいだが近くなった。サステイナブル・ハーベストの創業者デイヴィッド・グリスウォルドによれば「市場の中心部は新しいテクノロジーによって大きな打撃を受けるだろう。農家と消費者の距離がますます縮まっていくのは本当によいことだと思う。従来の貿易モデルは崩壊することになりそうだ[123]」。

生産諸国での拡大

輸入業者は焙煎業者との関係を維持し、さらに自分たちがコーヒー生産国を拠点としていることを利用して、多くの国で輸出事業所を所有し、場所によってはコーヒーチェリーの加工やコーヒーの栽培をおこなう事業所まで所有しているところもある。[124] このようにして焙煎業者がバリューチェーンのなかでもっとも弱い立場である生産者から直接買い入れることができるのは、品質を考慮して貿易業者と価格交渉するような力のある協同組合やほかの生産者団体を取り除くことができるからだ。多国籍の事業者としての彼らの利害が、彼らに依存している生産国や共同体や生産者の利害と一致することは少ない。[125] コーヒー部門の国益を最大限に確保していた国は、現在は改革され、自由化されている。これは一九八九年の国際コーヒー協定が終結されて以降の一般的な政策傾向だ。

生産国の統合と輸出業者

地元企業は世界最大手企業に、流通や輸出の面でも負けつつあり、ウェットミル（水を使ってコーヒーチェリーの果肉除去を行う工程）の機能でも太刀打ちできない。直接買い付けというやり方では小規模農園は何の利益も得られず、さらに依存的な立場に置かれ、相対的な規模によって買い手を選ぶという交渉力さえも弱くなる。[126] 生産国の加工工場、生産者協同組合のような仲介業者、生産国の輸出業者は、資本へアクセスできて低金利の多国籍企業が相手ではなす術がない。[127] たとえばタンザニアでは、国外の貿易会社が彼らの現地子会社を通じてコーヒー豆の輸出の五割以上を手中に収め、残りの一部にも融資協定で介入している。[128] そのため、一九八五年以降、このチェーンの総収入において増え続けるシェアは、輸入国の企業にもたらされている。[129]

仲介業者の役割：協同組合、協会、個人業者／コヨーテ

生産国の仲介業者は悪評を買うことが多いが、彼らが担当しているのは、コーヒーを市場性のある単位に集約し、集約的に融資し、輸送と加工と輸出業務を手配し、品質を管理し、生産国で

の膨大な量の煩雑な事務手続きをおこない、貿易業者とのやり取りをするという、大変重要な仕事だ。一九九〇年代に生産国の国内コーヒー市場が自由化されて以降、国内の仲介業者は、物流効率や裁定取引機会を理由に、すべての豆を同じ価格で購入する傾向にある。この慣例のせいで、小規模農園が高品質のコーヒーを生産する動機がなくなる。皮肉なことに、仲介業者にとってこのことが市場の変動性を回避《ヘッジ》し、販売価格を改善するための最善の方法になる。ダヴィロンとポンテというふたりの研究者によると、「スペシャルティ市場に迎合する輸出業者は、垂直統合や長期契約を通じて大農園にますます頼るようになっている。小規模農園は市場から除外されつつある」[130]。統合業者、ドライミル業者、輸出業者は、農家や貿易業者よりもコーヒーの生豆にかかわる時間が短いため、生豆の所有権を持つチェーン内の他の業者より価格リスクにさらされることが少ない[131]。しかし、エチオピアの例で述べたとおり、輸出業者は金融派生商品による回避をおこなわないことが多いので、リスクがないわけではない[132]。

彼らは、資本力の豊かな国際貿易コングロマリットにはかなわないかもしれないが、論理的な価格体系を提供したり、小規模だが持続可能な事業運営をしている現地の協同組合や組織が代替案を提出したり、大手多国籍企業が協同組合より下の価格を提示するのを阻止したりしている[133]。フェアトレードも同じことをしている。フェアトレード・プレミアム〔輸入組織により品物の代金とは別に支払われるプレミアムは、組合や地域の経済的・社会的・環境的開発のために使われる資金〕が割に合わない地域では、現地価格が良いはずである。そこに大きな差がある場合（そしてフェアトレード・コーヒーに対する十分な需要があり、生産者が認証を受けることができる場合）、生産者はフェアトレードに参加するか、別の買い手がより多くの金額を提示して生産者がフェアトレードに参加するのを阻止するかのどちらかになるだろう。

国際貿易業者による新植民地化

先進国の大企業は低金利で多額の資本にアクセスできる傾向にあるが、発展途上国（コーヒー豆の生産国）では、海外投資に依存しているため、金利が高くなる傾向にあり、信用市場は不活発でリスクを冒そうとしない[134]。発展途上国の自由化された市場の大半は国外からの直接投資を好んでいる。というのも、海外投資家たちは対外債務返済のために外国為替（他国の通貨）を提供し、雇用創出（多くの場合単なる置替だ）を約束し、将来の企業利益を外国株主の銀行口座に送金しようとするからだ。こうした状況は、多国籍貿易会社が進出を決めた場合、事業者を極めて不利な立場に追いやることになる[135]。

「……コーヒー輸入業者（先進国の多国籍企業）は、回避《ヘッジ》手段を使って自国から三パーセントの金利で資金調達する。こうした多国籍企業がウガンダにやってきて、二七パーセントの金利で借金している現地の貿易業者と競争するのだ。そして現地のコーヒー輸出業者はそのうち、競争にならないというだけの理由で廃業に追い込まれる[136]」

組合員が収穫したコーヒー豆をまとめて販売する地元の協同組合は、今日の貿易会社が造り出した構造には合致していない[137]。「それぞれの小規模農園のコーヒー豆の大半は、輸出前にブレンドされて均質化されるため、固有の『栽培者アイデンティティ』が失われてしまう[138]」。多くは利益率が低く、巨額の資本を必要とするが付加価値の高いビジネスのコスト構造をコントロールするためには、資本戦略が必要となる。国外の貿易会社は現地の輸出業者を買収し、相乗効果として、先進国のコーヒー消費国から大規模で割安な資本へのアクセスを提供することができる。コーヒー豆をめぐる競争が激化するにつれ、独立系貿易業者は生産者と直接取引しようとし、農家への支払いは少ないものの地元社会の取り組みに投資して農家に最大利益と安定をもたらそうとする協同組合と競合して追い抜こうとしている。[139] こうした企業は、他の企業よりも資本へのアクセスが良好だからといって責められるべきではなく、また、利用可能な資本を活かしてサプライチェーンをできるかぎり効率化しようとしているからといって責められるべきでもない。のちに詳しく見るとおり、特定の企業には思うようにならない構造的要因があるからだ。

国内取引所を通じて取引が行われているケニアでさえ、規制が緩和されると、競争資金へアクセスできなくなり、「多くの独立系輸出業者が国際貿易業者に買収されるか、あるいは資金調達を彼らに頼る」[140]しかなく、大手多国籍貿易会社と供給契約を結ぶことになった。

これは交渉力と主権の観点からは憂慮すべきことだが、潜在的な利益がないわけではない。大企業のほうが現地の前身企業よりも優れたテクノロジーを用いて効率を上げられる。また、焙煎業者や消費者からバリューチェーン全体の透明性を求められたとき、垂直型組織のほうが仕組みとして透明性を提供しやすいと言える。

とはいえ、開発学の研究者で大学教授のラファエル・カプリンスキーは、一部の生産国では国外の買い手が協同組合や農場レベルで競争し合うことで価格が上昇するのを避けるために談合している証拠がある、と述べている。[141] さらに、多国籍の子会社によるコーヒー物流および輸出業務は、現地コミュニティから多額の税収を奪いかねないし、実際に奪ってしまうことが多々ある。[142]子会社は利益を他国に移転したり、生産国で税金をほとんど支払わずに総税額を減らすために移転価格を利用してより有利な税制管轄区域の子会社に原価以下で輸出することができるし、またその義務を課せられる場合もある。[143]彼らには製品を一度も地面に下すことなく国内外へ輸出入することができる。たとえば、スイスの貿易会社のインドネシア子会社が、オーストラリアの輸入業者にコーヒーの生豆のコンテナを販売する場合、スイスの親会社に原価での本船渡し（FOB）価格、たとえば一ポンドあたり一ドルで販売することができる。このとき、まったく利益が出ていないため、インドネシアの所得税はかからない。コーヒーはスイスではなく、オーストラリアの最終購入者に送られる。しかし、スイスの親会社は同じコーヒーをオーストラリアの輸入業者に実際の価格、たとえば一ポンドあたり二ドルで再販売することになる。この二ドルは技術的にはインドネシアではなくスイスの会社の儲けになるため、利益に課されるのはスイスの税金だけである。

ここで興味深いのは、スイスの関税政策の裁量を考えれば、スイスにあるコンピュータ内で処理されたコーヒーの数量は、公的に入手可能な統計上に現れることがないので、租税回避策やその他の裏技がどのように使われたかを後になって調べるのは困難だということだ。[144]コーヒーの場合、諸説あるものの、世界の生産量の約五割が内陸国を経由すると考えられている。[145]スイスを経由する世界の流通量の少なくとも五〇パーセントについて、ほとんどの生産国の税が移転価格によって回避されているとしたら、特定の地域や国の経済全体に占めるコーヒーの比重を考慮すれば、こうして失われる税収が、国民や企業が利用できる公共サービスが決定的に不足している社会に与える損失は悲劇的なものになる。[146] もちろん、すべての貿易業者が移転価格を最大限に活用していると言っているわけではなく、彼らは移転価格の利用をやめるべきだ、と言っているのでもない。こうしたことが普通におこなわれていることを、知識として持っていてほしいだけのことだ。

政府、規制機構、多国間協定

構造調整（IMF$）

かつては政府や国家機関が自国の農作物の供給とマーケティングを管理するのが一般的だったが、一九九〇年代から、自由化と自由市場経済が未来に通じる道だとされるようになった。構造調整政策（SAP）は、各国が外国政府あるいは世界銀行や国際通貨基金（IMF）のような多国間組織から支援を受ける条件として実施された。[147] そして商業が自由化され、国外の関係者や多国籍企業に開かれた。価格と為替レートは変動に委ねられ、供給と在庫は市場の支配に委ねられた。[148] まさにこうした機関（世界銀行やIMF）が、先進諸国政府の資金を使って発展途上国の貿易自由化を奨励し、勝者と敗者を決する自由市場競争への参加を促していたその裏で、先進諸国は自分が有利になるように自国内の生産者にこっそり補助金を出していた。このために、発展途上国で生産できる競争力のある商品が制限され、発展途上国が先進国の多くの製品の市場に参入できなくなっていた[149]。さらに、先進国、特に欧州と北米では、農産物の生産に補助金が出ているので、結果的に開発途上国に低価格の農産物があふれるという事態を招いている。小麦などのような低価格の生産物は、家庭の食費削減につながりはするが、国内の食料生産者を市場から締め出し、国家の食料安全保障全般を脅かしている[150]。

資金援助や普及サービスなどの公共財は民営化され、利益目標を課された。理論的には、自由市場にこうした活動の調整をすべて任せると、最大の効率と経済成長が得られるはずだ。それは確かに事実かもしれないが、コーヒー市場全体の再編と小規模農園の窮状について述べてきたとおり、その成長は非常に偏っている[151]。コーヒー豆の生産者は、特にアフリカでは、政府が果たしてきた役割を引き継ぐ準備がまったくできていないことを自覚している[152]。残念ながら、多くの国が選択する政策においては、特にその政府が新自由主義派の考える経済発展に賛同している場合、生産性と効率を高めるための要件は土地の集中と規模であるとされる[153]が、実際には、少なくとも非伝統的農作物（生産費用が規模の経済から著しい恩恵を受けない農作物）と農村社会の開発に関して、多くの反証を挙げることができる。タラ・ブラウンは二〇一二年の論文で「IMFの構造調整政策のために、ベトナムは対外債務を返済するために低品質のロブスタコーヒーの輸出に対して巨額の投資をおこなうことになり、結果として一九九〇年から二〇〇〇年のあいだに世界のコーヒー生産量の二パーセント未満を占めていたにすぎなかったベトナムは、コロンビアを抜き、世界第二位の一大生産国となった[154]」。

研究者のローラ・ジャーマンは二〇二〇年の著書で、先に紹介したプロセス全体を次のように要約している。「自由化政策とSAP（構造調整政策）の影響で価格が大きく変動し、生産側の管理構造が弱体化し、垂直統合が強固となり、小売側への権力と利益の集中が進行した[155]」

規制や中央管理はイノベーションや創造性、発展の対極にあるものと考えられることが多い。ただ、そのとおりではあるが、魔除けの呪文にすぎないこともある。実際は、その両方が組み合わされていることが多々ある。たとえば、ジャマイカのコーヒー業界では、コーヒー産業委員会（CIB）がしばらくのあいだ、唯一の生産者協同組合からの買い手としてジャマイカコーヒーの輸出業者の役割を果たし、コーヒー生産量が二十倍になり、一九八〇年代初頭に政府が国際通貨基金（IMF）との提携を決定するまでの数十年間、生産管理をおこなってきた[156]。民間企業の買い手が政府のボトルネックを回避できるようになれば、コーヒーをめぐる競争は激化し、生産者価格が上昇すると考える人もいるかもしれない。しかし、この場合にはそれが起きなかった。生産量が減少し、CIBからの支援を受けた協同組合は、生産者に信用取引や技術支援などのサービスを提供する能力を失い、最後には支払能力を維持できなくなり、店をたたまざるを得なくなった。その後、生産者は、おぼつかない交渉力で残った民間の買い手に応じるほかなくなった。農場出荷価格はとりわけ不安定になり、ほとんどが下落した。一九八〇年代にCIBが撤退するまで、生産者はFOB輸出額の五割を稼いでいた。しかし、二〇〇六年から二〇一〇年のあいだに生産者が手にしたのは消費者小売価格のわずか五パーセント、推定世界平均の約半分にすぎなかった[157][158]。

国際収支

政府がどんな生活必需品よりも輸出農作物の増産を支援する政策をとるのは、自国の経済に外貨をもたらすためだ[159][160]。コーヒー生産国の大半は、米ドルまたは米ドルに交換可能な通貨をＩＭＦや世界銀行に返済していることが多い。そうした国々は外国債務を返済するために外貨（ＦＸ）が必要だ。また、外貨を購入して同じ債務を返済するために自国通貨を使用しなければならず、そのため、自国通貨の価値を守らなければならない。

商品の輸出ブームになると、民間銀行から世界銀行のような多国間機関にいたるまで、国際的な金融機関が色めき立つ。長期返済について考えれば、短期間しか政権を担わない政治指導者はなんとかそれを引き受けようとして、将来的に譲渡抵当権を設定し、消費を上向きにしようとする……。そして、郊外のいたるところに新しいオートバイや衛星受信アンテナが現れることになる。この悪徳商法がまかりとおるのは、「このような商品消費の増加が生活の質の向上と混同されている」ためであり、必要とあらばどんな手段を講じても政党を存続させようとして政治権力を金で手に入れるためだ[161]。「債務のコストは米ドルで固定されているが、コーヒー輸出のドル価値は確実に低下している[162]」

国際収支は純輸出入額であり、通貨の価値はその需要と供給によって決まる。政府が借金を返済するために紙幣を印刷すると供給量が増し、価値は必ず下がる。ある国が輸出をするとき、相手の国が商品の代金を支払うことで自国通貨の需要が増え、その結果その通貨の価値が上がる。輸入するときには自国の通貨を売って、商品の支払いに使用する外貨を購入しなければならず、その結果、他国通貨に対する自国の通貨の需要が減り、その価値も下がる。政府は収益性に関係なく代金の支払のために、コーヒー豆を輸出する農家を必要とする。

経済的に自由化された国の多くは、採取産業に関わる外国資本に依存している。コーヒー豆などの一次産品の国際価格が下落すると、生産国は自国通貨価値と税収を支える輸出による外貨収入が減少する。ビジネスの収益性が低下すれば、海外投資家はすぐに新たな収入源を追い求め、生産国の国際収支はさらに悪化する。手軽な解決方法はないのか。それを埋め合わせるために生産量を増やせば、製品が市場にあふれ、国際価格をさらに下落させてしまう。[163]

一九七〇年代にメキシコ国立コーヒー研究所は、コーヒー豆の生産性を上げることで外貨流入を増やす運動を実施した。彼らは農学者の意見にしたがって緑の革命の農業技術を用い、生産者を「近代化」するために資金を投入して生産性を上げた。この結果、小規模農園の単位当たりの生産コストは大幅に増え、自然の生態系が破壊され、農業の経済的リスクが高まった。INMECAFEは生産されたコーヒー豆をすべて市場価格で買い取り、「近代化」の融資金はコーヒーという形態で返済された。農業従事者は変化の前より悪化した立場に追いやられ、「近代化」の援助というかたちで政府から借りた資金を返済するだけのコーヒー豆の販売収入も得られないままだった。[164]

世界中でこのような誤った販売促進策が、コーヒー豆だけでなくさまざまな農業分野で混乱を生み出している。「たとえ厳密な意味で採算が取れないことがわかっても、増産を支持する政府がいくつかあった。過剰生産へ圧力がかかるのは、多くの主要輸出業者（国）が外貨収入を砂糖に大幅に依存していたり、独占的に依存していたりしているからだ[165]」。市場に氾濫を引き起こす可能性のあるこの直観に反する傾向は、価格が勝手に変動するということで幾分かは説明できるかもしれない。たとえば、一八二〇年代のインドとロンドンのインディゴ貿易では、「ロンドンの市場に出荷されるインディゴの量は実際の需要や価格、あるいは予想される需要や価格に完全には依存せず、支払いと利益をヨーロッパに送金する企業とベンガルの民間事業の需要に依存していた。そのため、不思議なことではないが、ロンドンのインディゴ市場が予測不可能な激しい変動を起こし、投機を刺激し、結果として無益な倒産を引き起こした[166]」。

国際干渉

ポストコロニアル時代でも、コーヒー経済は旧宗主国やその他の先進国の関係者の関心を集めてきた。ある著者によれば「ヨーロッパ諸国は、植民地企業を豊かにし、のちに富のかたちで事業を旧植民地に移転するために（コーヒー価格とそれによる生産国の収入の安定を目的とした国際コーヒー）協定を支持した[167]」。コーヒーに対する世界的な関心は、実は政治的なものであり、とりわけ冷戦時代にはそれが顕著だった。また、国際コーヒー協定に関しては、「一九六〇年代に最終的に米国が署名に同意したのは、それが共産主義の影響が迫ってくるラテンアメリカの農村部への援助となり得ると考えたからだった[168]」。

米国国際開発庁（USAID）は、世界各国のコーヒー政策を積極的に支援している。しかし、その目的は生産者コミュニティの繁栄にかぎられているわけではない。その「二〇一九年コーヒー報告書」の最初の一文には、「アメリカのコーヒー産業は、一七〇万人近くの米国内の雇用と二二五〇億ドルの国内総生産を担っているが、ほぼ完全に海外のコーヒー生産に依存している」と記されている。つまり、米国は自国でのコーヒー経済の活動を維持するために世界中から安定的な供給を確保しなければならないのだ。

貧困にあえぐコーヒー生産地のコミュニティはずっと援助を必要とする状態にあり、福音派キリスト教団の布教活動を受動的に受け入れているところが多い。こうした国境を越えた取り組みをとおし、焙煎業者や消費者は結果的に生産者たちを自分のコミュニティ、すなわち自分たちと同じ宗教コミュニティの一員として認識するようになるため、双方の絆と共感を生み出すことができる。[169]ただ、なかには、宗教を信じている特定の組織を受け入れるための直接的な経済政策がある場合、道義的にグレーな領域だと見る人がいるだろうが、信者を獲得し、さらに絶望的で疎外されたコミュニティに繁栄をもたらそうとする人々には、その絆は偶然手にしたものに見えるかもしれない。

いわゆる「麻薬戦争」の国際的な最前線では、違法薬物の製造に使われる作物をコーヒーの木など他の作物に代替する取り組みがおこなわれてきた。その結果はさまざまで、勝者もいれば敗者もいるが、コーヒー豆生産の激化と森林破壊による生物多様性の破壊をもたらすことが多かった。[170]ときには、「違法」な作物の代わりとして、あるいは外貨獲得のために、特定の地区にコーヒー豆の生産を増やそうとする海外企業の活動は、コーヒー生産者には望ましくない結果や市場状況を招いた。国際援助機関の新自由主義的な輸出主導の――増産および農薬集約・高収穫農業実践を勧める――成長戦略は、コーヒー豆を市場に溢れさせることになった。メリッサ・マーフィーは、「供給過剰問題とコーヒー危機は多国籍金融機関の政策に原因があるといえる」と述べている。彼女はとりわけＩＭＦと世界銀行をこの犯人に挙げている[171]。

新自由主義が国際商品貿易の大部分を占めている一方で、別の方向に進んでいる世界もある。たとえば、エチオピアは明らかに反＝新植民地主義戦略を取り、外国企業が国内でコーヒー豆を取引することを禁じた。一部の例外を除き、外国企業はエチオピア商品取引所を通じてでなければ、エチオピアの輸出業者からコーヒー豆を購入できない。その目的は、大規模な国際貿易業者の比較優位が地元生産者とのサプライチェーンにおける力関係に影響を及ぼすレベルを制限することだ[172]。

C　価格と先物市場

これは大きな問題で、混乱や見当違いの非難を招く原因である。その仕組みを説明する前に、全体像を把握しておこう。

インターコンチネンタル取引所（ＩＣＥ）はデリバティブ取引を提供し、コーヒー、綿、ジェット燃料、二酸化炭素排出量を含むあらゆる種類の商品のターミナル市場として機能する民間企業である。ICEは、アラビカコーヒー（別名「KC」）の「コーヒー『C』先物」であるニューヨーク「C」取引や、ロブスタコーヒー先物である「RC」取引を取り扱っている。

ではそれが何をするのかを説明しよう。ICEは単に先物やオプション取引などのデリバティブ（金融派生商品）を売買するためのプラットフォームを提供し、なおかつ買い手と売り手が希望に応じて現物商品を取引できるターミナル市場としても機能する。他の取引所にも別のコーヒー・デリバティブ商品があるのだが、ICEの「KC」および「RC」先物取引ほど、現物のコーヒーの価格指標として広く使用されているものはない。

デリバティブとは「その価値が他の資産の価値から派生する資産」だ。[173] この場合、コーヒーの先物取引価値は、取引が終了する時点での実体としての「コーヒー」（原資産）の期待値から派生する。

どのように使われるのか

- 回避《ヘッジ》——現物のコーヒーの売買を計画している場合、回避を設定した日から現物コーヒーを取引する日までの期間、価格変動による損失リスクを回避する
- 投機——コーヒーの価格がこの先上がるか下がるかを賭ける
- 価格の算定——コーヒーの生豆の売買価格を交渉するため

・取引——現物コーヒーを実際に売買する

コーヒーのデリバティブ市場は世界にいくつかあるが、ここでは説明のために、ICEが提供するC取引、RC取引、アラビカ取引、ロブスタ取引に焦点を絞って説明しよう。取引所の先物取引価格は、世界中のコーヒーの生豆の買い手と売り手が価格交渉をする際の極めて重要な指標となってきた。

どのように決まり制御されるのか

C価格は、ニューヨークのICE取引所のアラビカコーヒーの先物取引価格であり、個人が実際にコーヒーを販売する価格とは異なる。ポンテは、先物市場価格を「市場原理（生産、消費、株式）と技術的要素（防衛策、動向追跡、兆候への反応）の短期的な総合決定」と定義している。[174] コーヒー先物取引の需要と供給は、実体としてのコーヒーの需要と供給とは異なる。さらに、世界規模のコーヒー先物取引の需要と供給は、売り手が提示したり買い手が購入を希望したりする特定の種類と量を備えた実体のコーヒーの供給と需要とは、まったく異なる。ロンドンの国際コーヒー機関（ICO）も、特定の種類のコーヒーの生豆の実際の現物取引に基づいてコーヒー価格を公表している。

回避策を取ることと賭けをすること

「回避《ヘッジ》するとは、金融デリバティブによって価格変動（価格リスク）から投資を保護することである」[175]

売り手は価格が下がれば損をする。買い手は価格が上がれば損をする。売り手でもあり買い手でもある場合、価格が上がるか下がるかしても、損も得もしない。

回避の発想とは、将来やろうとしていることの逆の立場を取ることであり、現在と過去のあいだの変動にかかわりなく、最終的に今日の取引を実行したかのようにすることだ。

先物契約とは「将来、原資産をその時の価格で取引することに二者が合意する、上場取引の金融デリバティブ」である。[176] 先物契約の価格は、将来の指定日のコーヒーの価格であって、現在の価格ではない。この価格は現在入手可能な情報によって決定されるが、現在のコーヒーの価値を示すものではなく、契約終了時にどれだけの価値があるかという予測値を示すものだ。「先物価格には、現物価格がどれだけ変化するかという予想についての情報が入っている」[177]。市場原理（供給、在庫、需要）の予想される変化に加えて、先物価格、つまり将来のコーヒーの値段には、持ち越し費用も含まれる。持ち越し費用には保管料、投資ファンドの利息、保有便益《コンビニエンスイールド》が含まれている[178]（保有便益とは基本的に、好きなだけそれを保持することができるので、供給ショックが起きた場合に実体としての商品から得られる潜在的利益の予測割増金のことだ）。

先物を購入する（買いポジションを取る）場合、契約で合意した条件にしたがって将来の決められた日に、決められた価格でコーヒーを購入するために、その権利を購入し、その義務を受け入れる。

売りポジションを取るというのは、実質的には所有していないコーヒーを売ることで、契約で合意した条件にしたがって将来の決められた日に、決められた価格でコーヒーを販売することに同意したことになる。

ところが実際に契約を実行して、条件に基づいてコーヒーを売買する人はほとんどいない。たいてい、失効期限が来る前に契約を「売却」するか終了するかし、契約の締結日から終了日までの価格の差額を支払ったり受け取ったりする。

あなたがコーヒーを売買するとき、このような契約は、潜在的な価格変動からあなたを守るための有効な回避策になり得る。しかし、どの取引にも売り買いのふたつの面があるので、売るための契約を結びたい場合、別のだれかがそれに対応する買うための契約を結ばなければならない。これは、あなたが賭けをする競馬場や賭けの相手となる「胴元」のようなものではない。売買する人が多ければ多いほど参加者にとって有利になる理由はここにある。あなたが先物の売買がしたいのであれば、だれかにその逆の立場になってもらいたいと考えるはずだ。売買の量は市場の流動性と呼ばれ、C（ニューヨーク・アラビカ）市場とRC（ロンドン・ロブスタ）市場に深いかかわりのある投機家は、プレミアムと引き換えにリスクを取ることが仕事なので、高い流動性がよいと思うだろう。投機がなぜ、いつ、望ましくない市場状況を招き、歪みを引き起こすのか。それについては後ほど見ることにしよう。

大手トレーダーはデリバティブ市場に深く関わっている。「ノイマン・コーヒー・グループとED&Fマン・ヴォルカフェは、独自の社内オプションと先物仲買業者を持っている（それぞれTRXフューチャーズとED&Fマン・コモディティ・アドヴァイザーズ）。中小トレーダー、特にスペシャルティ等級のコーヒーを扱うトレーダーは、防御策をとらないか、取引量の一部のみを回避することになる[179]」

残念なことに、現物のコーヒー取引をする者の多くは、回避を利用しない。あるいは回避をうまく活用するノウハウを持っていない。「先物市場を利用すればもっとも利益を得られる人々、つまり発展途上国の生産者たちは、先物取引を回避として利用する方法をよく知らなかったり、先物取引を利用できなかったりする[180]」。このふたつの標準化された商品に基づく回避手段も、現物の製品が対象商品と大きく異なる場合はリスクを軽減するのにいつも有効というわけではない。たとえば、先物取引が〇・九五ドルのときに八五点以上のコスタリカのコーヒー（ここでは一・八ドルと仮定する）を回避するのは、ほぼ半分にあたる差額（〇・八五ドル）を回避できないため、あまり効果的とはいえない。したがって、売買予定量の一〇〇パーセントを回避したとしても、回避できるのは五〇パーセント余りにすぎない[181]。

投機——流動性は市場動向を知る手がかり

回避《ヘッジ》目的でデリバティブ・ポジションを建てると、基本的に現物製品でおこなった賭けの反対の取引に賭けることになるため、何があっても損得のない状態になり、ポジションを建てた日に取引を実行した場合とまったく同じだけの損益を確定させることができる。あなたが自分の現物取引のポジションに対応する反対のデリバティブ・ポジションを建てるためには、その反対のポジションを受け入れてくれる人が必要になる。あなたのポジションが市場の上昇に賭けている場合、だれかが市場の下降に同額を賭けなければならない。市場に参加している関係者が少ない場合、すぐに賭けに応じてくれる人が常にいるとはかぎらない。しかし、コーヒー市場は投機家であふれているため（市場は信じられないほど流動的なので）、あなたの賭け（回避）に対応してくれる人を見つけるのは難しいことではない。そのため、回避をするには適しているといえる[182]。

価格の算定

コーヒー豆の品質の価格差

コーヒー豆の品質は同じではないが、すべてのコーヒー豆は（ほぼ間違いなく）主要な二つの先物市場に基づいて価格が設定されており、それぞれの豆のプレミアムは「基準」である先物価格と取引された現物価格の差額である。この差額は、実際に取引されるコーヒー豆と、基準価格として先物市場で注視される（アラビカ種などの）現商品の価格差である。品質が要因であることは間違いないものの、差額は必ずしも基準価格に対する品質の良し悪しに起因するとはかぎらない。それは特定の産地の特定の種類であるコーヒー豆の需要と供給の状況を正確に反映する。にもかかわらず、その価格が差額だとされるコーヒーはすべて、先物取引に関連付けられており、その先物取引は多かれ少なかれ取引される現物と関係している。

現物の製品は基礎となる原製品からの逸脱が大きく、また他のコーヒー製品が先物取引の価格に大きな影響を与えるため、価格差は大部分のスペシャルティコーヒー製品の価格を算定するのに効果的ではないと考える人もいる。スペシャルティ等級の生豆と最終製品は、すべての価格設定の基準となる主流商業市場からますますかけ離れてきている。NYのC価格の差額として八八点のハニー・プロセスのマイクロロットの価格設定をするということは、ちょうど三カ月のグレープジュース先物取引の差額として一九九七年産ボルドーの価格設定をするようなものである。

一九九〇年代後半以来、スペシャルティコーヒー市場は大きく成長してきた一方で、商用グレードの需要はわずかしか増加していない[183]。同時に、スペシャルティ等級のコーヒーの生産は停滞気味だが、商用グレードのブレンドに使用されるハードアラビカとロブスタの生産は大きく伸びている[184]。もし差額のシステムにこの状況が織り込まれていたなら、スペシャルティ等級の価格は劇的に上昇したはずだ。ところが、そうはならなかった。なぜなら、その価格は世界中のすべてのアラビカコーヒーの需要と供給に基づいて決まるからである。

スペシャルティの範囲では、差額も不均等に使用される。出荷時は通常、農家に支払われる価格は国際C価格に基づいているが、焙煎業者レベルでは、スペシャルティコーヒーの価格は「C市場価格の変動幅に比べればよほど安定している[185]」。スペシャルティの中でも、ハイエンド製品の焙煎業者価格は固定されていることが多いが、それらを生産する農家にはC価格の要素が適用される（図2－1参照[186]）。

「市場リポート」（2018）国際コーヒー機関

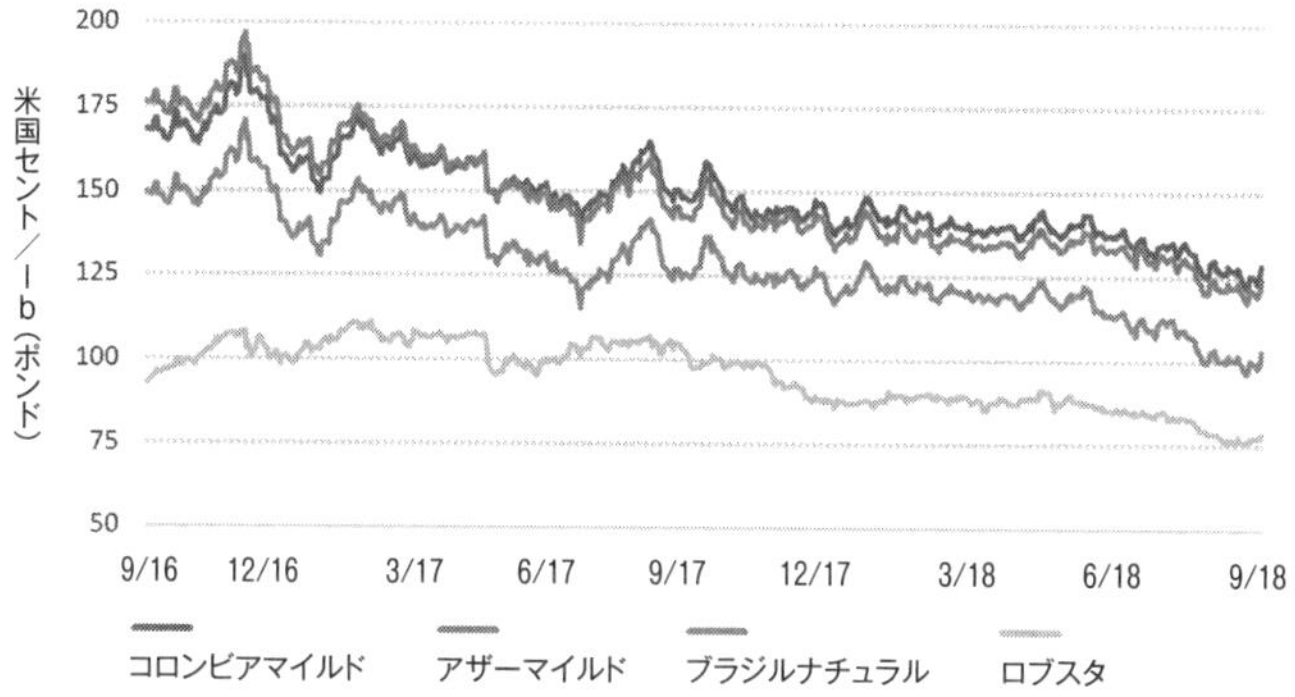

図2-1　ICOグループ指標　価格推移

現物取引

ＩＣＥを介して「ジェネリック」（特徴がなく代替可能である）コーヒーを売買（入札）することは一般的ではないが、ＩＣＥはこの目的のための最終市場として機能している。関係者はこの方法で売買できることが保証されているため、売り手にとって最後の手段と見なされる。ウォッシュトおよびセミウォッシュトアラビカコーヒーは、「Ｃ」市場で唯一入札可能な製品だ。しかし、ほとんどすべてのコーヒーは現物市場ではＣ価格を超える割増価格で取引される。したがって実際には、それは本来代表すべき商品を代表するものではなく、また、最終市場の売り手に有効な選択肢を提供するものでもない。[187]リック・ラインハートは「実際にはニューヨーク市場で何かを入札することはだれにもできない。実際の現物市場でははるかに価格が高

「コーヒー価格 45 年の歴史」マクロトレンド 2019 年 10 月 26 日付け資料より

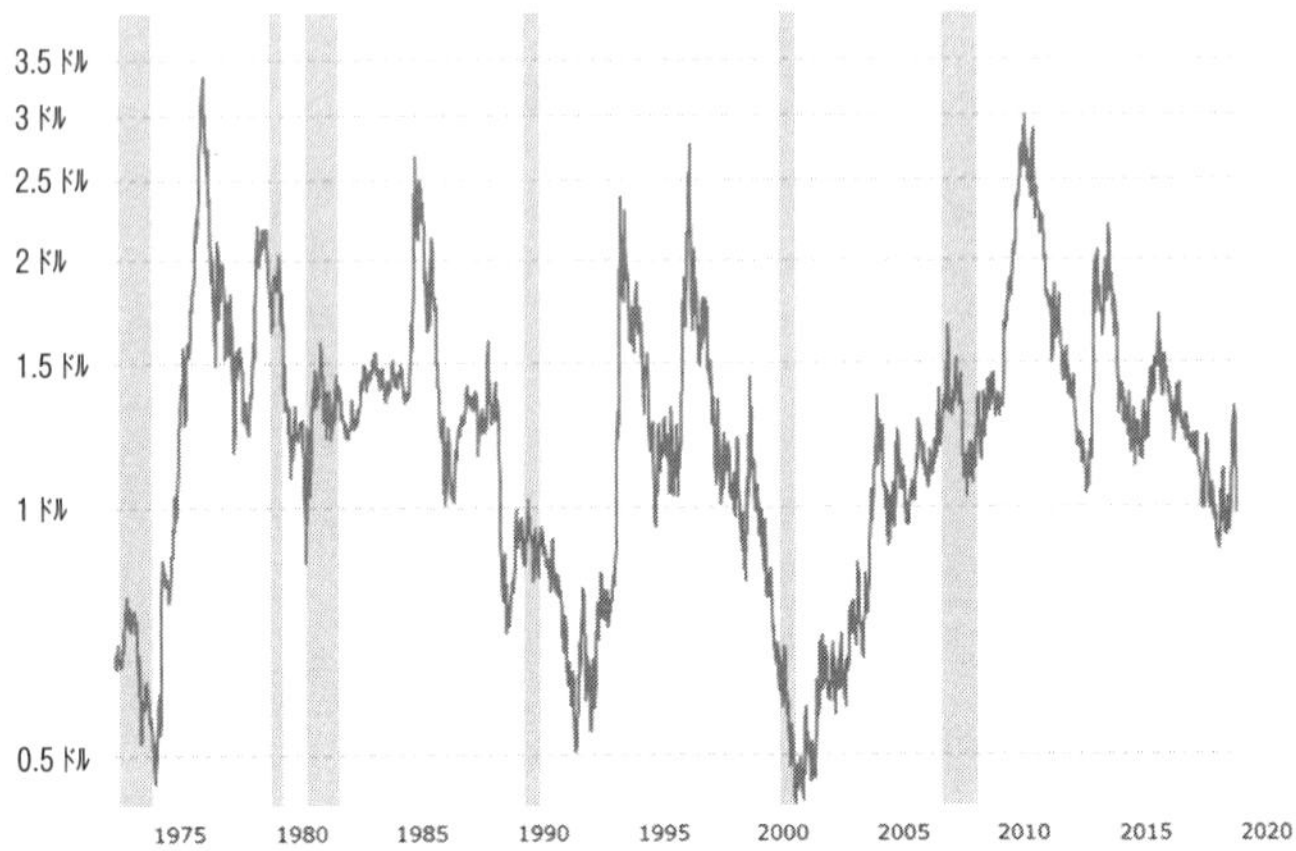

図2-2　コーヒー価格の推移の歴史

いからだ」という。[188]

価格変動

コーヒー先物市場は、レベル2のカオス・システムのようだと言われる。法則など通用しないのだ。このシステムでは、このシステムがどう動くかをあなたが予測することで、実際のシステムの動きに影響を与える。市場は、レベル2のカオス・システムの例としてたびたび議論される。たとえば、私がある企業の株価について予測するとしよう。もし私の予測に反応して人々がその株を買えば、価格は上昇するかもしれない。このことは私の予測の裏付けとなり、自己実現的な予言となる（図2・2参照[189]）。

同様にコーヒーの先物価格は、市場原理（供給、需要、在庫）に基づいて予測されたコーヒーの将来の価格と、投機家の認識に依存する取引の需要および供給によって決まる。投機家がコーヒー先物取引の市場で占める割合が大きくなれば、彼らの行動が価格変動に与える影響も大きくなる。

価格変動[190]

「二〇〇〇年以来、ICO複合価格は最低の四一・一七米国セント／ポンド（二〇〇一年九月）と最高の二三一・二四（二〇一一年四月）のあいだで変動している」[191]。コーヒー先物の価格も過去四十年間で上昇した。一九八九年以前の国際コーヒー協定の割当方式の最後にあたる八年間では、月間価格変動率は一四・八パーセントだったが、一九九八年から二〇〇〇年には四三パーセントに上昇した。このことは短期的な市場の慣性あるいは反応への反応に関係があり、とりわけ、ICE取引所のKCアラビカコーヒー先物市場で増幅された流動性と、生産国および地域の集中との副産物と考えることができる。その一方で低価格の期間は、金融の緊張が集団を小さくするにしたがってサプライチェーンの拠点の集中をさらに加速する[192]。図2‐3が示すのは、この一六年間の変動のおおよその姿である。

薄い色の線は、調査期間のコーヒーの実際の価格を米ドルで示したものである。二〇〇〇年以降はインフレが発生しているため、過去には一ドルで買えたものが買えなくなっている。濃い色の線は、二〇〇〇年の一米ドルの価値に基づくコーヒーの「実質」価格を表し、この期間のコーヒー一ポンドに相当する実際の購買力を示している[193]。

D・ガイタン、F・ヴァン・エヴァート、D・モイヴィッセン、A・アウデ・ランシンク（2018）「ベトナムのコーヒー農場の持続可能性実態評価：社会的利益の非効率的アプローチ　持続可能性」10（11）4227

図2-3　ICO現物価格と名目価格

原理

生産と消費

あらゆるものの値段を決める基本原理が、需要と供給だ。前章「コーヒー経済学入門」で見たとおり、どれほどの量があり、どれほどの人々がそれを欲しているかが大事なのだ。コーヒーが手に入らないと、供給が需要と完全に一致するところまで値段は上昇する。コーヒーが欲しい人のなかには、値段が高すぎるためコーヒーを買わない人が出てくる。そして、支払う意思のある残りの人々が必要とするだけの量を提示したとき、値段の上昇は止まる。しかし、コーヒーが十分にある場合、すべてが売り切れるところまで値段は下がる。したがって、人々が欲するより多くのコーヒーが残った日には、さらに値段が下がる。そうすることで、有利な

世界のコーヒー収支（60kg袋数百万個）

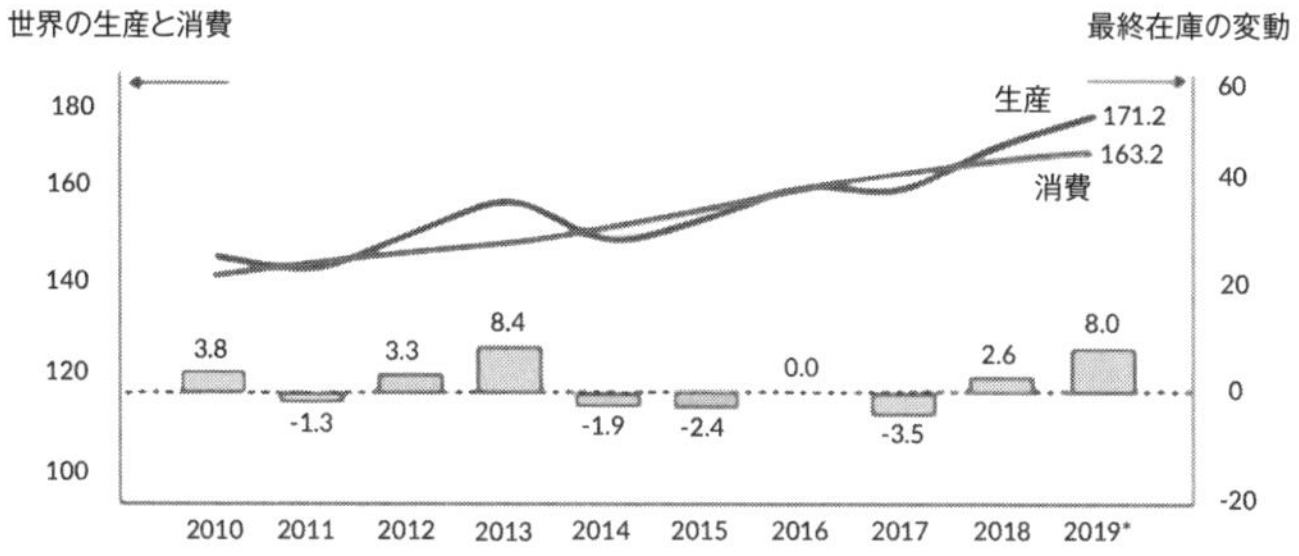

予測値 *

「コーヒー概観 2019-2020」（2019 年）全国金融機関協会 週次報告 No.1482

図2-4　費用対効果

取引に乗じてさらに買い求める人が出てくるだろう。そして提示されたのと同じ量を購入することに人々が同意すると、値段の下落は止まる。買い手と売り手が行動を変える前に値段がどれだけ変化するかは、需要と供給の弾力性に依存する（図2‐4参照）。

在庫

製品の物価水準は、需要と供給が釣り合ったところにある。供給とはコーヒーが提供される量であり、需要とは人々がコーヒーを好んで消費する量である。しかし、生産されるコーヒーと同様に、倉庫内の在庫も供給の一部なので、在庫もこの等式と深く関係している。ブラジルで霜の害が発生し、翌年の生産（供給）が危うくなるとしよう。もし需要がこれまでと変わらなければ、値段は上昇する。しかし、前年が豊作だったためにブラジルのサントス港の倉庫に半年分の供給量が保管されているとすれば、品物不足を引き起こす供給ショックは避けられる[194]。焙煎業者も、契約によって世界中の取引のある国々の倉庫に一年分の供給量を確保していれば、現物市場での供給の混乱に気づくものは皆無に等しいだろう。もし生産量が減って在庫が底を突き、不足分を補えるだけコーヒーの在庫が世界のどこにもない状態になって供給に混乱が生じた場合には、価格は高騰する。このようなときに焙煎業者は、貿易業者に契約在庫を自らの帳簿上で保管させるサプライヤーの在庫管理（ＳＭＩ）という手法を用いて、手元の在庫を増やし、供給を増やし、価格を抑える。

国際コーヒー協定

一九六二年から一九八九年のあいだに、世界のコーヒー価格の安定を目的として、国際コーヒー機関（ＩＣＯ）の加盟国による国際コーヒー協定（ＩＣＡ）が締結され、施行された。各国の役割は世界的な供給を管理することで、価格は一ポンドあたり一・二〇ドルから一・四〇ドルの目標範囲内に設定された。「実際には各国政府は参入障壁を設けることで在庫と生産を管理していた[195]」。ポンテによれば、アメリカがこの協定に参加したのは、ブラジルが世界的超大国になるのを阻みたいという冷戦的な思考からだったという。一九八〇年代後半になって、ブラジルが脅威にはならないと判断するや、アメリカは自由市場を優先するという名目で協定から離脱し、大国の後ろ盾を失った協定は崩壊に向かった。東アフリカでは、ＩＣＡ崩壊後の規制撤廃を受け、価格変動が生じ、輸出価格に占める生産者の取り分が増加し、輸出価格が低下し、農産物の原料価格が上昇した。[196] 価格管理の長所と短所については、後に詳しく見ていく。

ファンドによる投機

リスク回避《ヘッジ》のために使われるデリバティブ市場に投機家が参加すると流動性が高まり、先物取引に参加する人たちは自分たちの立場と反対側に賭ける相手を見つけやすくなる、ということはすでに見てきた。市場の状況《ファンダメンタル》に基づく投機とは、回避目的の投資家あるいは投機家との取引に応じる際に、実際の市場の状況に応じて将来の値動きを予測するものだ。この種の投機は、現物のコーヒーの実際の需要と供給に基づいているため、市場にとって道義に適ったものであると考えられている。その一方で技術的《テクニカル》投機では、現物のコーヒーや、だれがコーヒーを飲み、だれが生産しているのかといったことは問題にならない。そこではアルゴリズムに従ってコンピュータによって高速・高頻度で取引がおこなわれ、チャート上の動きに則して売買が決められる。大量のコンピュータが、大量のコンピュータが賭けるものに賭け、そのほかのコンピュータも大量のほかのコンピュータの賭けに賭けており、そもそもそれらすべてのコンピュータが何に賭けているのかさえ考慮されていない場合には、デリバティブの先物取引価格は経済の基礎的条件《ファンダメンタルズ》から離れ、コーヒーの現物価格にさえ影響を及ぼす。[197] 現物のコーヒーを取引するつもりのない投機家が取引量の大部分を占めていることの悪影響はこれまでも議論されてきた。一般的なとらえ方としては、彼らの技術的な取引活動は変動に悪影響を及ぼすが、市場のファンダメンタルズと無関係な価格変動は引き起こさない、というものだ。[198][199]

一九八〇年代以降、先物取引量はコーヒーの現物取引量を上回るばかりだ。[200][201] 一九八〇年には、コーヒーの生豆の取引量の五倍の先物契約があった。一九九〇年までに先物契約は現物の商品の八倍に達した。そして二〇一〇年には、実際の生豆の取引のおよそ十六倍のコーヒーが先物契約で取引されるようになった。[202]

リック・ラインハートによれば、投機は市場を動かしはしないが、市場を悪化させるという。「翌年に私たちが飲む予定のコーヒーは七〇〇万袋以上の在庫があり（略）、それを日数で表すと十五日分だ。世界中には私たちが必要とするより十五日分も多くコーヒーが存在する。それは今私たちがわかるほどの悪影響を市場に与えてはいない（インタビューした時点ではポンド当たり約一ドル）」[203]。ファンダメンタルズ（需要と供給）が引き起こす価格変動は、先物取引量によってさらに増幅される。[204][205] 価格変動の影響をもっとも大きく受けるのは小規模農園だ。市場に依存している小規模農園は、ほかのサプライチェーンの生産者のように、影響を回避できるほどの規模も資金もない。

投機が先物価格をファンダメンタルズから切り離しかねないと考える人もいる。「指数に連動した価格形成は、流動性、投機的空売り、そしてファンダメンタルズと価格のあいだの潜在的な歪みなどの影響を受けやすい」[206]。国連は一九九六年に次のように述べ、さらに二〇一八年にはその事実を再確認している。「この二十年間に大規模なファンドの商品先物市場での取り扱いが増えたことで、価格決定と市場ファンダメンタルズとの関係が弱まり、価格の不確実性が大幅に高まった」[207][208][209]。投機活動がファンダメンタルズから乖離している理由は、投機家が需要と供給の情報

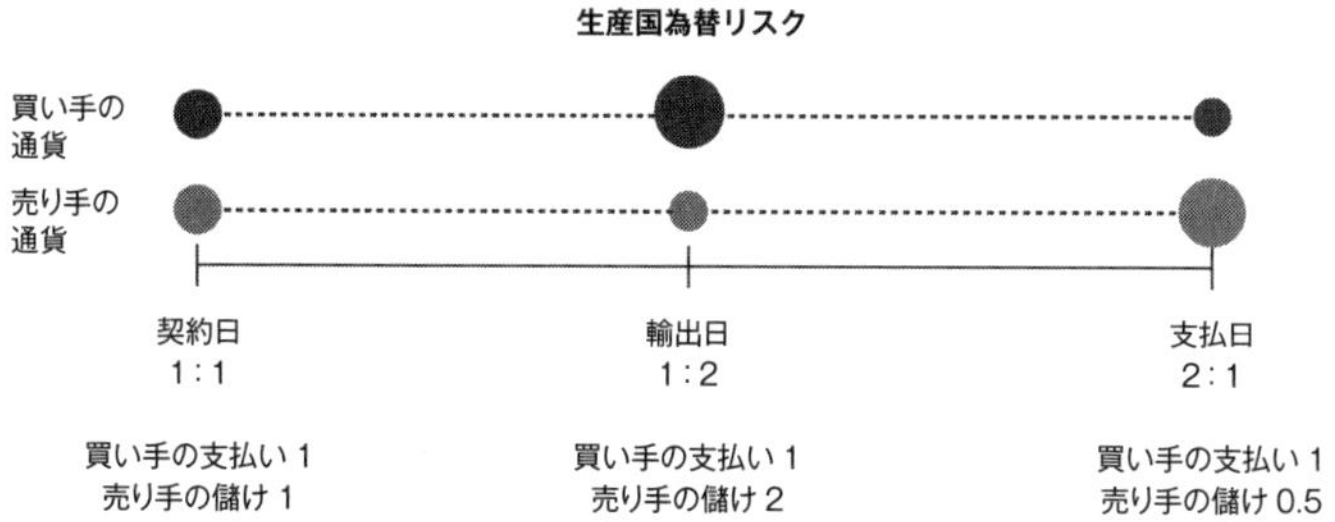

図2-5　為替レートのリスク

ではなく他者の行動に基づいて決定する「技術的取引《テクニカル・トレーディング》」をおこなっているからだろう。UNCTADによれば、現物価格に影響を与える先物取引活動間の連携が欠如していることは、アメリカの取引所で（異なる商品の）先物契約をともなう多くのソフト商品〔コーヒー、ココア、砂糖、トウモロコシ、小麦、大豆、果物、家畜などの商品のこと〕のあいだに共動が生じているのだが、その一方でそうした商品の需要と供給のファンダメンタルズは独立して変化していることを示してもいる。[210] エーデラー（二〇一三）によれば、「コーヒー価格の変動の五〇パーセントは、二〇〇六年から二〇一二年までの先物市場における金融投資家、特に資産運用会社の純買い持ちまで遡ることができる[211]」。つまり、世界中の何百万人もの人々の生活を左右する価格変動のたった五〇パーセントしか、問題の根本である商品に関係してはいないのだ。国連は金融化された商品市場について、「商品の価格は（略）商品の相対的な希少性について、正しいシグナルを出していない」とまで言っている。「このことで資源の分配が損なわれ、実体経済にマイナスの影響を及ぼす[212]」

通貨

経済関係者が売買するか否かの決定は、彼らが期待できる収益性に基づいておこなわれる。利益は彼らの自国通貨で計算される。コーヒー豆の大部分は国際的に取引されるため、為替レートは競争では重要な役割を果たす。主要なコーヒー先物契約は米ドルで見積られるため、米ドルに対する買い手や売り手の通貨の価値によって収益性や競争力が変化する。[213] 買い手は、米ドルに対する自国通貨の価値が上がれば、自国通貨でコーヒーをより安く入手できたり、他の買い手より高い価格を提示できたりする。また売り手は、米ドルに対して自国通貨の価値が下がれば、自国通貨での生産コストが一定であるかぎり、（自国通貨での）利益は増加する。しかし、振り子はいつ揺れ戻すかわからず、ある生産国の生産者や輸出業者は現地通貨でのコストをまかなえる価格で売れなくなることもある。[214]

リック・ラインハートによれば、「私たちが一ドル未満の価格設定をしている理由のひとつは、ドルが（ブラジルの）レアルに対して強いためであり、それがブラジルのコーヒー農家にとってより多くのコーヒー豆を生産する動機となっており、市場はその現実を織り込んでいる。ブラジルの農家が儲かるというこのシナリオの考え方が市場に反映している」という。[215] これはつまり、ブラジルの農家の生産コストは現地通貨で賄われ、製品は米ドルで輸出するため、自国の通貨価値が下がると農家に対して支払われる米ドルの価値は上がり、農家の儲けが増えることを意味する。この状況は輸出業者にとって魅力的なために、コーヒーを売るかそれとも後でより良い価格になるのを期待して売りどきを待つかはかなり重要な取引の戦略になる。「特に問題の通貨がブラジルレアルである場合、投機家の影響力は為替が市場を動かすほど大きくはない」（ブラジルが最大の輸出国であるため[216]）

価格の歪み

短期的な価格変動と回避《ヘッジ》手段へのアクセスは、生産者やサプライチェーンの関係者にとっては苦痛の種になるかもしれないが、投機家にとっては自ら作り出した価格変動から利益を得る機会となることは間違いない。価格変動を増大させると言って先物市場関係者の行動を非難する人がいるかもしれないが、過去数十年の全体的な下降傾向はそうした行動とたいして関係してはいない。むしろ、その原因は需要と供給の基本的なファンダメンタルズと、多様な通貨での価格のとらえ方にある[217]。

価格の歴史

「一九七五年から一九九三年にかけて、コーヒーの国際価格は世界市場で一八パーセント下落した。同じ期間に、米国の消費者が支払うコーヒー価格は二四〇パーセント上昇した[218]」「インフレを割り引いた場合、コーヒーの実質価格は大幅に下落し、一九八〇年から二〇〇五年までにその価値の六六パーセント以上が失われた[219]」。二〇一八年のコーヒー・バロメーターによると「世界のコーヒー価格は一九八〇年代初め以来、実質的に三分の二下落し、その間にコーヒー農家の実質収入は半減した」[220]。なぜこのようなことが起こったのだろう。

コーヒーバリューチェーンの下流側（焙煎と小売）における所有と権力が集中化して価格形成の変化が生じたということで、コーヒーチェーンにおける収入の非対称性が増大したことは説明できる[221]。コーヒーの生豆の国際取引は、わずか数社の多国籍貿易会社が集中的におこなっていて、生産者から生産物を直接購入することがあり、そうして販売チャネルを統制し、価格に影響を与えている[222]。さらに、生産者はほとんど代替可能なので、国際貿易業者に対する交渉力は弱い。

コーヒーの生豆の在庫は焙煎業者にとっては国際価格の下落圧力となってきたが、焙煎業者が自社の帳簿上で多くの在庫を持たなくなってきたため、ほとんどは多国籍貿易会社が保有している[223]。「（焙煎会社が）供給管理を国際貿易業者に外部委託することによって、在庫がより容易に入手できるようになり、在庫が少ないのに国際価格が低いというこれまでなかった状況が生まれた」。その結果、「コーヒーチェーンで得られる総収入のかなりの部分が農業従事者から消費国の経営者へ移転されることになった[224]」。国家当局が生産国内に保有する在庫は、生産者にとって有効な保険証書だった。コーヒーは、収穫期の価格が低いときは市場に出さないようにし、価格が比較的良いときに販売され、環境要因による不作による価格変動の影響を回避して精算することができた[225]。この操作は価格の変化に対して円滑に応じることができて、とりわけブラジルはこの手法を効果的に使っていた。自由化によって各国当局が多国籍商社の副次的役割を果たすようになると、良いときはこのやり方は少なくなり、最悪のときには多くなった。

過剰生産

室内の象だ〔誰もがその問題に気づいているのに知らんぷりをしているという現象のこと〕。生産量は意図的に増やされてきた。新たな植林は個人レベルでは理に適っているが、国や世界レベルでは無謀かつ無責任だということが証明された。国際コーヒー機関（ICO）によると、一九九六年から二〇一六年にかけて世界のコーヒー生産量は六一パーセント増加した[226]。さらに「コーヒー生産量は二〇一〇年以来二〇パーセント以上増加している（プラス二六〇〇万袋）[227]」。需要よりも供給が多く、国際コーヒー機関によると二〇一七年から二〇一八年の期には、余剰が価格の下落を引き起こした[228]。

生産国は外貨獲得のためにヘクタールあたりの収穫高と国内生産量を増やし、その結果、世界の生産量が増えて価格水準が低下し、小規模農園に受け入れられる最低の生活水準さえ提供できないほどの低価格になることも少なくなかった[229]。生産国が輸出量を制御できなくなったのは、主として供給制限に関して国際合意がなかったことと、自由貿易を支持する新自由主義的な経済貿易政策の推進によるものだ[230]。ICA崩壊後に世界的に広まったコーヒー貿易の自由化によって、世界中でコーヒー生産量が増加した[231]。

ブラジルとベトナムは生産費用の大幅な削減をなしとげ、その結果、市場が製品であふれ返り、低価格環境で繁栄を成したが、その一方で、生産費用の高いほかの国々の小規模生産者は失敗することになる[232][233]。専門技術が高まり、効率化が進むと、供給も増加し、価格が低下する。ベトナムのコーヒー栽培面積は一九八二年の一万九八〇〇ヘクタールから一九九九年の五二万九〇〇〇ヘクタールに増加した（ロブスタ九〇パーセント、アラビカ一〇パーセント）[234]。ベトナムのコーヒー総生産量は、一九九二年から一九九六年のあいだの年間平均と、二〇一二年から二〇一六年のあいだの年間平均とを比較すると、七三二パーセント増加したことになる[235]。

ベトナムの生産増加のおかげもあってロブスタ全体の輸出は九五パーセント増えはしたが、アラビカの輸出は一九九六年から二〇一六年の間に三八パーセントしか増えていない[236]。アラビカとロブスタをブレンドするのはある程度柔軟にできるので、コーヒーの部分的代替性があるアラビカの価格がロブスタの生産量増加の影響を受けていると言う専門家もいる（たとえば、ベトナムロブスタはおそらくコスタリカＳＨＢの直接の代替にはならないかもしれないが、特定のブレンド内でロブスタの成分を増やすことは、マイルドアラビカを増やし、ハードアラビカを減らすことの代替となり得る）。

デリバティブの原商品の適合性

ニューヨークのコーヒー先物が、マイルドアラビカコーヒーのファンダメンタルズから外れたという強力な証拠がある。マイルドアラビカというのは非入札等級のハードアラビカとロブスタの影響を受けているが、その元を辿ることができない[237]。この価格はもはや、基礎となる商品のマイルドアラビカの価格を表していない。アラビカ種栽培者の生産費用は、交渉の基礎となるデリバティブ市場を支配する生産物の生産費用よりはるかに高いのが一般的だ。ただ、私たちはこれがまだ非主流の考え方で、大胆な主張だということを知っている。

「ニューヨークの基本的な入札可能な商品は（略）ウォッシュトアラビカであり、これは世界で取引されていない。ウォッシュトアラビカの生産と消費は、三〇年間にわたってどちらかといえば横ばい状態で、（略）世界の生産と消費は、約一億袋から一億七〇〇〇万袋へ、ほぼ足並みを揃えて増加してきた」とリック・ラインハートは言う。「その成長のうちの八五パーセントはナチュラル（ハード）アラビカとロブスタ種によるものだ。ニューヨークが価格算定機構として失敗し、先物市場としてもわずかに失敗し、最終市場として失敗することもあった理由のひとつは、世界がナチュラルアラビカとロブスタを取引しているときに、ニューヨーク市場はおもにウォッシュトアラビカを追いかけていることにある。ナチュラルアラビカとロブスタは両方ともニューヨーク市場に対して回避されていて、ニューヨークへは配送されない。（ウォッシュトアラビカの先物契約の）価格への影響は、ナチュラルブラジルとウォッシュトアラビカの両方に対する裁定〔取引の場所・時・物の種類の差異を利用して利益を得ること〕と見なされるときのロブスタの市場価格がいくらであれ、ナチュラルブラジルの実際の市場価格にかなりの度合いで依存している。このように、この圧力がニューヨーク（先物取引）の価格算定機構を大幅に歪めてきた[238]。マイルドアラビカコーヒーのニューヨークの先物取引市場は、定義上、「マイルドアラビカのためのデリバティブ市場になってきた。実際にデリバティブ取引されている大部分は天然アラビカだというのに[239]」。

第三の取引

仮にハードアラビカ（低品質のナチュラル製法、主にブラジル産）がもっとも多く取引され、その相互排他的な市場原理が高品質のウォッシュトアラビカコーヒーの価格を歪めている（引き下げている）のであれば、なぜそのためだけに別の契約を作らないのだろうか。新たに契約を作れば、

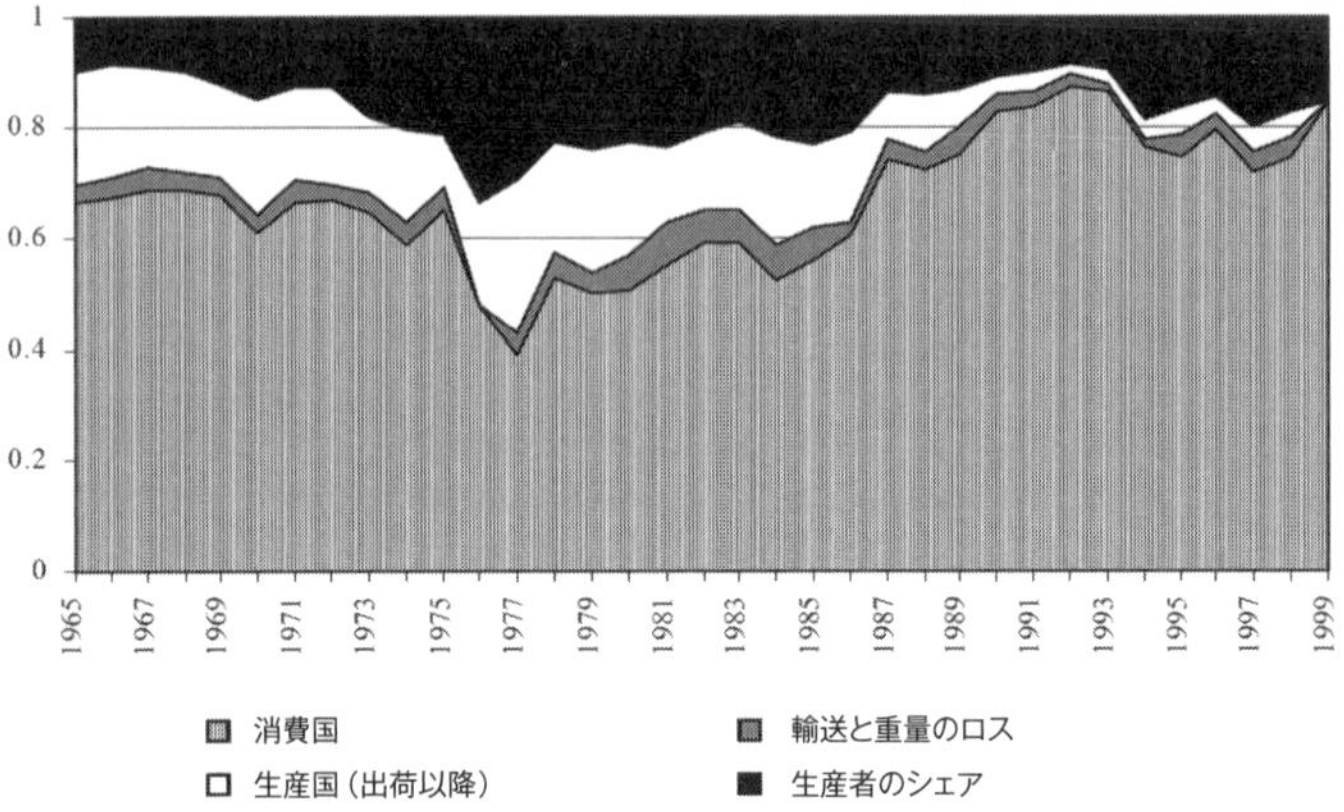

ロバート・フィッター、ラファエル・カプリンスキー（2009）「コーヒー市場がより細分化したとき製品貸与から利益を得るのは誰か　バリューチェーン分析」IDS 報告書 32. 69-82

図2-6　収入の分布：最終小売価格のシェア

先物取引は再び、本来それが表すはずのウォッシュトアラビカの実際の市場を追跡できるようになるだろう。ICEはロンドンのロブスタ種先物取引とニューヨークのアラビカ取引をどちらも所有している。業界のある専門家によると、ICEは過去にナチュラルアラビカを入札可能にする試みをしたが、うまく目的を達成できず、したがって今後二度と試みるつもりはないという。[240]「たいていの場合、ニューヨーク市場は、売り手にとってはあまりうまく機能せず（略）買い手にとってもうまく機能しないことがある。（略）コーヒー業界に直接かかわっていない人に対して非常にうまく機能するようにできているのだ。非商業回避はこの市場でとても愉快な時間を過ごしている。価格変動が大きく場合によっては優れた為替回避となる。世界には――より大きな金融の世界には――第三の取引が登場することを望むものはきわめて少

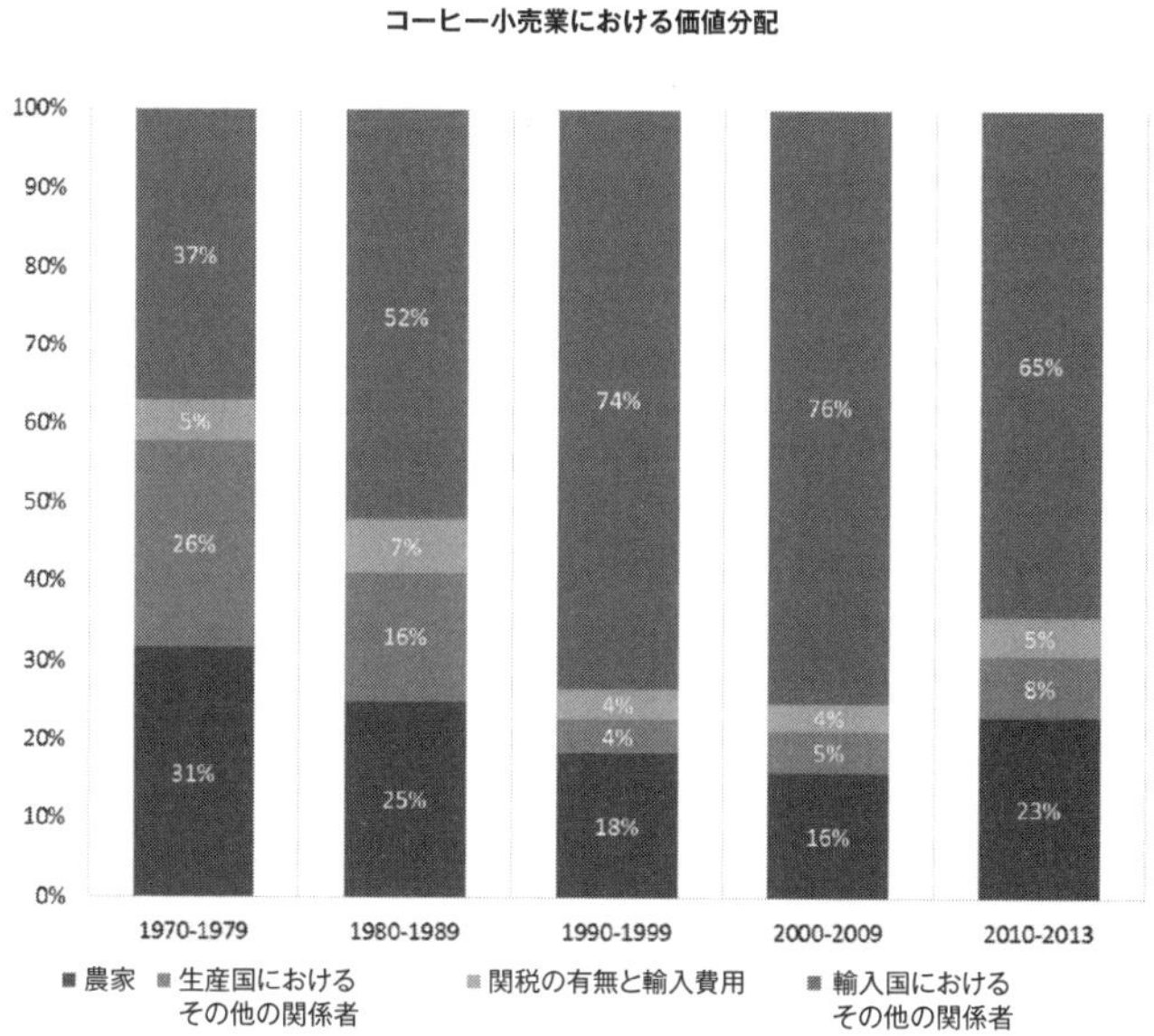

ルイ・サンパー、シオマラ・キニョネス=ルイス（2017）「コーヒー業界の均衡のとれた持続可能性を目指して」資料 6. 17

図2-7　均衡のとれた持続可能性を目指して

ない」。結局、この市場による回避に関心のある人は少数であり、ICEの収益のごく一部を生み出しているにすぎない。

小売価格のうち農家の収入が占める割合[242]

一九七〇年には、焙煎コーヒー豆一袋の価格の二〇パーセントが個人生産者に、五五パーセントが生産国に支払われていた。一九八九年の国際コーヒー協定の崩壊後、一九九五年には農家に支払われる金額は小売価格の一三パーセントに下がり、生産国（輸出国）への支払も二二パーセントに下がった[243]。「現在（二〇二〇年）の生豆コーヒーの平均輸出額は、コーヒー市場で生み出される二〇〇〇億ドルの収益の一〇パーセントにも満たない[244]」。輸出業者の収入はこれほどまでに大きい。二〇一八年のコーヒー・バロメーターによると「ラテンアメリカの農家は最大で輸出価格の八七パーセントを受け取ることができるが、東アフリカでは六一パーセントしか受け取れない」という[245]。エチオピアのスペシャルティコーヒー、シダモ、イルガチェフェ、ハラーの場合、「コーヒー生産者に割り当てられたシェアは、二〇一一年の小売価格の二・八パーセントに相当する。生産国に残されるのは世界の価値の約五パーセントにすぎない[246]」。バート・スロブによれば、獲得価値の減少は「明らかに焙煎業者の利益率の増加に相関している[247]」。

この事態は、システムが壊れていることを示す立派な証拠だと結論づける人がいるかもしれない。このシステムは、今日それが機能するように考えて設計されたものではなかったのかもしれない。フィリス・ジョンソンによれば「システムがもたらすのは、そうなるよう意図された結果なのだ。さもなければ、結果は変わる。(略)これはあなたが引き出した結果ではないが、少なくともそれに気づかなければ、それに加担したことになる」[248]。

小売価格におけるコーヒー豆の割合の低下

飲料としてのコーヒーの価格のうちコーヒー農家に支払われる割合が低いのは、焙煎業者のマージンが水増しされているからであり、その結果、効率の低下を招いてもいる。焙煎業者は、店舗を作ってコーヒー飲料を提供するといった、他の付加価値のために資金を投入してきた。コーヒー自体は、顧客に提供される製品に占める割合が以前より減少し、現在は他製品の原料の割合が増えている。カプリンスキーは、「(コーヒーショップで提供される)カプチーノの価格に占めるコーヒー豆の割合は四パーセント未満だ」と言う[249]。

顧客体験や製品提供におけるコーヒーの重要性が下がるにつれて、原材料(生豆)の物質的価値の優先順位も低くなる。つまり、コーヒー豆はサプライチェーンに沿って焙煎業者まで運ばれるときが最重要となるはずなのに、優先順位を下げられてしまうのだ。コーヒー消費国の主要な産業においては、焙煎業者より下流では、ブランドに関する象徴的な価値が優先される。実際に飲料として消費される段階では、コーヒーブランドと店舗を象徴する質と、提供されるサービスと雰囲気が、飲料としてのコーヒーの価値の大部分を占めるために、製品への農家の貢献度は減少することになる。

問題は、コーヒーが本当に業界全体にとって中心に位置する替えのきかないものなら、この生産者の出荷価格の低下は、市場が本質的な関係性を維持できなくなっていることの証ではないのかということだ。それとも、ただそれは自然な流れであって、冷たく分析的な市場が希少な資本の効率的配分という当然の仕事を淡々とこなしているだけのことなのか。本当の問題は、弱い立場の人々が危険にさらされているコーヒーなどの産業に、資本主義を適用すべきか否かということだ。コーヒー消費に占める農家の取り分はごくわずかで、生産者は貧困に喘いでいるが、だからといって新自由主義、自由貿易、市場開放政策にこの解決を求めようとするのは間違っている。

リック・ラインハートは、この件について賢明なことに次のように述べている。「焙煎業者が期待するのは、コーヒーの供給量が増えれば価格は下がるはずだということだ。しかし、彼らは自分たちの価格を下げることをしない（略）。二〇一二年のコーヒー先物市場は二・八〇米ドルだった。二〇二一年現在、コーヒー先物市場は名目上一ドルである。（略）これは七〇パーセントの費用削減に相当する（略）。ところが米国のコーヒー一杯の平均価格はまったく下がっていない。こんなことがどうしてまかりとおるのか。（略）『生産費用が上がっているのに、市場が低迷しているからこれ以上は払えないと言うのか』と生産者が言わねばならないような相手の態度は（略）控え目に言って日和見主義、ありていに言えば暴利を貪っているのである[250]」

コーヒーのサイクル[251][252]

コーヒー豆の価格変動サイクルは、長期にわたって比較的価格が低い状態と、供給に影響を与える予期せぬ出来事が起きてから短期のあいだ非常に価格が高いショック状態とにわけられる。

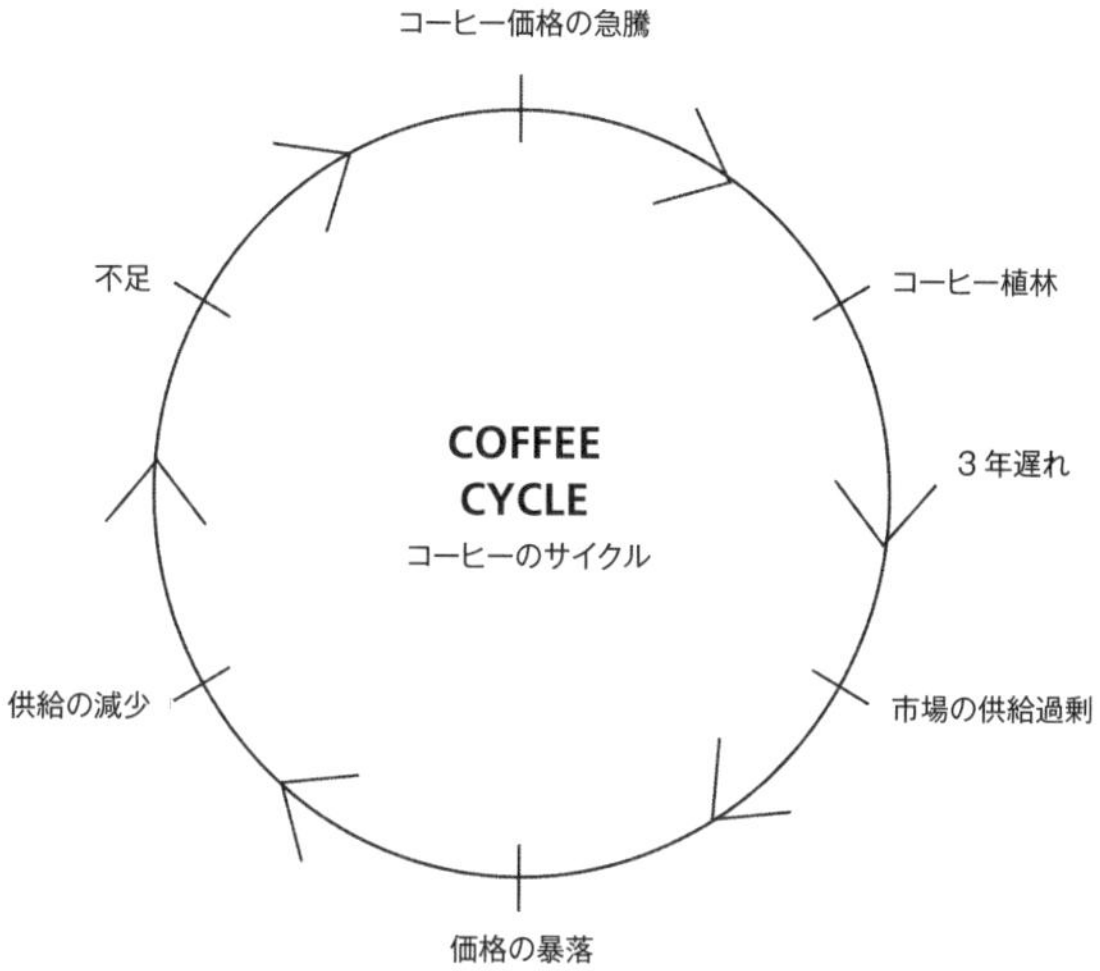

図2-8　コーヒーのサイクル

1　品不足を引き起こす天候の変化が発生するとき。価格が高騰する。

2　価格が高騰すると人々はコーヒーを植林してその仲間に加わる。しかし、一時的な価格高騰の後では、供給と需要のギャップを埋めるのに必要とされる数以上にコーヒーを植林してしまう。

3　三年後、その新しいコーヒーの木から収穫した豆が出荷できるようになると、価格は通常に戻り、過剰供給が起きる。価格は下落し、低価格のまま均衡する。そのため、高価格を理由に植林した生産者は高価格をまったく享受できない。

4　しばらく低価格が続くと農家はしびれをきらしてコーヒーを伐採する。このサイクルが繰り返し起こる。「一回のサイクルは長く、人々はかつて起きたことをすぐ

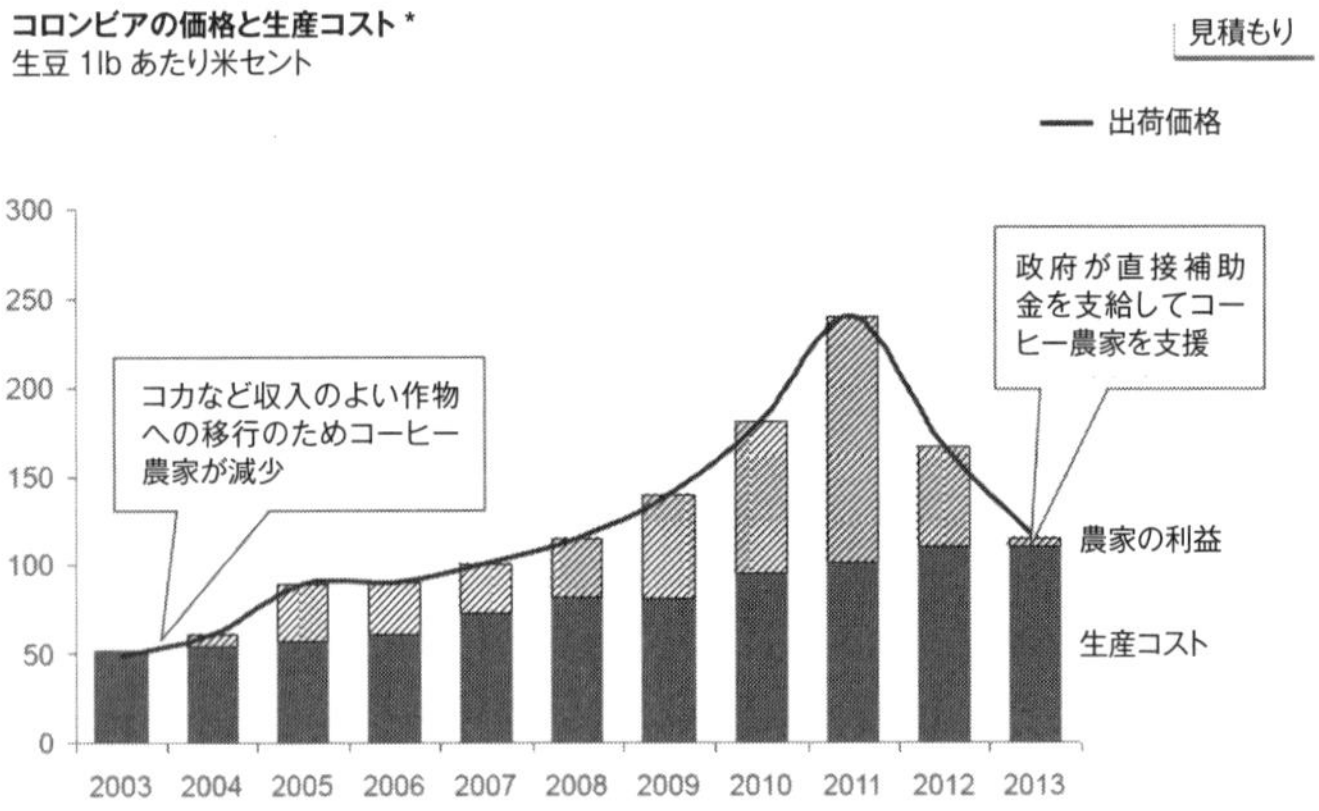

製造費 *
出典：ICO、FNC、テクノサービスの分析

「コロンビア、ある持続可能なコーヒー生産のためのビジネス事例」（2014）。IDH 持続可能な貿易の取り組み。2019 年 10 月 26 日より
https://www.urosario.edu.co/Mision-cafetera/Archivos/Business-case-write-up-v20140930-FINAL.pdf

図2-9　コロンビア：持続可能な生産例

に忘れてしまう」[253]

危険な状況

価格が下落すると、農家は生産量を増やすことで何とか体勢を維持しようとする。[254] 一キロあたりの儲けが減少すれば、減少した儲けを取り返すためにそのキロ数だけ生産量を増やさなければならない。政府はまた貧困や社会問題の対策として生産を増やすための措置を取る。生産量がさらに増加すると過剰供給に陥り、価格はさらに低下する。[255] 環境や安全性、将来の生産能力などを考えずに、収量改善策が実施されることが多い。[256][257]

C価格対生産コスト

生産者が価格問題を解決できなければ、次は螺旋を描きながらゆっくりと下降していくことになる。収入が少なければ、農園に投資する金がなくなる。農家は、土壌改良（肥料）、害虫の駆除と予防、老木の補修、剪定、そのほか将来の収穫量を維持するためのメンテナンスのために十分な予算を確保できなくなる。[258] その結果、生産性が下がり、販売できるコーヒーの量が減り、収入も減って、次の収穫のための改善に向けた投資にあてるだけの利益の確保すら難しくなる。メンテナンスができなければ、生産性は低下し続け、農園では害虫がのさばるようになり、品質と生産性が悪化の一途を辿る。[259]

スペシャルティコーヒーの供給の周辺で働く人々がよく不満を漏らすのは、生産費用にまつわる問題だ。小規模のスペシャルティコーヒーの生産者に対して出荷価格を抑え込んでいるといって先物取引を非難するが、それがまるでウォール街のどこかに『オズの魔法使い』のような人物がいてレバーを操作しているみたいな口ぶりなのだ。「コヨーテ〔生産物を買い叩く仲買人のこと〕たち」や「スイスの銀行家」が話に出てくることもあるかもしれない。そんな値段では生産費用にさえ十分ではなく、どうしてそのような値段がまかり通るのか信じられないという嘆きだ。バリスタの競技会などでこうした不満を述べる人がいるが、実際には、同じチェーンの中にいながらこうした横暴を許している以上、みんな同罪だ。他人事ではないのだ。結局は、農家はせめて生産費用くらい賄える金を支払われるべきだという意外な事実を披露することになる。

　C価格は生産費用に基づいていなければならない。コーヒー豆に支払われる価格が生産費用を下回ることが長く続けば、生産者は栽培から手を引く。そうなると供給は減り、最終的に価格が上がる。過剰生産の状況では、C価格は生産者が生産を止めることなく受け入れる最低価格だ。生産費用を反映して決定されるコーヒー基準価格では実際の費用を賄えない農家が出てくるのは、基準価格がその農家の生産費用自体を参照しているわけではないからだ。しかし他の農家がこの価格で費用を賄えているのだから、賄えない農家は市場において競争力がないということなのだ。理屈では、採算の取れなくなる需給状態になった農家は、ほかの作物を栽培するようになる。ところが、新たに多く収穫するためにコーヒーの木の栽培に三年間をかけても、大きな負債を抱えて引くに引かれなくなるかもしれない。そうなるとできることは限られてきて（収穫物の現金化しかない）、このままであれば生産者は苦しい生活を送り、極貧に耐えることになり、それならいっそ物乞いのほうがまだましだと思うだろう。

市場は価格変動を受け入れることで自ら調整しているが、どの変動も痛みをともなうものであり、過剰投機で深刻化した低価格状態が長引けば、土地所有権の集中が進み、生産者の家庭や共同体全体に深刻な社会的な問題や人道的な問題が生じてくる。[260] コーヒー農家を幸せにしたいのであれば、生産者全員にコーヒー以外のことをして生きる方法を教えてあげてほしい。

バリューチェーンの力学

交渉力

交渉力を理解することが重要であるのは、輸出業者と輸入業者、農家と流通業者、コーヒーショップと焙煎業者などコーヒーのバリューチェーンについての分析をこれから扱っていくからだ。交渉力というのはバリューチェーン全体のどの取引にも影響を及ぼす。グローバル・バリューチェーンというものを通して、私たちは「チェーン内の各局面における競争の相対強度の結果として、どのように富が分配されるのかを理解することができる[261]」。

バリューチェーン内の力の格差

バリューチェーン内の特定のリンクに集中が起きると、関係者の「意思決定権限」が強くなっていく。他の要因が見当たらないとして、ある取引の一方に他方より多くの関係者がいる場合、数の少ない方の関係者のほうがより大きな交渉力を持つ。取引相手をだれにするかを選べるからだ。コーヒー豆の生産者はこれまで、コーヒーのバリューチェーンの中でいちばん数が多く、そのため、買い手市場においてもっとも交渉力の小さい関係者だった。オックスファムによれば、「小規模農園がどうして生活収入が少ないか、その核心にあるものは、農家が背負わされる農業リスクと市場への参加で発揮する交渉力との力のバランスがあまりにもかけ離れているという点だ。この不均衡は偶然に生まれたものではなく、個々のサプライチェーン、販売部門、国家による公共政策のレベルにある構造的な障壁のせいなのだ[262]」

買い手の集中

バリューチェーンのなかで集中化の進んでいるリンクは、バリューチェーンに依存するしかなく集中化の望めないリンクよりも市場支配力が大きい[263]。この不均衡が、買い手のグループが自分たちの支払う価格の決定に影響を持つレベルに達すると、買い手寡占と呼ばれる状態になっていく。重大さのレベルとはかかわりなく、不平等や非対称性は「バリューチェーンの別の段階で企業が生み出す利益を減らす傾向にある[264]」。あなたがなんらかの大事な試合の最後の一枚のチケットを手に入れたとしよう。あなたの後ろにはそれを手に入れたいと思っている人が百人ほど並んでいて、あなたはそのチケットを売ろうとする。このバリューチェーンのなかでは、だれにチケットをいくらで売るかを決める全権があなただけにある。なぜなら、あなたが参加しているバリューチェーンのリンク、つまり売り手側だけが集中化の対象になっているからだ。あなたは百人のなかからひとりを選ぶことができる。彼らはあなたひとりの言いなりだ。あなたは市場の力を独り占めにしていて、百人は何も持っていない。このバリューチェーンは徹底的に非対称だ。

　町のコーヒーの買い手があなたひとりしかいない、という場合はどうだろう。コーヒー生豆を売らなければ食べていかれない百件の農家がある。あなたが顧客に供給するコーヒー豆は、農家十軒分の量で足りる。しかし百件の農家すべてがあなたを頼っている。必要な十軒をそこから選ばなければならないが、百軒の農家はあなたとの取引をめぐって競争することになる。あなたは全権を持ち、価格設定できるが、農家には選択の余地がない。ある農家が「受け入れない」と言っても、気にもかけない。コーヒー豆の提供者はほかにいくらでもいる。長期的に見て、影響が出るのは価格交渉だけではない。「利益、そして改善や成長のための資源は、バリューチェーン内の集中点に引き寄せられていく[265]」。あなたが農家の市場では値下げ交渉できるのにウォルマートやテスコが相手だと値下げ交渉ができないのはなぜなのか。それは、ウォルマートやテスコが、あなたが彼らを必要とするほど強くは、あなたを必要としていないからだ。

取引は一つひとつ独立している

それぞれの取引は唯一無二のものであり、ほかの取引とはかかわりがなく、その価格は需要と供給、買い手と売り手の交渉力によって決定される[266]。輸入業者と焙煎業者間の取引では焙煎業者は、一ポンドあたり一ドルから一・四〇ドルのC価格なら、八六点のコーヒーを入手するのに一ポンドあたり四ドルを払わなければならなくなる。輸入業者が焙煎業者にそこまで高額な料金を請求するのは道義に反するだろうか。資本主義の下では他の方法はない。農家と流通業者の取引の場合、農家はほとんどの場合、交渉力がないので、流通業者（商社、協同組合、コヨーテなど）は、農家に生産物価格よりほんの数セント高い金額を提示するだけで同じ八六点のコーヒーを手に入れることができる。買い手のあいだで競争がなく、売り手は死に物狂いだからだ。流通業者が農家に、生産物を買い取るために最低額よりもほんの少しだけ高い金額を支払うというのは道義に反するだろうか。資本主義の下では他のやり方はない。どちらの価格も客観的な市場原理によって設定されている。農家と流通業者との取引の価格と、輸入業者と焙煎業者との取引の価格の差は、サプライチェーンの裁定の収入であり、あるときのある場所での商品価値と、別のあるときのある場所での商品価値とに差があることを意味している。裁定があるから貿易がおこなわれる。この利益を維持しようとするサプライチェーンは道義に反するだろうか。

この数十年のあいだ、個々の農家の交渉能力が低下すると、国際的なバリューチェーンの関係者間で価格の保持と富の分配の不平等がますます大きくなり、長期的な成長条件を望む生産者の交渉力も落ちてきた[267]。「コーヒーにはほかの食料品との類似点が多々あるが、世界規模の一次産品産業のなかでコーヒー貿易ほど大きな権力の不均衡が生じているものはないだろう[268]」。別の研究者によれば、「世界的なコーヒーのバリューチェーンの特徴というのは買い手主導である点で、これは大規模な焙煎業者や多国籍企業が所有するブランドが大きな影響力を行使し、付加価値のほとんどを獲得していることからもわかる[269]」。

コーヒーのバリューチェーンの交渉力を決めるのは、商品の取引の売り買い双方にいる関係者の数だけではない。消費者がかけがえのないものだと思うようなブランド製品は、この代わりになるものはないと思わせることで、バリューチェーン内の交渉力を高めることができる。「（生産者と焙煎業者の間の交渉力の）違いは、市場主導のバリューチェーン・ガバナンスから生じる力の非対称だけでなく、無形の価値を創造し販売する能力によっても作り出される。このような、価値を作り出してそれを専有することで、飲料加工技術を駆使して食料品店チェーンや小売コーヒーチェーンなどを舞台に展開される大量販路の形成が可能になる[270]」

サプライチェーンの下流に位置する小売りから、マイナスの価格変動を上流に位置する農家へ戻していくことで利益は残ることになる。当初から生産者は業界の衝撃緩衝装置でありながら、衝撃を吸収する能力に欠けていて、自分たちの置かれている状況に対して非常に無力だった[271][272]。「商品価格の揺れは農家の価値の維持を左右する一方で、世界規模の産業の価値は、コーヒーの生豆の価格変動にほとんど影響を受けない。その結果、二〇一一年から二〇一二年に見られたように、生豆価格が比較的高かった時期でさえ、生産者が食料品小売ルートで総収入に占める割合が非常に低かった[273]」

栽培者と貿易業者

生産者とその代表組織が多国籍貿易業者に向けて販売をおこなう場であるバリューチェーンの中核がまったく不平等であるのは、多国籍企業がだれからでもコーヒーが買えるのに、生産者組織はほんのわずかな大手貿易業者としか取引することができないからだ[274]。比較的小規模な国内の輸出業者が、自由化された市場で多国籍貿易業者に買収され、取引から締め出されると、生産者は農産物を販売する選択肢が狭まるためにその交渉力はさらに低下する。この関係は「多国籍企業に有利にできていて、サプライヤーには契約交渉の機会がほとんどなく、常にコスト削減を迫られる[275][276]」。

生産者団体に交渉力がないのは、団体が分裂したせいと強固な支持者がいないせいだ。「販売委員会が壊れると、バリューチェーン内での取り分を引き上げるための農家の能力がいっそう低下する[277]」。生産者とその代表組織はたいてい専属市場〔買い手が売り手を選べない市場〕に参加しているが、そこでは生産者側は売り先を選べないため、提示されたものより有利な条件や価格を交渉する力がない[278]。「高度に集中化した、そして強固な支配を実現している焙煎業者が存在する。彼らに共通するのは、（略）生産者の力を弱体化し、生産国と輸出国の数を増加させるという特徴だ[279]」

貿易業者と焙煎業者

過去十年間にコーヒー市場では、生産国関係者に対して優位な立場を利用していた国際貿易業者から権力が移行する事態が起きた。これは焙煎業者の整理統合ができたからだ。大規模な焙煎業者の数が減り、貿易業者の総売上に占める一社の比重が大きくなると、貿易業者には焙煎業者の存在がより重要なものになる。焙煎業者なしでは貿易業者の収益が見込めなくなるので、焙煎業者を顧客として維持しようといっそう努力することになる。リック・ラインハートによれば「大手貿易会社は昔から強大な力を持っている。それは金融の入り口であり、市場の売り買い双方をよく知っているからだ。そのため貿易会社は、買い手が直接売り手に会いに行ったり、売り手が買い手に会いに行ったりしないように努めてきた。もしそういうことがあれば彼らの存在価値がなくなるからだ」。ところが貿易業者は次第に「焙煎業者の呼びかけに応えなくてはならなくなった[280]」。

囚われのサプライチェーン

強大な買い手（ある供給業者《サプライヤー》の農産物の大半あるいは全部を購入し、大勢の供給業者を手元に置いている）は、製品と工程の要件を作り出すことで権力を行使し、供給業者が自分に依存するようにする[281]。供給業者は、顧客を維持するためや要件に合致するリソースに頻繁に投資するために必要な調整をおこなう。ほかの買い手はこれらの調整に価値を見出さず、ほかの買い手のためにカスタマイズされた製品を求めないだろう。その結果供給業者は、カスタマイズしたものを要求する買い手に依存することになる。コーヒーでの例を挙げれば、スターバックスのC・A・F・E・プラクティスのような、買い手が所有している認証がある。生産者は、適切なルートにアクセスできれば、関連する価格プレミアムの恩恵を受けることができるが、スターバックスに売らない買い手なら、スターバックス独自の認証には何の価値も見出せない。もし生産者が認証を手に入れるために投資しなければならなくなれば、その投資を回収するためにスターバックスの買い手から離れられなくなる。もし（別の買い手との取引を開始するための）切り替えコストをかけることになれば、スターバックスの認定取得のための投資は損失となり、場合によっては、新しい買い手が要求する別の認定を取得しなければならなくなる。

緊急性

バリューチェーンにおける力も、購入のリンクと販売のリンクのあいだの緊急性の違いに応じて配分される。あなたがドライ・パーチメント（パーチメントはコーヒーの実の皮のこと）のコーヒー豆を作っているとしよう。サンプルを持って街に行くと、値段がひどく安い。その品物の価値に見合った値段をつけてくれる人がいない。あなたが目端の利く農業従事者で自給自足を実現していたり、生活するための貯蓄が十分にあったりして、その日の食料を買う金に困っていないのであれば、スペシャルティの輸出業者に電話をしてサンプルを送り、もっといい値段をつけてくれるかどうか試すことができる。しかし、作っているのがウェット・パーチメントか、最悪の場合、コーヒーチェリー「そのまま」なら、あまり日持ちがしないのでそんな悠長なことは言っていられない。あなたは街の大きな買い手の言い値で豆を売らなければならない。さもなければ豆は傷んで、売れなくなってしまう。こうした販売に対する緊急性はバリューチェーン内でのあなたの立場を極端に弱くする。

ＢＤインポート社とＩＷＣＡ（国際女性コーヒー連盟）のフィリス・ジョンソンは、運転資本へ

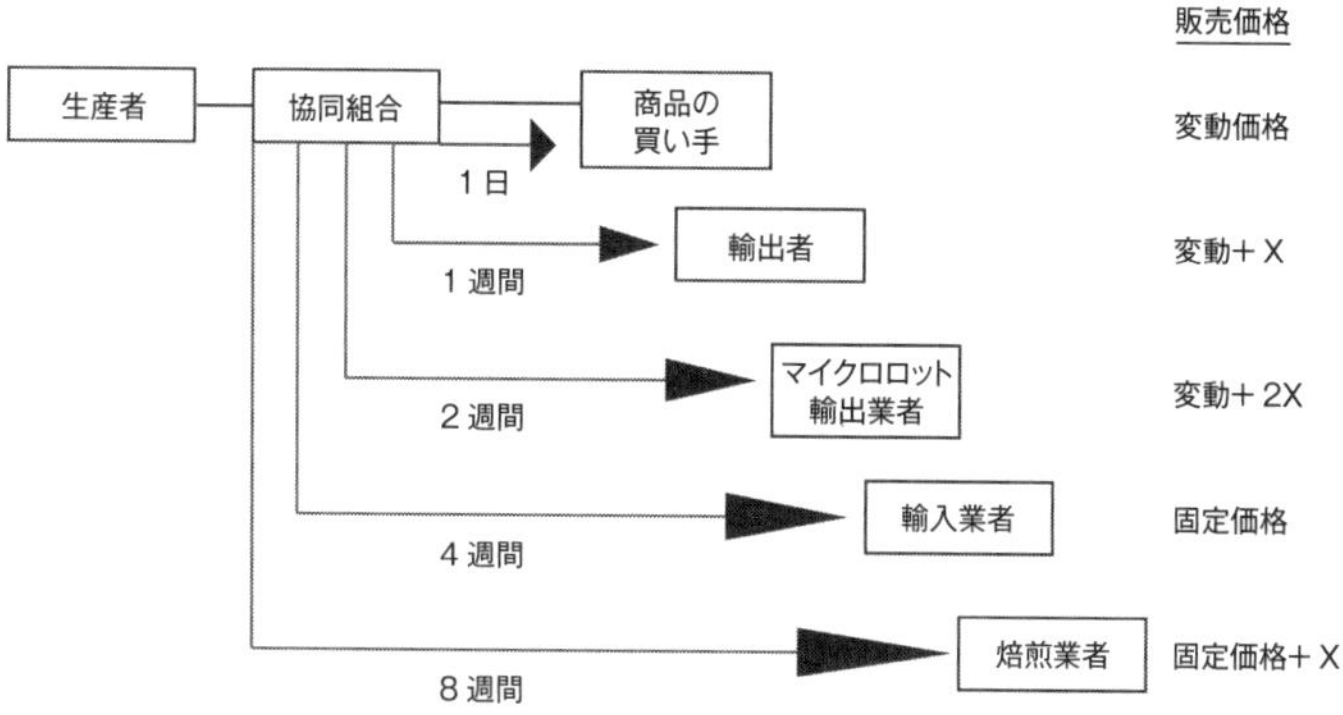

図2-10　コーヒー販売の緊急性

のアクセスを基盤にした交渉力の違いから生まれる便宜主義というものがある、と認めている。「市場は発展途上国の個人の資金不足に乗じている。その結果、被害を受けるのはもっとも小規模でもっとも立場の弱い生産者だ。そこにはかならず金融の嵐に耐えられない人や、生活するための資金が必要な人がいるからだ」[282]。彼女の経験では、すぐに支払いを必要とする生産者は簡単につけこまれる。

小規模コーヒー農家の多くは、返済期限が収穫時期に設定された借金を抱えている。その借金の相手は、スーパーマーケットや、彼らが生きるために必要なインフラと安全を保証する地域の地方銀行、肥料販売業者、親類、あるいはヤミ金かもしれない。豆の収穫が債権者に知られたら、生産者は借金返済のためにすぐに売らなければと思うだろう。コーヒー豆の買い手は、収穫期にコーヒー豆で返済させるためにお金を貸すことも多い。その場合に買い手は、専属市場と、支払条件や価格を設定できる巨大な交渉力とを持つこと

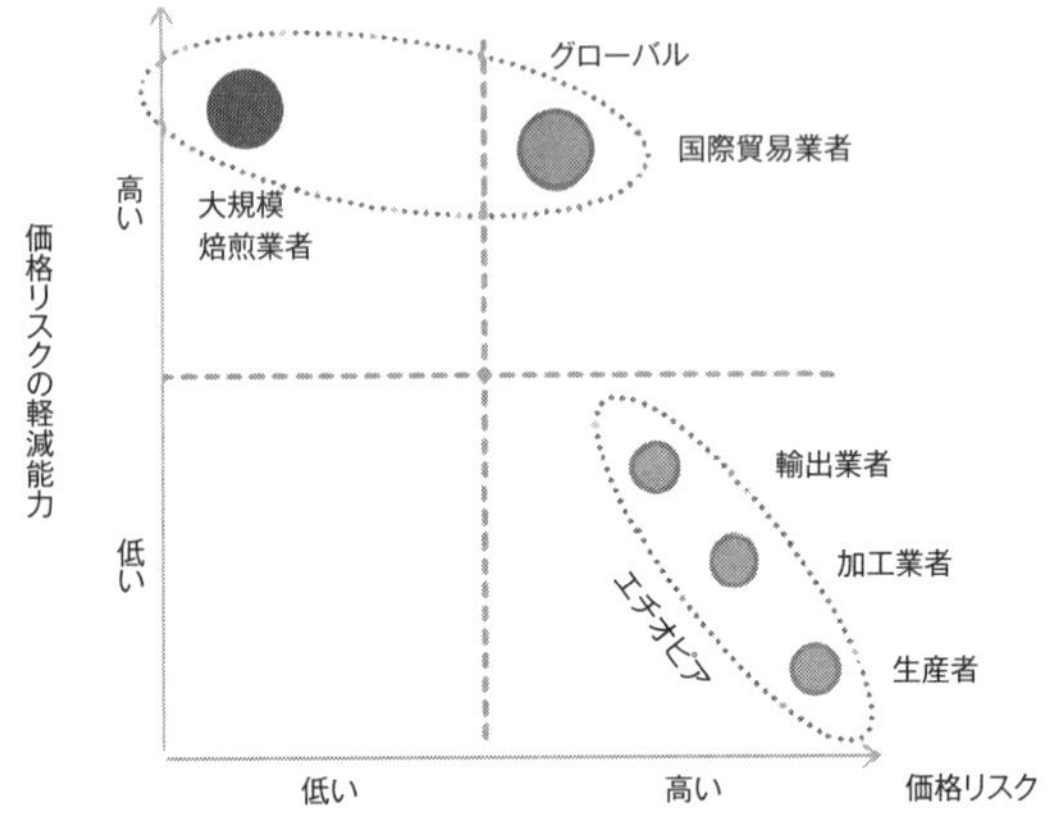

ベルンハルト・トレスター（2015）。「グローバルな商品のチェーン、金融市場とローカル市場の構造：エチオピアのコーヒー業界の価格リスク」調査報告56、オーストリア国際開発研究財団（ÖFSE）

図2-11　価格リスクの露呈

になる。

生産者は回避しない

変動価格は、すべてのコーヒーを毎日確実に売るための唯一の方法だ。関係者が価格の変動を回避《ヘッジ》できれば、たいていのリスクは消える。しかし、生産者やその組織のほとんどは回避《ヘッジ》できないために価格変動に対して極めて脆弱だ[283][284]。テクノサーブによると「東アフリカには千以上のウォッシングステーションがあり、農家からチェリーを購入し、数カ月後に生豆を販売するのだが、その際、市場価格の変化に対する回避措置を何も講じていない[285]」。金融派生商品を回避に利用するには、流動性、仲介サービスへのアクセス、複雑なシステムに関する知識が必要だ。回避商品を取り扱うことができるのは、大規模で資本力のある輸出向け生産者に限られている[286]。

先物取引を利用して回避をおこなう買い手にとっては、価格変動からの保護を維持しながら、価格決定をできるかぎり遅らせるのが最善策になっている。国際貿易業者による広範な回避と生産国の売り手に対する強大化した交渉力は、「無条件の、または固定の先物価格から先物価格に基づく「固定価格（ＰＴＢＦ）取引への切り替え[287]」によって証明されており、必然的に生産国の売り手が負うリスクばかりが増えていく。

ライプニッツ経済情報センターによれば、小規模貿易業者が回避用のデリバティブ金融商品を利用することがますます難しくなっている[288]。回避手段を利用できない貿易業者には回避なしの取引リスクがつきまとい、さらに今やデリバティブ金融商品による回避は資金調達のための前提条件になりつつある。これによって、小規模貿易業者や生産国関係者は運転資金へのアクセスができなくなり、多国籍の貿易業者との競争もかなわず、一般に生産国の外でおこなわれる実体コーヒー取引でも大規模企業が有利になるようになっている[289]。

回避されていない変動性＝緊急性

生産者もその代表組織も、市場の変動性にさらされてもそれを軽減できないために、価格を高く要求する立場になれない。協同組合や民間仲介業者のような流通業者は、その日の価格に基づいて農家に支払をおこなう。彼らの通常の、または切り札となる買い手（たいていは大規模貿易業者）も、その日の価格に基づいて購入する。彼らはスペシャルティ輸出業者や国際輸入業者や焙煎業者のような、より良い市場を探すことはできるが、生豆サンプルの確認や交渉には時間がかかる。交渉が失敗したり、サンプルが承認されなかったりすると、市場価格で販売しなければならなくなる。その時点で市場価格が下落していることもあり得る。そうなると赤字で販売するしかなく、生産者が束になっても、仕事を継続するのに必要な運転資金を確保できなくなる。

　つまり、安全策とは、価格変動にさらされる時間を最小限にすべく、豆を買ったらできるだけ早く売ることなのだ。たとえそれで、農家に大きな補償を払えるかもしれない豆のベストの潜在市場が決して見つけられなくなったとしても。〔290〕販売にともなう問題は、切り札の買い手、つまり売りたいときにどんな豆でも買ってくれる買い手は最高価格を提示してくれない、という点だ。

　問題のコーヒー豆が高品質である場合、あるいはほかの商品との差別化がなされている場合、それを評価できるのは特定の買い手だけだ。ほかにはない商品であればあるほど、その価値に進んで金を払う買い手は少なくなり、買い手との距離は遠くなる。最高級のスペシャルティ商品やユニークなマイクロロットでは、潜在的な買い手にサンプルを送って回答を待つ必要がある。輸出業者はこうした見本を顧客の輸入業者に転送しなければならないことがあり、待機時間がさらに延びる。生産者団体が、より高い価格や固定価格を求めて潜在的な買い手にサンプルを送った場合、拒否されることもある。そうなれば、流通業者は商品市場か切り札の買い手に戻ることになり、市場が下落したときには大きな損失を被る。

　焙煎業者やコーヒー投機家が現れて、代替加工や単一農園のマイクロロットの分離を求めると、多くのグループが狂ったように取引から手を引いていく（同意し、話がまとまっていても、不利益になると気づけば翻意することが多い）のは、これが理由だ。そうして差別化された品質の製品を抱える生産者メンバーがより良い価格を示す差別化された市場にアクセスできないようにするのだ。協同組合（流通業者）は何も間違ったことをしているわけではなく、メンバーが通常機能する市場にアクセスしやすいような金融商品がないのだ。また、流通業者に予想以上のリスクを負ってもらうことを期待する買い手のほうが間違っているともいえる。協同組合やその他の流通業者が金融商品や回避手段を楽に利用できるようになれば、この状況は一変するはずだ。「小規模農園がこれ以上立場が弱くならないように、協同組合に価格リスク管理サービスの利用を提供することが大事になる[291]」

近接性と輸送

市場への近さも、交渉力を左右する重要な要素になる。この地球上ではどこへでも行けるようになり、技術の進歩によって長距離間の流通がより便利になった。ところが、輸送や通信のインフラが不十分な遠方のコミュニティに住む生産者たちは、必ずしもこうした進歩発展の恩恵にあずかっているわけではない。

特定のスペシャルティを栽培する地域では、生産者がサプライチェーン内での相対的な力を活用して、スペシャルティの買い手と品質ベースで容易に価格の交渉ができることがある。しかし、遠方の地区では、スペシャルティの買い手が買い付けの視察に行けず、感覚的な品質評価も簡単にはおこなえず、生産者にしても加工インフラを欠いているので、農家がスペシャルティ市場にアクセスするのは不可能ではないにしても、並外れて困難である。

そのような場所では、輸送や通信環境に費用がかかるため、スペシャルティを取り扱う関係者と接触するのが難しい場合が多く、配送に法外な費用がかかったり、リスクが高くなったりする。農園から流通地点までの輸送は、ある農家ではごくわずかな費用で足りるが、ほかの農家では全生産費用のかなりの部分が費やされることもあり、それが結果として利益が出るか損失が出るかの違いを生むことになる。インフラの不平等な開発や、商業地域の場所を変えることは、小規模生産者に大きな影響を与え、ときには権利剝奪、違法作物栽培など、深刻な社会問題や環境問題を引き起こしてきた。極端な場合、契約輸送費が途轍もなく高いか、輸送手段そのものがない場合、生産者は農場に来た仲介業者に直接販売し、言い値を受け入れるしかなくなることもある〔292〕。

コーヒー豆が農家のところで、あるいは協同組合といった農家を代表する組織でパーチメント加工されない場合には、状況はさらに悲惨なものになる。ウェットパーチメントは非常に重いために輸送費用がかかるし、しかも非常に傷みやすい。チェリーの場合はさらにひどく、重さはドライパーチメントの約五倍で、しかも収穫後二十四時間以内に加工する必要があり、農家が買い手を見つけて交渉するための時間はほんのわずかしかない。買い手はそれを熟知している。農家は急速な腐敗から豆を守るためには何でもするのだ。

たとえば、ホセ・アントニオ・グエラはコロンビアのアンティオキアのリャノの高地に住んでいるが、携帯電話を持ったことがない。この地域には武装勢力がいて、その影響で何十年も、外部のコロンビア人さえ立ち入ることが禁止されてきた。この地域はスペシャルティの地図にも載っていないため、地元の生産者が最善の努力をしているにもかかわらず、スペシャルティの買い手はそこまで辿り着けない。ここの生産者の取引相手というのは、FNC（コロンビアコーヒー生産者連合会）と提携する「協同組合」と、基本作物価格以下の支払いしかしないわずかな地元商人だけだ。私たちはアンティオキア出身の呼び込み係、フアンを通じてホセと知り合った。ホセと通信するためにフアンは、農場労働者の一人を送り一日かけてメッセージを伝える。パーチメントはラバの背に積まれ、山を三百キロ下っていちばん近い町まで運ばれ、そこから週に一度のトラック便でいちばん近い都市メデジンまで製品価値の約五パーセントを費やして運ばれる。

二〇一九年一月、私たちはホセのパーチメント四五〇〇キロを受け取った。水分含有量が限界を超えていたので、不合格にしなければならなかった（私たちは善人なのか、それとも愚者なのか、ともかくホセの状況を考慮してその豆を買うことにした。ただ、グループの全員がこの災難に金を払わなければならなくなるだろう。これはほかのメンバーにとっては不公平な出来事になる）。これは厳しい状況だが、ホセは持ちこたえた。彼の農園よりも奥地では、農家の多くが今はコカを栽培している。コカはコンパクトな商業製品になるので、専属サプライチェーンが集荷サービスをおこなっている。

底値への競争

先に述べたように、コーヒー豆生産のような栽培をする際のある国や地域における比較優位には、ほかと関連した生産費用が多分に含まれている。また、規模の大きいコーヒーブランドの多くは、おもに原産地と等級とを柔軟に組み合わせて構成されたブレンドを販売している。そのため、焙煎業者は原産国に依存せず、複数の原産国からなるブレンドの組合せをほかの組合せで置き換えて、販売する製品の一貫性を維持することができる。

このために原産国は互いに競合する立場に置かれ、競争力のある価格を提示しなければならなくなる。価格競争力を保つために、生産者コミュニティの生活の質の向上や環境保護がないがしろにされることも多々ある。輸出用のコーヒー豆の生産を続けようとすれば、そうならざるをえないのだ。たとえばエクアドルの農家が商用グレードのコーヒーの世界市場で競争することが非常に難しいのは、エクアドルが国内通貨として米ドルを使用していることや、最低賃金で働く人が多いこと、そして労働者保護法があるからだ。その一方で、商用グレードのベトナムコーヒーはほかの産地の豆に比べて「カップ評価」が高いにもかかわらず、生産費用が低いために世界の輸出市場での競争力がある。

価格競争力を保つための生産費用の「底値への競争」によって各国は、世界規模の増産が起きているなかで、価格競争に巻き込まれている[293]。一部の国々は、品質の潜在性やインフラ、生産費用など、ほかの国々と比べて比較優位があるので、焙煎業者や貿易業者とともに大きな市場シェアを占めている。一九九二年から一九九六年のあいだ、輸出上位十カ国が世界のコーヒー輸出量の平均七五パーセントを占めていた。その十年後、輸出上位十カ国はコーヒー取引量の八六パーセントを占めるようになり[294]、二〇二一年には、上位生産国五カ国が世界の供給量の七〇パーセント以上を担っている[295]。さらに生産が集中していけば、世界供給は、生産や輸出を妨げるような環境的あるいは政治的要因が生じた衝撃に簡単に屈することになる（図2-12参照[296]）。

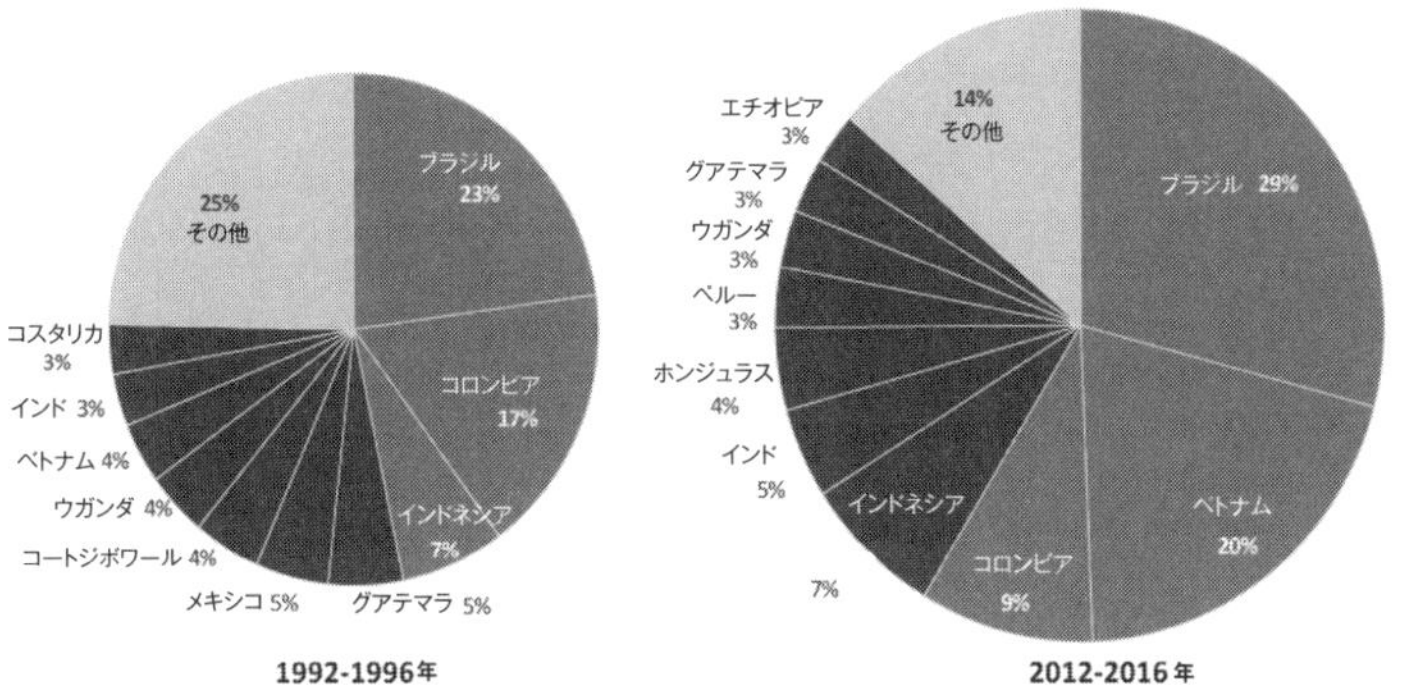

出典：ICO「コーヒー貿易発展の流れ」（2018）国際コーヒー機関

図2-12　国別コーヒー輸出シェア

業界の自己破壊行為

市場経済では、どの企業の目標も利益を追求し、収益を最大化することだ。つまり、できるかぎり利益を生み出すために、利鞘を大きくしなければならない。このために企業は費用を最小限に抑え、最大の利益を生み出す価格設定で販売する。市場の力（見出されたか導かれたかした力）がさらに多くの利益を絞り出す余地があることを示したら、それは奪い取るべきものだ。ではなぜ私たちは、このまったく持続不可能な、自滅に向って突き進むようなやり方でコーヒー豆を栽培したり、取引したりしているのだろう。[297] 同じ理由で、選挙で選ばれた役人たちは、老朽化したインフラを修復したり、収支の帳尻を合わすことをせずに、公的債務を増やし、新しい公園や橋を作っている。

小規模農園にとってこれは死活問題だ。来週

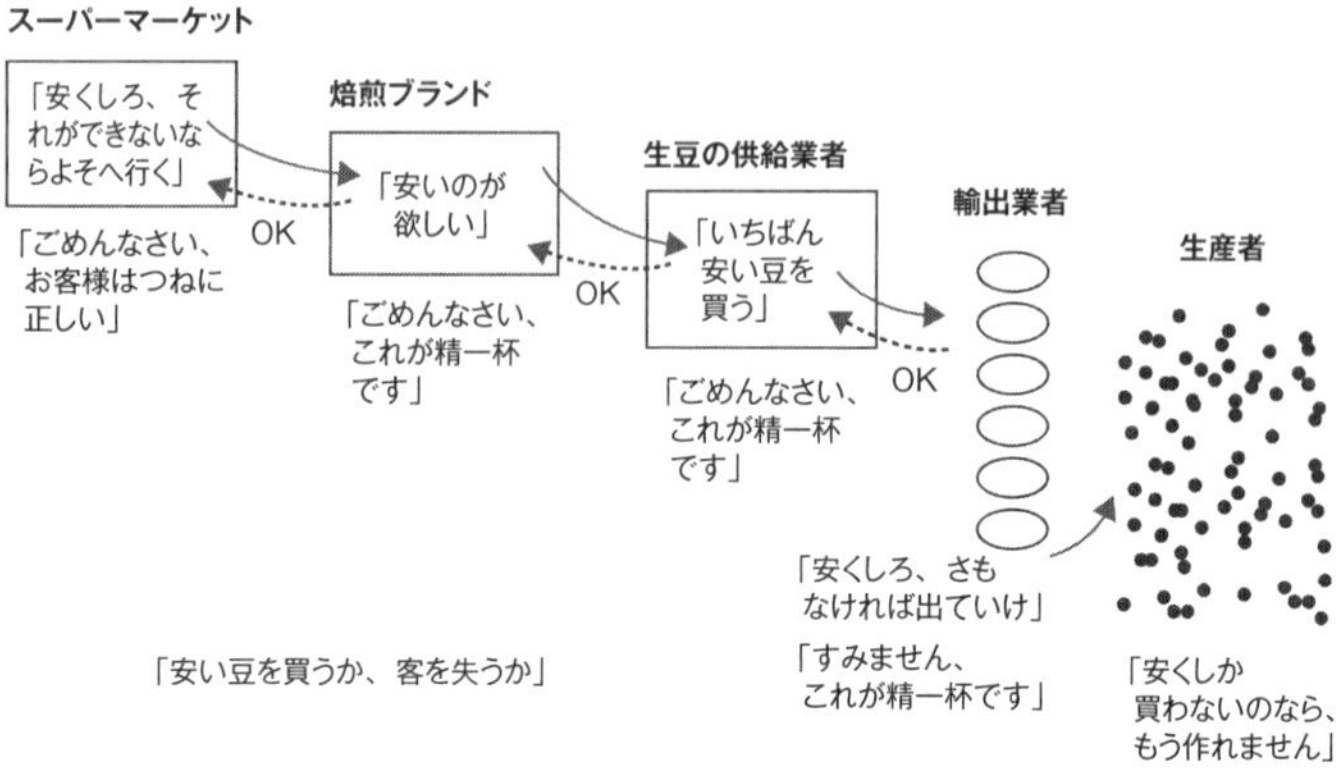

スーパーマーケット
「安くしろ、それができないならよそへ行く」
「ごめんなさい、お客様はつねに正しい」
OK
焙煎ブランド
「安いのが欲しい」
「ごめんなさい、これが精一杯です」
OK
生豆の供給業者
「いちばん安い豆を買う」
「ごめんなさい、これが精一杯です」
OK
輸出業者
「安くしろ、さもなければ出ていけ」
「すみません、これが精一杯です」
生産者
「安くしか買わないのなら、もう作れません」
「安い豆を買うか、客を失うか」

図2-13　コスト削減への圧力

ものが食べられるなら、来年のことなどどうでもいい。だから、われわれは土壌を悪化させ、水源を汚染し、将来のある時点で地滑りを起こす可能性のある方法を実行するのだ。こうした問題は未来を考えるとき初めて重要になる。

　株式を公開している企業は、未来を考えることを法律で決められている。つまり、受託者の義務なのだ。それが違法でなければ、それで利益がさらに得られるならば、そうする義務がある。しかし、利益を得るのはいつになるのか。来年の収益性を〇・五パーセント増やすために、五十年にわたるコーヒー豆の入手可能性を犠牲にするのは正しい判断だろうか。おそらく正しいのだろう。この判断をするならば、企業が営む事業の財務的な持続可能性を長期的に評価すべきだ。しかし、企業は投資家にすばらしい数字を示すことで恩恵を受けている（さもなければ資金を打ち切られたり解任されたりする危険がある）。プライベート・エクイティ

・ファンドの投資期間が通常は五年間であり、それに関わる人間の活動期間と寿命を考えれば、その事業部門が長期にわたって利益をだすかどうかは優先事項ではない。

上場コーヒー会社の創設者マーティン・ディードリッヒは、供給危機が起こりつつあるにもかかわらず、貿易業者や焙煎業者のなかには低価格を利用しようとする者たちがいることについてこう述べている。「彼らは問題を先送りにしておきながら、『将来に対処するのはそれが必要になってからだ。そのための金は、今は検討しないことにする』と言っているのだ」[298]。大手焙煎業者、カリフォルニアのグラウンドワーク・コーヒーの共同創設者ジェフ・チェーンは同じ現象について、「価格だけに焦点を当てるようなアプローチは、ある意味で自己破壊的だ」と述べている[299]。

たとえば、ルワンダではコーヒー豆の品質が世界的に高く評価されているにもかかわらず、過去二〇年間で投資が（そのために生産も）半減しており、それで輸出価格に著しいプレミアムが付いている[300]。ミリング・プロセス業者や輸出業者など強力な市場関係者（多国籍貿易企業も含む）は、最近のある研究によれば、チェリー価格の水準を「人為的に低く」押さえてきたという[301]。輸出業者にとってこの有利な利鞘は約三〇パーセントにのぼると言われているが、生産に投資しようという意欲は極めて低い。このせいで、もっとも脆弱な困窮農家を除いた全生産者は大きく生産を減らし、もっとも弱小の小規模農園は絶望的なまでになす術がない生産を続けるしかなかった[302]。こうして、加工業者と輸出業者は、コーヒーチェリー生産者に大増産を促し最低限の生活の糧を与えてそこからそれなりの利鞘を稼ぐことはせずに、その半分の生産量で三〇パーセントの利鞘を稼ぐほうを選んだのだ。

コーヒー産業が長期的な持続可能性を推進するようなやり方、つまり、それなしでは産業が立ち行かないはずのコーヒー豆を保護するやり方を取っているのは理にかなっている。しかしそれには、世界中の熾烈なライバル間での協調、合意、短期的な犠牲が必要になる[303]。これは極めて論理的な結論と言えるが、そのような世界レベルでの長期的なビジョンや、世界規模で管理責任を担う意識を持つことなど、夢のまた夢だ。分散型コーヒー供給システムでは、全員が平等に犠牲を払うという保証がなければ、誰もすすんで短期的な犠牲を払おうとはしない。他人に取られる前にできるだけたくさん取ってしまおうと考える輩《やから》ばかりなのだから。

決定的な価値——文化的なものと象徴的なもの

「本当の力とは、価値を蓄積することではなく、価値を構成するものを定義し、ゲームの条件を設定することから生まれる[304]」。農家はコーヒー豆を作り出せる生産要素を管理するが、その生産要素は、トレンド仕掛人たちが明示したような高品質市場の定義に合致していなければならない。「北半球のトレンド仕掛人たちは、常に新しくより魅力的なフレーバーを追い求めている。その一方で熱帯地域のコーヒー栽培農家は、四、五年先の植林と収穫具合を決定しなければならず、ありえないほど不利な立場に置かれていると感じている。このような状況では、象徴的な生産手段を支配する側が、物質的な余剰価値を最大限に引き出すことができる[305]」。フィッシャーが、サードウェーブのバリスタを「文化の仲介者」とまで呼ぶのは、彼らが消費者に「高品質」コーヒーとは何かを教育することができるからだ。目先の利く生産者のなかには、積極的に自分の製品に意味や象徴的な価値を持たせて、それで金を稼ぐことのできる「価値の架け橋」という手段を使って鞘取りの機会を狙っている者もいるが、たいていの生産者は追いつこうとするだけで手一杯だ。

北半球の人々が、変化し続けている「品質」の概念を決定しているかぎり、農家は常に時代から取り残され、バリューチェーン内に重要な位置を占めることはできず、いつまでたっても交換可能なまま、商品化されることにさえなりかねない。ブームは、ナチュラルから嫌気性発酵へ、ゲイシャからストライプド・ブルボン（あるいは現存しているかどうか怪しいその他の種類のコーヒー）へと、農家のあずかり知らないうちに変化していく。焙煎業者は材料を変更するだけでいいが、農家は昨年当たったコーヒーと、ブームに追いつこうと整備した不十分なインフラとともに置き去りにされる。リスクは再び生産者レベルにまで押し戻される。あからさまに言えば、「マルクスが重要視した物質的生産手段の管理は、象徴的生産手段と流通経路の管理によってすっかり置き換えられてしまった[306]」。

栽培部門の組織

断片化

植民地時代には、プランテーションや大農場《アシエンダ》のシステムが普通だった。少数の裕福な地主が広大な栽培面積を管理し、小作農、奴隷、さまざまな強制労働者を使ってコーヒーを大量に生産した。このような土地本位少数独裁制は植民地の「独立」後も続き、その一部は現在もまだ続いている。[307] ポスト・スペイン植民地政府は、「エリートたちが自分たちの特権を守るために設けた制度」で運営され、競争を禁じ、支配階級のために多くの機会を確保した。[308] 奴隷制が非合法化され、一部の地域で雇用法が厳格化されると、正規雇用者を数百人も抱える大規模プランテーションを経営するという考え方に魅力を感じなくなった。規模の経済、つまりスケールメリットは、人件費や利益にならない労働によって徐々に力を落とし、あるいは否定されて、大農園でのコーヒー生産費用は大幅に増加し、最終的にはポストコロニアル時代のコーヒー生産の世界では、いくつかの地域で大農場が閉鎖されて、たいていは非道な形態の小作制度や土地借用に転換されていった。[309]

十九世紀後半に、コロンビア各地の大農場では、地域農民を従属させる小作制度や「半奴隷状態の地域土着民による日雇い労働システム」の採用によって、コーヒー生産がカカオや綿花などの奴隷集約型の作物に取って替わった[310]。二十世紀初頭から半ばにかけて、コロンビア西部のアンティオキア地域の小作農が南方へと入植していくにつれ、主に家族労働に依存するパーチメント段階までの小規模な垂直統合型コーヒー生産が、もっとも効率のよい方法だと明らかになった[311]。

規模の経済とは、量の増加によって単位あたりの生産費用が減少する現象のことである。この費用減少は通常、一日あたりの機械の使用時間を増やすといった特殊化を通して、量を増やすことで特定の費用を分散させて成立させる（同一作業を繰り返し正確に速く組み立てる流れ作業の労働者が熟練する場合などがそうだ）。利益にならない労働では、より多くの無所属の労働者に作業を依存するが、こうした労働者は資本家と違って効率的に働こうという意思がなく、彼らを監督管理するインフラが必要になる。そのため、従業員あたり、および賃金あたりの生産性は落ちる傾向にある。これは大規模なポスト奴隷制コーヒー生産で経験されたことである[312]。

強制労働によるコーヒー栽培

多くのコロニアル時代およびポストコロニアル時代のコーヒー生産地域では、強制・強要されたコーヒー栽培が、公式・非公式の国家や植民地・新植民地当局が生産水準を請け合う道具になってきた。オランダ領ジャワでは、農民は土地の一部を数種の熱帯輸出作物のうちのどれかに充てることが義務づけられていた。土地を持たない人々は、労働時間の一部をこうした作物の生産に充てることが義務づけられていた[313]。二十世紀はじめ、植民地アフリカのほとんどの地域では、強制労働（狡猾で悪辣なさまざまな形態の奴隷制）から、強制小作農へ移行するようになった。コンゴ自由国では、輸出作物を栽培するための金銭的動機を伴うアメとムチを強制し、事実上、他の作業などできないようにするために作られた制約を労働者に押しつけた[314]。こうしたタイプの強制的な労働のやり方は、植民地や大農場、南米の広大な所有地《ラティフンディオ》[315]といったシステムが非効率になるにつれて、世界の多くの地域でさまざまな形で実行に移されてきた。

「中央アメリカでは、多くの現地の住民が自給自足で暮らしていたために、コーヒー農場での賃金労働などする必要はなかったし、それを望んでもいなかった。政治的・経済的エリートは彼らに債務日雇い労働や有償賃借の契約を頻繁に強要し、彼らの共有地を奪い取り、銃で脅してコーヒー農場に連れてきて強制労働をさせた[316]」。ほとんどの中央アメリカやグアテマラのようなポスト植民地国家では、現地の民は浮浪禁止法によって、相場以下の賃金でコーヒー農場での労働を強制され、従わないと懲役刑に処せられた[317]。「民主的に選出された（グアテマラの）大統領ハコボ・アルベンスが、著しく不平等な土地所有権――国の農地の七二パーセントが二パーセント余りの農場主によって管理されていた――に取り組もうとして土地を再分配しようとしたとき、ＣＩＡが支援する一九五四年の政変で政権を追われ、土地の再分配を阻止する独裁政権に取って代わられ、その結果何十年にも及ぶ残忍な独裁、低開発、内戦の時代が続いた[318]」

奴隷制から独立へ、ハイブリッドの可能性

ほとんどのコーヒー豆の生産国では、コロニアル時代に比べれば、人間や土地や労働者の権利

は間違いなく改善されているが、不平等、封建性、階級の固定といった当時の負の遺産は依然として残ったままだ。土地改革、増加する地権利用の可能性、大規模なコーヒー農園の非効率性のために、小規模農園がコーヒー豆栽培では大きな存在になった。それにもかかわらず、土地は今日でも裕福な支配階級だけが所有している。農家は債務を負い、最終的には債務不履行になって、土地を放棄せざるをえなくなる。その際に、高利貸や債権者に金を返済しなければならないので、結局のところ市場価値以下の価格で土地を売却することも多い。[319] 取引を有利に展開するだけの資本を持つ大地主に売却されることもある。

機械化

一八八八年に両アメリカ大陸で奴隷制を最後に廃止した国ブラジルでは、奴隷労働をさせられた人々の代わりに機械が導入され、大規模なコーヒー農場が今も続いている。大がかりな栽培事業には、バリューチェーン内での交渉力と付加価値を高める能力があり、場合によっては工場や輸出業者などのような下流の事業者を吸収する力さえある。

収益性の高い事業の占有

大規模な土地所有者による農業経営は、奴隷制や抑圧的な労働システムがなければ効率的に利益を得られなかったが、植民地の地主階級は単純に消滅したわけではなかった。むしろ多くの地主は、ウォッシュトミル、ドライミル、輸出など、サプライチェーン内の資本インフラと知識集約型のリンク（や経由点）に方向転換することができた。[320] チェーン内のこれらのリンクは高度に集中しており、農家はわずか一社か数社の精製業者や輸出業者に販売しなければならないため、条件や価格を交渉するような力を持っていなかった。

大規模農場《アシエンダ》が破綻し、農民たちは自分の土地を得て独立できることを喜んだかもしれないが、世界の多くの地域の小規模コーヒー農家はそれ以降、貧困の連鎖に捕らわれ、現代の世界規模のコーヒー・サプライチェーン内にかつての農場主たちが農民のために作り上げた罠に落ちてしまっている。

サプライチェーンのボトルネックとなる誘因がある。それはすなわち、独自の経路《チャネル》、ブランド・ロイヤルティ、企業機密や秘訣など、本来なら価値などない生産物に価値を加えるための仕組みだ。[321] 一般的に、商品は見たままのものが手に入るはずだが、これは稀なことだ。ボトルネックが存在すると、その段階の業者がサプライチェーンの上下に対し影響力と交渉力を持つことになる。輸出業者、eコマース・プラットフォーム、大手スーパーマーケットのブランドが、ある種のボトルネックになっている。しかし、コーヒー農家はいくらでもいて、たいてい似たりよったりだ（少なくともサプライチェーンの者たちはそう考えている）。コーヒー豆の栽培のほとんどが小規模農園に委ねられてきた理由はここにある。この人たちはわずかな報酬のために大きなリスクを背負ってきたのだ。

同じ現象が、一九三〇年代にメキシコのユカタン州でも起きた。農地改革によって、以前は農場労働者だった農民に土地が再分配されたのだ。「理論上、カンペシーノ（小作農）たちは自分たちが耕した土地の集団所有者となったが、実際には、一人の大地主が非人間的な連邦政府の共同銀行に姿を変えただけなのだ」とスティーブン・トピックは言う。「さらに、元の地主たちが引き続き精製の管理をしており、改革前の強制方式は継続されていた」[322]

このコロニアル時代の遺産は、生産国のバリューチェーンに力を配分するやり方として今でも生き続けているところが多く、法律によって支持されているところもある。ここ数十年のあいだにコーヒー産業が著しく荒廃してきたジャマイカでは、コーヒーチェリーを精製するには政府の許可を必要とする、という法律があり、精製許可が与えられているのは大規模農場だけだ。アンドレア・ジョンソンはさらに「（コーヒーチェリーを加工するための）認可を得るには大農場を所有していなければならない、という条件が植民地時代の遺物であることは明らかだ」と言っている[323]。この法律によって小規模農園の生産者は今後も、コーヒーチェリーを加工して付加価値を与え、傷みやすい製品から腐らない製品に変えることを許可されている、ほんのわずかな大農場の所有者に依存し続けなければならない。

生産要素としての生産者

農業分野のバリューチェーンの場合には、加工業者や最終製品販売業者が完全な垂直統合をするのは避けたほうが合理的なときもある。生産者が買い手に捕らわれ、生産にリスクがともない、利益が上がらないときには、他人にやらせたほうがよい。英国の繊維会社はインドのインディゴ生産者に対してそのような状況になった。「当初、会社は地元の生産者から染料を買い取っていたが、次第に、とりわけ加工分野でのインディゴ生産現場に、ヨーロッパ資本とヨーロッパ技術が広まっていった。それは、ヨーロッパ市場での成功に必要な定期的な供給と均一な品質基準を確保するためだった。しかし、原材料の生産自体はインドの農民の手に残された〔324〕。そして、もし農民がもうインディゴは生産したくない、と思ったとしたらどうなるのだろう。ほかの手段を使って農民に義務付けるのだ。「賃料を支払い、土地の使用と生存の権利を確保するために、ライヤット（農民）はインディゴ加工業者から前払い金を受け取り、次の収穫時にインディゴの作物で返済した〔325〕」。これと同じ構造はコーヒーの徴収でも頻繁に見られ、機械やクレジットで提供される肥料、買い手からの借金といったさまざまなかたちを取っている。

多くの生産者は、組織化されていないあちこちの市場で買い手を見つけることに必死でいるので、企業と契約を交わせれば将来の見通しが得られる。しかし、たったひとりの買い手に依存したり、契約や債務に基づく義務を負っていたりするため、価格や条件に異を唱えられない立場に追いやられてしまう〔326〕。企業にとって、このような将来の見通しを餌《えさ》に生産者を縛るやり方が非常に有利なのは、合法的に購入したり効率的に管理したりできなかった広大な土地を効果的に管理できるからだ。

さらに、企業は生産費用やリスクを管理したり負ったりする必要がなく、製品供給に対しては保証が得られる。このような場合、小規模農園の生産者は独立性はあるが、実質は給与も社会的セーフティネットもない大規模農場の従業員であって、起業家としてのリスクをすべて負っているのに、安定性がまったくない〔327〕。サプライチェーンの次のリンクが「少数の大規模な多国籍生産者によって厳しく管理されている」ため、その製品にさらに付加価値を付けたり、アップグレードしたりする余地はない[328]。

ある人から状況を聞いたところによれば、ルワンダでは、食料自給自足農業から強制的小作制度による強制換金作物栽培へ移行したことで、大半のフツ族は貧困を強いられ、ツチ族の地主に依存せざるを得なくなった。この制度の下、一九八〇年代には農村世帯の七〇パーセントがコーヒーに依存していた。国際コーヒー協定の解散に続く一九八九年末のコーヒー価格の急落は、コーヒー栽培地域に深刻な飢餓をもたらした（どんな経済学であろうと、人々に十分な食料を供給できる土地での飢餓など容認できるものではない）。この状況に、米国が支援した世界銀行とＩＭＦの新自由主義的構造調整政策（政府歳出の削減）が重なり、市民の不安をさらにかき立て、こうしてルワンダ人口の二〇パーセントが殺害された――そのほとんどはフツ族によるツチ族の殺害だった――恐ろしい一九九四年の大虐殺の舞台が出来上がった。

農家の協力

ほとんどのコーヒー生産者は小規模で孤立しており、多くの理由のせいで世界規模の巨大なコーヒー市場で持ちこたえられない。規模と集団としての重要性を高めるために、生産者たちは互いに力を合わせて協同組合、協会、連盟、集団といった組織を通じてまとまっている。生産者の立場を主張するこうした言葉には、さまざまな組織構造、意思決定プロセス、リソースの分配方法といった多くの意味が含まれている。良いものもあれば、悪いものもあり、その中間のものも無数にある。そういった組織は小規模農園に市場への道を示し、価格状況を改善することができる。そういうことをしなければ小規模農園はコヨーテに食い物にされてしまう。また、そうした組織は生産者の懸命な労働で生み出されたリソースを吸い上げ、浪費することもできる。なかには、腐敗して、幹部の私腹を肥やすための組織となることもあるだろう。官僚主義的で冷淡で、バリューチェーン内の生産者の地位を向上させるには力不足のものもあるだろう。しかし、その多くは善意を持ち、意識的か否かにかかわらず、生産者に利益をもたらしている。

英国に拠点を置く非政府組織（NGO）ツインは、小規模生産者組織（SPO）という用語を使っているが、「生産者が所有し管理する自治的な地方ビジネス」として頭角を現してきた。SPOは「自主的な開かれたメンバーシップと民主的な意思決定（一メンバーにつき一票）」を旨としている。[329] ただ、残念ながら、「世界の二五〇〇万人の小規模コーヒー農家のうち、SPOに所属しているとされるのはわずか二〇パーセント未満なのだ[330]」。

何の役に立つのか

生産者組織は、取引コストの削減に手を貸してくれる。[331] コンテナ一杯のコーヒー生豆にかかわる四十七人の生産者がいたら、その電信送金手続きや契約書の作成、通関仲介手続きをおこない、さらに各人のための陸上輸送を手配したり、四十七のサンプルについて完全な品質管理をおこなったりしてくれる。

交渉力

組織があれば全体を通じて生産者の交渉の地位を強化できる。協同組合、協会、あるいはその他の代表団体を組織すれば、小規模農園は集団的な規模と重要性を手に入れて、バリューチェーン内のはるかに巨大な近接リンクに有利な条件で交渉する力を発揮できる。[332]というのも、組織は市場性のある数量（コンテナの積載量）を集約し、専門的なマーケティング活動のコストをより多くの分量のコーヒーに分散することができるからだ。[333]「多数の小規模農園の協力や共同行動が増えていことは、農家を世界的なバリューチェーンに統合するための重要なステップだと考えられている[334]」

協同組合、連盟、その他の生産者集団の代表が確立した規則や協定は、抵抗に遭ったり、独立生産者の自主性や革新の可能性を制限していると非難されたりすることがよくあるが、その一方で、大量購入者の略奪的な交渉戦術に対抗するための大きな盾となって、サプライチェーンの最大関係者たちの交渉力を相対的に低下させるという効果を上げている。組合のメンバーたちには家父長的な特徴があるが、メンバーの成長やさまざまな戦略への対応が期待できるのであれば、それは必ずしも悪いことではない。協同組合などの生産者グループは、ときには異様なまでに大きな買い手側に対する交渉力を集団で強化するカルテル（よい意味での企業連合）のようなものと見なすことができる。

資金調達の難易度

生産者組織へ参加すると、小規模農園がマイクロクレジットや農業拡張などの支援を受けるときに有利になる[335]。ある研究者によれば、ＳＰＯのメンバーが「スペシャルティ市場で値上がりを待っている低賃金仲買人」にいくらか豆を売って現金を手に入れることが頻繁にあるという[336]。ＳＰＯは、メンバーから購入するだけの資金があればいいが、生産者が持ち込んだものすべてを買い取るのに十分な資本がない場合もある。また、現金が手元に残るほど売れないこともある。ＳＰＯがスペシャルティのプレミアムを求めても、対象となる市場が縮小した場合、ＳＰＯのキャッシュフロー状況は悪くなる。

規模

小規模生産者が共同で事業に取り組むと、重複した作業を省略できるので時間の節約になり、サービス提供者にとっても重要なクライアントになるという利点がある。購買に際しても、ＳＰＯが取引を開始するための運転資本を持っているのであれば、集団的アプローチをすることで小規模農園はサプライヤーに対する交渉力が強まり、費用を引き下げることができるかもしれない。たとえば、グループ全体で必要な肥料を一年分購入すれば、メンバー個々が年に五回に分けて購入するのに比べて、売り手にとっても販売の経済性は劇的に変わる[337]。複合事業になると、堆肥を作ったり品質を管理したりするといった、規模と効率に関する節約を推し進めることができる。

	離脱	参加
生産者の場合	能力に基づく収入	共通収入
	個人のリスク	リスク共有（品質）
	品質改善への直接的動機	品質 - 価格の関係の直接性の減少
	最良ロット=最高価格	最良ロットが最悪ロットを補助
組織の場合	複雑なマーケティングとオファーリスト	単純明快なマーケティングとオファーリスト
	より商業的／在庫リスク	より少なく商業的／在庫リスク
	予測不可能な、変化し続けるオファー	一貫した標準的オファー
	より高い売上原価	より低い売上原価

図2-14　コーヒー生産者組織――るつぼとサラダボウル

市場へのアクセス

生産者が製品を共同で保管できる組織の会員になると、市場へアクセスしやすくなる。SPOは、多くの農家の農産物をひとまとめにして、標準的な輸出単位であるコンテナを満たし、会員の代理として製品を販売する。こうすれば、組織はコンテナにまとめることで利益を得る流通業者にではなく、コンテナで製品を購入する輸出業者に直接販売できるようになり[338]、組織はバリューチェーンのリンクをひとつ飛ばすことができ、その気になれば、自分たちの製品を輸出したり国際輸入業者と直接取引したりできるようにもなる。個々の農家の荷物をまとめることは、ほぼすべての場合にやれる。「農家の人たちは、自分たちがまとめようとしなければ、無抵抗のまま一律にまとめられてしまうということを知っておいたほうがいい。あらゆる貿易業者は、コンテナに積載したコーヒー豆を輸送して販売する。あなたが加わろうが加わるまいが、まとめられる手続きはおこなわれる」とリック・ラインハートは言う[339]。生産者同士が協力すれば、手を取り合って集団として行動して交渉力を向上させることができる。オックスファムによれば、輸出段階までに共同組織に参加している小規模農園（コーヒー生産者にかぎらず）は、参加していない農家に比べて、最終消費者価格の二二パーセント以上も多い収入を得ている[340]。

農家協力の挑戦

大規模なブレンド内の生産者のロットが匿名であると、できるかぎり高品質のコーヒーを作ろうという人々の意欲が低下するかもしれない。良いものを作ろうという気持ちが生産者になければ、最低水準のものでもかまわないという姿勢を外に向けて発信していることになる。グループ内で質の悪いものを作っている生産者と報酬が同じだけしかもらえない場合、なぜ彼らより質の良いものを作る必要があるのかと思う人も出てくる。多くの生産者団体は「高品質のコーヒー生産を求めようとするはっきりした励みとなるもの」を生産者に与えていない[341]。

るつぼかサラダボウルか

生産者が提供するのは、それぞれ感覚プロファイルと品質レベルが異なるものだ。協同組合や協会の会員は、程度がさまざまな品質を作るが、その程度がよいときもあれば悪いときもある。しかし、大がかりに販売するには、あらゆる品質のものが混ぜられ、均質で同質のブレンドになっていなければならないのだろうか。これは結果的に、最高点を得たロットの生産者が点数の

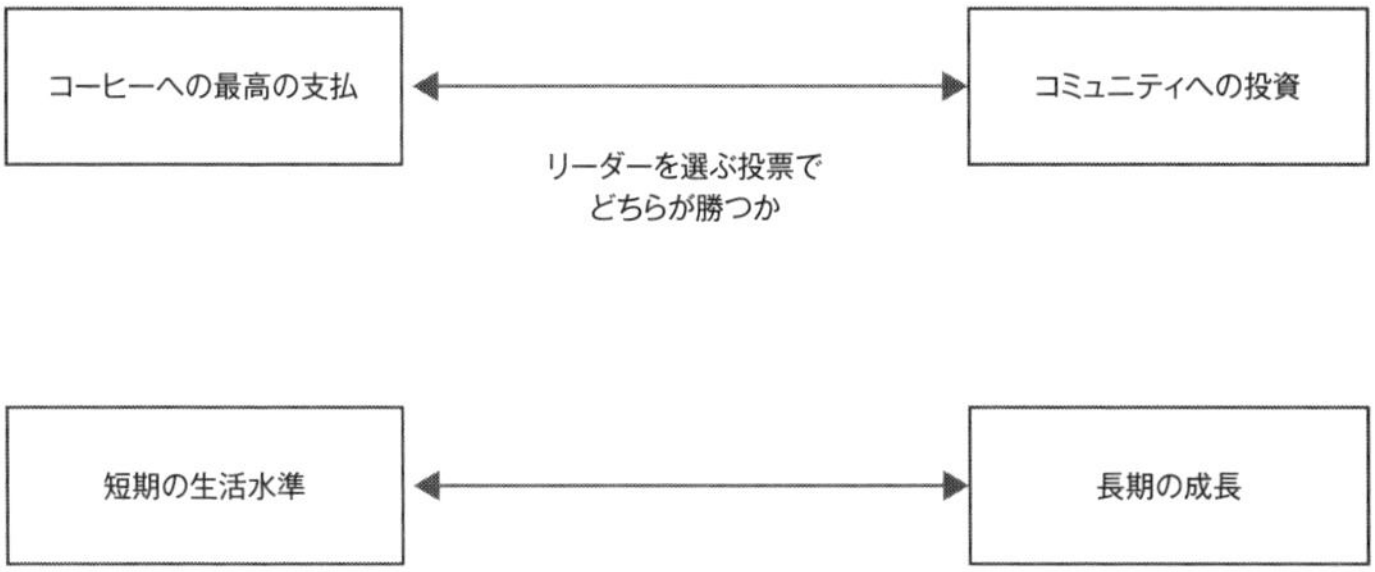

生産者は個人的に利益があると感じているだろうか。それとも、協同組合の取り分を税金と捉えているだろうか。汚職の疑いを感じ取れば、メンバーはすぐにも資金を引き揚げようとするだろう。

図2-15　生産者組織の経済──理想と迎合主義

低いロットの生産者を援助することになるが、それは公平といえるだろうか。各人が提供する生産物の品質が異なる場合、平均化することで生産者の収入を均すことができる。また、そのせいで生産者の収入や経済的動機が制限されることもある。各組織のメンバーと指導者たちは、こうした決定をおこなわなければならない。この品質基準の内容が、最高の品質を提供した生産者への補助金の大きさを決める。ベーコンによると「このやり方が十分な情報に基づいて民主的に決定されなければ、高品質のコーヒー豆を生産する人が疎外されるリスクが高くなる」という[342]。

民主主義の非効率

どんな民主的な組織でも、同意が形作られないと不満や離脱や非効率が生じ、政治が資源を枯渇させることになる。また、民主的に運営される組織では避けられないことだが、努力を続けられなかったり、短期の見通しだけにとらわれていたりすれば、指導者の交代や、組織の機能不全は避けられない。共同事業に対する一般的な批判は、雇用者や経営者が個人的な野心を持っていないという点にある。大きなグループの代表者は、個人起業家のように大量にものを得たり失ったりすることはない。起業家は自身の会社に公平性を築くことに意欲的である。彼らは持っているものすべてを失ってもかまわないと考えているせいか、サラリーマンが上司に対峙するときより辛い思いで逆境に立ち向かい、切羽詰まった状態に置かれている。

組織の資金調達(343)

小規模農園にとって資金調達が難しい、あるいは不可能であれば、生産者組織にとっても同じように不可能になる。世界の多くのコーヒー生産地では、生産者は売りたいときには好きなだけコーヒーを売ることに慣れきっていて、コーヒーを届けたその日に現金を手にできるのが当たり前だと思っている。小規模農園の多くは、自身の製品に市場価値があることを信じて疑わず、余裕のない現金収入でやりくりすることに慣れている。したがって、収穫や全作物の加工代に当てる準備金などの用意はなく、収穫中に作物の一部を売ることもしない。なかには、資金が切れたら、一、二週間も持ちこたえられない農家さえある。回転の速い販売が常態となっている地域には、金融資金が足らず、生産者会員からコーヒーを「買う」ことができない組織があり、当然、製品の流通、組織化、あるいはマーケティングに関わる能力を期待することはできない。この場合、生産者組織の会員であっても、少しもメリットがない。生産者グループがメンバーを集めることで信用枠へアクセスできるとしても、その資金調達のコスト（金利）が高額のために、世界規模で運転資金を潤沢に準備できる多国籍貿易業者やその子会社と競合することができない。彼らは四分の一以下のコストで済むときすらある。

みんなのすべて[344]

協同組合の指導者は難しい決断を下さなければならない。つまり、商業的にうまく運営できても、最終的な黒字の扱いをどうするか決定する必要がある。組合員のなかで資金を分配せよという組合員からの圧力と、組織に投資することで長期的な成長や回復に備えよという内部からの圧力とのあいだでバランスをとらなければならない。[345] よくあることだが、組合員たちが現金を重視するあまり組織の成長や順応力への投資を軽く見ているとしたら、民主的に選出された指導者たちは、再選されたいがために短期的な観点から剰余金を分配するという危険な誘惑に駆られる。[346]

腐敗と透明性

「指導者側が汚職をおこなうと、農民側はすぐさま不信感を抱く。汚職が発生すると、農家はそこから脱退する。つまり、他の場所でコーヒー豆を売ることになる」[347]（実を言えば、不信感はいとも簡単に生まれる、特に価格が下落すると）。記録管理と現金収支を透明にし、第三者の監査を受け入れ、会員も監査するといったことをすれば、指導者が汚職に関与する機会を最小限に抑えるのに効果がある。協同組合の指導者たちに給与を払うことで彼らは、この仕事はボランティア活動と違って単に利用されているのではないのだから、責任を持って仕事をしようと思うようになり、汚職や横領をするような気持ちにはならない可能性が高い。インドネシアの協同組合に関する調査によれば、「監査の脅威さえ、汚職を実質的に、そして統計的にも大きく減少させていると言える」[348]。

東アフリカで数年間の協同組合の調停をしたテクノサーブの調査によれば、「農家は経費、利益、支払ということを理解すると、より献身的で忠実な供給者になる。協同組合が成功するためには、農家の会員が協同組合は自分たちのものであり、自分たちが組合を管理し、そこから恩恵を受けていると考えていることがもっとも重要だ」[349]。この情報を準備して共有すること、そしてそれをいかに理解するかを生産者に教えることには、大きなコストがかかることもある。これは重大な仕事と見なされていないので、優先順位が低くなるかもしれないが、組織を長く続けるためには極めて重要なことだ。

生産者のロイヤルティ

農家は生産者団体に所属し、コーヒー豆を販売するために団体が提供する市場へアクセスできるが、他所で売らせないようにさせる効果的な方法というのは皆無に近い。横流しは、精製インフラの過剰や、供給ができない場合に起きる輸出契約違反であるために、協同組合の運営に深刻な打撃を与える[350]。また、生産者が会員としての恩恵を受けながら商業的には努力せず、組織に貢献しないでいれば、組織も疲弊する。ツインの報告書によれば、生産者が横流しをおこなう理由として、競争力のない購入価格、組織側の支払いの遅延、特定の時期に生産者から豆を買わないこと、そして「一部の会員が不公平な恩恵を受けているという不満」などがある[351]。

個人の買い手が、生産者のコーヒー豆を非常に高い値段で買おうと申し出ることもあるが、それはその買い手が、協同組合がおこなっているような生産者向けのサービスに金をまったく使っていないからできることなのだ。販売価格の一部を支払額から差し引き、サービスの資金調達に貢献しなければならないという認識が生産者側にないと、横流しは生産者には魅力的で罪のないものに見えるだろう。しかし、取引から協同組合が得られる利益がなければ、組合は重要なサービスを生産者に提供する力を失う。しかしながら、さまざまなサービスは生産者と生産事業にとって非常に大切なものだ。さらに、協同組合は、競争のあるダイナミックな市場を維持するには不可欠な存在だろう。たとえば、一九八〇年代のジャマイカのコーヒー市場では、個人の買い手の参入とそれに続く協同組合の崩壊から、買い手に対する生産者の交渉力が大きく低下し、生産者に支払われる輸出価格も下落した。[352]

民主的に運営される協同組合や協会は、小規模農園に対する支援や生産物価格を大幅に改善することができる。しかし、組合はどこにでもあるわけではなく、多くの農家は支援ネットワークに参加できないような孤立した地域にいる。[353]世界中の大半の生産者はそうした流通サービスと提携してはいない。さらに、ルート・キャピタルによると、「既存の団体の大多数は、長期ローンを吸収し、内部信用基金を設計し、個人向けR&Rローンを組み立てる能力に欠けている」[354]。このような組織に民主的な構造を備えたコーヒーのサプライチェーンを再構築する力があるかどうかについては、多くの議論がある。個人的な利益追求のために協同組合を利用することが重要な動機であってはならない。協同事業から得られる収入が少ないと、協同組合に魅力を感じる人も少なくなる。しかし、経営や管理、販売、顧客サービスといった仕事はとても重要だ。

地元の協同組合の強みと運営方針しだいで、コーヒーを生産する農家が繁栄するか貧困に陥るかが決まる。特に差別化された（スペシャルティ）分野へ参入するとしたら、分離方針、品質管理インフラ、価格交渉はもちろん、組織の担当者の能力や責任感も、生産者に大きな影響を与えることになる。

需要

消費者の嗜好と流行

消費は個人の欲求を満たすための活動だ。スーザン・L・ヘンリーによれば、消費は「特に階級、地位、民族集団など、グループへの帰属を表す重要な方法のひとつである」[355]。消費はライフスタイルや生き方を反映するのだ。ヘンリーはまた、心理学者マズローの人間の欲求の階層構造にも言及し、「基本的な生理学的欲求を除いて、ほかの欲求は社会文化的環境によって条件付けられる」と明言している。[356] コーヒーのバリューチェーンにおける最終消費者の位置と役割を分析するにあたって、このことを念頭に置く必要がある。

需要の両極化

コーヒーの需要は増えているかもしれないが、あらゆる種類のコーヒー需要が増えているわけではない。「もしコーヒーの需要が拡大するとしたら、それは市場の両端で起きると言えるだろう。両端とは、低品質のコーヒー豆（技術の向上とインスタントコーヒーの需要増加を反映）とスペシャルティコーヒー（ニッチ市場の拡大を反映）である」[357]。供給も二極化するが、需要が増加しているのに供給が停滞している高品質のコーヒーでさえ、生豆の段階では価値が低下し、（ニューヨークとロンドンの先物取引による）価格制度によって価格が引き下げられている。この安値は低品質コーヒーの過剰生産の影響を受けたもので、この影響から脱することができない状況が続いている[358]。生産者や比較優位のない地域も高品質製品を生産する能力もなければ、生産コストが他の競合地域より安いわけでもないので、中期的に状況が好転することはないだろう。この問題を「解決する方法」はなく、多くの植林と収穫を目指す政策は、輸出販売で外貨獲得を求める為政者には魅力的であっても、情勢を大局的に見られない農民の置かれた状況を悪化させるばかりだ[359]。

需要のない主流品質

ポンテによれば、「消費者は、あるブランドのブレンドコーヒーとそれ以外のものとの微妙な違いを区別できない」という[360]。つまり、品質が同じように低くて、消費者が区別できない異なる製品の場合、消費者にとって真に付加される価値は、品質を表すブランドだけになる。「ほとんどのコーヒー消費者は高品質のコーヒーを区別できないため、価格、包装、広告など、製品固有の品質を反映しているのかどうかわからない外側の指標に頼りがちだ[361]」。多くのブランド製品は、許容してくれる顧客と許容してくれない顧客の数が逆転する品質の閾値がどこにあるかを正確に知っているので、彼らの商機が失われることはない。「焙煎業者は購入する前に品質に関する完全な情報を持っているが、クライアント（消費者）にはほとんど情報を与えない。コーヒーの世界的なバリューチェーンで彼らが主導権を握ることができたのは、この要因に加え、市場における集中が進んだためだ[362]」。小規模コーヒー農家と地元の仲介業者とのあいだの力の不均衡と同じように、品質情報の非対称性のおかげで、強力なブランドを持つ焙煎業者は、価格を下げたり市場から反発を受けたりすることなく品質を下げられるようになる[363]。エンドユーザーの品質に対する感覚は、貿易業者や焙煎業者の感覚とは違い、階層や地理的な違いによっても変わってくる。「北米の買い手は、アジアやヨーロッパ市場の買い手より品質に対する感覚が鋭い[364]」

ラチェット効果

一九九四年から一九九五年にかけて、そして一九九七年にイタリアでコーヒー豆の価格が高騰したとき、焙煎業者の多くは消費者向けの価格を上げるのではなく、単純に安価な等級の豆を購入して品質を下げた。しかし、売上に影響が出なかった。その後、価格が下落に転じても、焙煎業者は品質を元に戻そうとしなかった。むしろ、彼らは利益を大きくした[365]。なんと賢い発見だとでも言うかのように。

米国では一九九九年から二〇〇三年にかけてコーヒー豆の価格が約半分に下落した。その一方で、消費者価格は平均一五パーセント下落した[366]。コストが下がったのに価格を下げなかったからと言って企業を責めてはならない。自分の娘が就職して自活するようになったからと言って、あなたは上司に給料を減らしてほしいと頼んだりするだろうか。また、安く買ったのに安く売らない、と言って焙煎業者を責めるのも間違いである。昇給したからと言って家賃を上げてもいいと家主に言う人などいない。米国の焙煎業者や小売業者は、原材料費が上昇したとき、「ポンド」の袋の大きさを実際の一六オンスから、現在のコーヒーの「ポンド」とされている一二オンスの袋にすることで小売価格の引き上げに抵抗した。

コーヒーの価値

価値＝支払意欲

価値は価格ではない。正しい価格は、消費者がものに対して支払ってもよいと考える金額に等しい。消費者は価格が高すぎると思うと、その製品やサービスが欲しくても、買わない選択をするだろう。価格があまりにも低く、消費者の考える価値より低い場合、つまり消費者が支払ってもよいと思う値段より低い場合、売り手はその差額分を損することになる。

逆の立場からすれば、売り手にとって商品の価値は、それを手放してよいという判断に基づいている。取引の際に買い手のほうにより大きな交渉力がある買い手市場では、売り手にとっての商品の価値は、売り手がそれを手放してもよいと判断する最低価格である。地方のコーヒー市場ではよくあることだが、農家は食べものを買い、生産費用を支払うためにただちに金が要る。買い手がわずかで、ほとんどが基本生産物価格で購入するために、農家が優れた生産物を手放すために提示される価格は、一般に基本生産物価格をわずかに上回る程度でしかない。それでもないよりはましであり、農家はもっと高く売れる機会が訪れるのを待ってはいられないからだ。

消費者にとっての製品の価値の合計が交換価値だ。消費者が製品のために支払ってもよいと判断する代価である。消費者は製品がその代価の分だけ何かをもたらしてくれると期待している。コーヒーの場合その期待のなかには、トイレに行くのを助けてくれることから、他者を大事にしたいという気分で一日を過ごさせてくれること、あるいはバリスタとのデートの約束をとりつけることまで、かなりの広がりがある。ひとつのサプライチェーンが、人の行動に合わせてその価値の内容を作り出したり与えたりしてかかわっている人に報酬を与えることになる。

物的価値

物的価値は「使用価値」である。「私たちがその製品でできること」と定義されている。穴あけパンチの価値は穴を開けられることにある。理論上、この製品は客観的なものであり、買い手と売り手のアイデンティティから独立している。商品はその物的価値に基づいて売買される。測定・検証できるもの以外の何ものも考慮されない。コーヒー豆の物的価値は、コーヒーを飲む人にとっての物的価値を決定する識別可能な品質属性だけに基づくべきである。この価値は、品種、栽培気候、栽培方法、収穫後の加工、選択／調製、保管方法などの諸条件に影響されるが、定義されるものではない。焙煎コーヒーの物的価値には、焙煎士のスキルや鮮度などの付加的な要素がある。二〇一八年のコーヒー・バロメーターによると、今日、焙煎業者と小売業者の差別化戦略で何よりも重視されているのは、「ハイエンドの消費者にアピールする」ブランドの創成であり、持続可能性は重視されていないという[367]。感覚プロファイルなどのいくつかの要因は、理論的には測定可能で客観的ではあるが、個々の消費者の好みに基づいて、異なる無数の価値を作り出すことができる。

七つの象徴的なもの

コーヒーの象徴的な価値には、製品の有用性や客観的に測定できる品質の他、製品の査定に直結する消費者の評価など、多数の要因が含まれている。こうした要素には、包装、ブランドの評判、原産地の評判、認証などが含まれる。象徴的な価値とは、それを「よく」する実体のない要素（標高、品種、生産者のジェンダー、倫理的な調達の意識など）の合計である。深く考えるに値しないことのように思われるかもしれないが、これは小売経済の非常に重要な部分であり、多くの業界で重視されているものだ。「ベケート、レッセル、シェンク（二〇一四）は、ワインの価格差が生産コストやブラインドテイスティング評価とはほとんど無関係であることを示している。むしろ、価格差は象徴的な価値に基づくものだ[368]」。自己表現は消費から導き出される。「サードウェーブの多くのコーヒー消費者は、高品質のコーヒーを飲んでいるだけではなく、職人の技術と信頼度という曖昧な倫理や、遠く離れた他者（エキゾチックな農家）との繋がりなどを（独自の特異な方法で）買い取っているのだ[369]」。消費者にとって製品の価値は、他者がその製品にどんな価値を置くのかにかかっている[370]。「感覚的な品質は価格に大きな影響を与えるが、最高のプレミアムは、同じ国の他のコーヒーより最高級品を手に入れることから生じる[371]」

1．ステータス

コーヒーのような商品は、社会的地位の投影という形で消費者のために新たな価値を生み出すことができる。「今日、人々は、コーヒーやその他の商品を買ったり供給したりすることで、独自のアイデンティティや政治性を得たり表現したりしている[372]」。「スペシャルティ・コーヒー業界は、コーヒーをある種のステータス・シンボルやライフスタイルの表現としてだけでなく、社会的声明としても使っている。その中心にあるのはコーヒーを、賢く消費する力を知るということだ[373]」

2．独自性

スペシャルティ焙煎業者は特に、遠方の入手困難なコーヒーを独占的に入手して独自の製品を提供したいと考えている。「こうした買い手は、誰も提供していないコーヒーを焙煎したい、製品をある程度独占的に販売したいと思っている[374]」。自社製品の独自性、独占性、信頼性を示すために、スペシャルティ焙煎業者の多くは、「普通ではないチャネルを使ってコーヒーを調達し、彼らの製品にも、農家との社会的関係にも『独占性』を示そうとする[375]」。たとえば、輸入業者から買わずに、フェイスブックで連絡をとって農家にコーヒー豆を空輸してもらえば安上がりになり、農家の利益も多くなる。このことは理解できるが、数年が経って取引が成功を収め、その独自性がなくなったとき、生産者やコミュニティに向かって彼らは、みなさんはもはや未開の人でもなければ、戦争で壊された人たちでもなくなりました、とどんな顔をして伝えるのだろう。

3. 信頼性

コーヒーの象徴的価値は、その原産地ならではの生産要素によるが、それはそのコーヒー製品に初めから備わっているものではない。この特殊な豆の「物語」が失われるのは、その製品が流通し、商品化されるからであり、それが競争力のある価格で消費者に届けられる唯一の方法なのだ。「価値を付加する過程で、製品の出自と独自性が原産地で確立され、バリューチェーンに沿って移動する際にも維持される」[376]。コーヒー豆に象徴的価値を付加（あるいは維持）しようとすると、情報を手に入れたり、珍しい少量のコーヒーを選別して追跡したり、ブログやチラシやほかのコミュニケーション・ツールを用いて情報共有をしたりと、多大なコストがかかる。たった五袋のマイクロロット（少量生産でしか作れない、種子から生豆に至るまで徹底した管理のもとで作られたコーヒー）をサプライチェーン内で動かす場合の事務手続きと、五つのコンテナ相当量の豆を積み込んだ場合の事務手続きの総運営費を想像してみてほしい。

この実体のない付加価値の過程には「非一般化」と「非標準化」が含まれており[377]、その価値はそれを追加した人が請求するのが普通だ。この価値は乗っ取られることがあり、たいていは「勇敢なコーヒー探険家[378]」、すなわちインディ・ジョーンズ的なコーヒー冒険家によって乗っ取られるのだ。典型的な展開とはこんな具合だ。「ロマンチックで陽気なコーヒー豆の買い手が旅していた。その人物はだれも知らない不思議な唯一無二のスペシャルティコーヒーを探していた。それでその製品には大きな交換価値が付加され、その人物への敬意も付加された」[379]。この付加価値のうちのどれほどが、豆を運んできた人々のものになるのか、あるいは豆を育てた人々のものになるのかついては別に議論する余地がある。ある北米の仲介業者は自分のビジネスを「現代のコーヒー探険家（略）コロンビアの僻地で農場から農場へと渡り歩き、スペシャルティコーヒーを調達している」と宣伝している[380]。この言葉は危険でロマンチックなものに聞こえる。

4. 独占性

独自性と同じだが、客観的な品質とはかかわりなく供給量が限られていると、その商品の魅力はさらに高まる。みんなにある品物が行き届かないような状態のときに、その品物がそれなりに手元にある人は社会的地位があるということだ。ほかの人が手に入れられないという事実は、それを欲しがっている人にはさらに魅力的な品物のように思えてくる。独占性に価値を置く市場区分を利用すれば、組織は簡単にその成功に溺《おぼ》れて沈んでしまうだろう。

たとえば、生産者団体や小規模輸出業者、いわゆる「直接貿易業者」のビジネスは利益率が低いため、ある程度の規模になるまで利益が出ないことが多い。ほかの人は持っていないというだけの理由から、自分たちの商品が独占的だと見られていることに気がつかず、初めのうちは、わりと簡単に売れるものだな、などと思うかもしれない。ところが、彼らが成長し、そのプロジェ

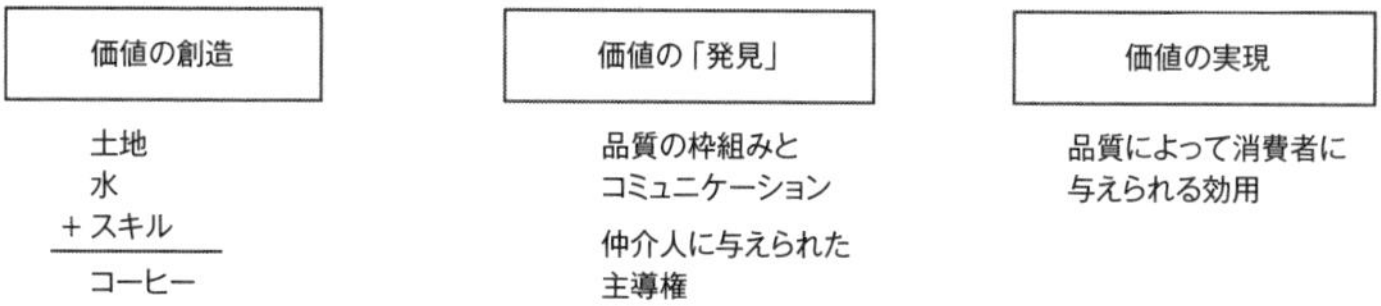

価値の創造	価値の「発見」	価値の実現
土地 水 ＋スキル ―――――― コーヒー	品質の枠組みと コミュニケーション 仲介人に与えられた 主導権	品質によって消費者に 与えられる効用

図2-16　コーヒー品質の価値分類

クトが持続可能になるほど大きくなると、必然的にもっと多くの人や企業にさらにたくさんコーヒーを売らなければならなくなる。持続可能な販売量に達する前に、独占的な価値がなくなりつつあることに気づくかもしれない。もし独占性を保ちたければ、供給を制限しなければならない。しかし、大量に売らずにプロジェクトを存続させるには、十分な利益が必要だ。小規模輸出業者について言えば、豆の買い手が豆を独占しようとすれば、輸出業者を小規模のままにして商品の独占性を保つために、結果的に農家の収入を減らすことになるかもしれない。

5. カップ・オブ・エクセレンス

カップ・オブ・エクセレンス（COE）やベスト・オブ・パナマのような高級品オークション・プログラムは、スペシャルティコーヒーの独占性と贅沢さを物語っている。ワーゲニンゲン大学によるCOEの研究では、「希少性の訴求力」（入手可能な量が少ない）と独占的な供給関係が「独自性に関する製品認知に大きな影響を及ぼす[38]」との結論を出しており、この条件が揃ってはじめて焙煎業者は、その生豆に高額を支払ってよいと考えるようになる。東アジアのスペシャルティコーヒー市場、特に日本では、「コーヒーはしばしば品質を明示するためにCOEブランドで販売される」[382]。その場合、コーヒーの本当の価値は、生産者が提供する製品の客観的な品質とはまったく別のところにある。

COEオークション結果に関するある研究によると、オークションで一位になると、二位と比べて一〇〇パーセント以上のプレミアムが得られるという。品質スコアの平均差はわずか一・二一点だ[383]。そのため、小さな町や各地のコーヒー協同組合がこぞって独自のコーヒー品評会を開きたがっても不思議ではない。彼らは自分たちのコーヒーに対し、物質的な製品評価による価値だけでなく、特別なプレミアム価値を追加したいのだ。彼らにとって残念なことは、競争の場が縮小し、イベントがよりありふれたものになるにつれ、独占性の象徴的な価値は減少し、品評会自体が慈善活動化してしまう点だろう。

6. 象徴的価値の倫理

あなたは何を好きになってもいいし、好きだということはあなたにとって価値があることなのだ。それでいっこうにかまわない。緑色のシャツが好きなら、緑色のシャツを買えばいい。馬のマークがついたシャツを着たり穴のあいたジーンズをはいたりすることが他者とは違う自分のあり方だと思っているのなら、それはあなたの消費を左右する価値観なので、他人にとやかく言われるようなことではない。象徴的であることにどんな価値があるのか、つまりそれが製品の有用性に貢献しないものであることを承知しているのなら、象徴的価値に金をかけるのはなんら悪いことではない。一五〇〇ドルのハンドバッグのように、象徴的な価値が極端になることがある。

ネクタイのようなありふれたものでもいい。ネクタイを着けることには、文化的に決められたあるイメージを表す以外にどんな目的もない。大事なのは、製品の価値の定義の仕方、それを得るやり方、資金の配分方法の決め方に際し、自分に正直であることだ。

有名農家のコーヒーが本当に飲みたくて、その価格にふさわしい価値があると考えるのであれば、買うべきなのだ。有名な農家のようなリソースを持たない無名で貧しい農家が作る、同じくらいおいしいコーヒーが半値以下なのは、品質が半分だからではないという点を心に留めておかなければならない。価格が違うのは、マーケティングチャンネルへのアクセスや、国際ブランドを構築するための資金や、生豆調達の訪問客を受け入れるリソースが違うからであり、無名の農家がアクセスできるサプライチェーンには交渉力が乏しいからである。

7．本人／経験

製品を消費する体験も、製品が提供する価値の重要な一部である。コーヒーの準備、提供、雰囲気なども製品コストのかなりの部分を占めるだろう。農家が製品を売って得る金額と、消費者が一定量の豆を使って用意された飲み物に支払う金額との間には、大きな隔たりがある。しかし、それだけではない。コーヒーは製品の魂だと考える人もいるかもしれないが、コーヒー豆は飲み物を提供するコストのほんの一部分を占めるにすぎない[384]。消費体験の価値には、コーヒーショップの空間と美学、バリスタの調整スキル、消費者が消費行動によって自分の社会的アイデンティティを定義する能力、ほかの常連といっしょにいることで加わる価値などが含まれる。

特定のコーヒーショップのコストのうちでコーヒー豆が占める割合にかかわりなく、小売価格が上がっているにもかかわらず、生産者に支払われる金額は過去数十年間、実質ベースで減少していることは間違いない。ハイエンド・スペシャルティコーヒーのショップの建設と運営に使われる費用も増加の一途を辿ってきたが、それもより複雑になってきている。この傾向は、公平なサプライチェーンを確保する優先性に異議を唱えるものだ。「コーヒービジネスは、どのような形のものにしたいかという期待があるせいで、経営費用がかさむ[385]」と、コーヒーの専門家でジャーナリストのエヴァー・マイスターは言う。彼女は、資金が他のものに使われているため、農家の生活収入を確保する機会が失われていると感じている。「コーヒーショップを建てるのに百万ドルかける必要などありません。（略）それでもあなたは、消費者が金を出さないからグアテマラの農民が飢えているのだと言うのでしょうか[386]」

コーヒーの倫理観

消費とは、政治的な意思表明や個人の価値観の表現であると同時に、身体的あるいは快楽的な欲求を満たすものである。利他的な自己イメージを強調するためにコーヒーを利用する能力、あるいは波及効果を生み出すための消費行動の可能性は、製品そのものの象徴的な価値の一部になる[387]。このことは製品を届けるサプライチェーンの実体的な影響と密接に関係しているとも、していないとも言える。

人々は、製品を顧客に届けるサプライチェーンの倫理観をある程度気にかけている。ただ、そこには矛盾がある。世間知らずがあり、ごまかしがある。しかし、一世代前の人々と比べたら、はるかに気にかけていると言える。この変化の速度がさらに進んで行くことを願うばかりだ。人々は、倫理的であると自分たちが判断している企業を支持し、スキャンダルのつきまとう企業を避けようとする。[388] ユニティ・ソーシング・アンド・ローステイングのアダム・ストラウスによれば、「私の顧客たちは私の（倫理的であると信じる）行動を非常に好意的に見てくれていると思う（略）私は（製品で）あまり統計の数字を出さない。（略）私が伝えるのは物語だ。繋がりを得るには物語しかない[389]」。

癒やしとしての消費者運動

消費者運動は二十一世紀という時代を物語っている。快楽を求めての消費は社会生活の重要な一部であり、高収入の階層ではとりわけその傾向が強い。社会的・環境的理由から道義に反すると考えられる商品を買うことで罪悪感を抱く消費者がいる。「人々はこのような関係について話したがる。（略）こうした話を聞くと消費者は消費者運動をよいものに思うようになる。もし私たちが生産者側の人々と繋がっていると感じられたら、私たちがどれだけ消費しているかを考える一助になるはずだ[390]」

皮肉なことに、ある研究によれば、コーヒーは消費者がほかの消費に対する罪悪感を埋め合わせるために購入する商品のひとつだという。消費は中枢活動なので、ちょうど二日酔いの迎え酒のように、消費それ自体が引き起こす罪を贖うために使われる。「フェアトレードやそれに似た消費形態は（略）貪欲になりたいという欲求と、貪欲であることの償いがしたいという欲求とのふたつの相反する思いを一度に満たしてくれる」[391]。消費者運動家の罪悪感を和らげるコーヒーの力は、それ自体で収益化できる価値になっている。消費者の罪悪感と貧困のイメージが「コーヒーに接ぎ木され、使用価値を凌ぎ、ある種の歪んだ倫理価値を作り出すようになった」[392]。

消費者に対するパプアニューギニアのコーヒーのマーケティングと、地方の生産者コミュニティの現実の両方を分析したウェストによれば、異国情緒が豊かで、原始的で貧しい人々が働く魅惑的なイメージの多くは、コーヒーを売るために捏造されたものだという。その筋書きは「素晴らしいものだが、消費者にとりわけ訴える力があるという理由でマーケティング担当者が作り出したものだ」[393]と彼女は主張する。コーヒーの背後に潜む貧困がセールスポイントであるのなら、貧困をなくすことは消費者に対する製品価値を低下させることにほかならず、動機の著しい矛盾である。

スペシャルティ

「スペシャルティコーヒー」というのは、「元々はコーヒーが標準化された製品にブレンドされる能力ではなく、それぞれの顕著な個性によって評価されるニッチ市場を分類するために使われていた」用語である。[394] この言葉は人によって異なったものを意味し、絶えず変わっていく。

スペシャルティの物質主義

コーヒーをよくするのは何なのか

それは「よい」が何を意味するのかによる。それはコーヒーの価値と同じで、先に説明したように、「よい」には多くの資源がかかわっている。標高の高いところで栽培されたコーヒーは美味しいのだろうか。標高は品質に影響を与えるかもしれないが、それは多くの要因のうちのひとつにすぎない。緯度によっては、高所で最上級の品質のコーヒーは栽培できないかもしれない。標高は気候の目安であって、コーヒー自体の品質と相関関係があるにはあるが、せいぜいおおまかな指標であり、実際に飲んで確認できない場合にはわずかに役立つ程度だ。また、標高から推定される気候は緯度の関数である。エクアドルの一部の地域では高品質のコーヒー豆を生産するのに理想的な標高は二〇〇〇メートルとされているが、メキシコのナヤリット州やブラジルのサンパウロ州の標高二〇〇〇メートル地域ではコーヒー豆は生育できないだろう。

しかし、正確な標高が買い手にとって実際の価値を生み出さないわけではない。その場合に生み出される価値は象徴的なものであって物質的なものではない。標高に基づいてコーヒーをランク付けし、選択することは、象徴的な価値の格付けである。

種類が多いとコーヒーはよくなるか

　この議論はダイヤモンドにまつわる議論と同じだ。ダイヤモンドと模造ダイヤではどちらが宝飾品の製造に役立つのか。同じなのだろうか。では、なぜ多くの人がダイヤモンドのほうに多くの金を出すのか。ダイヤモンドに宝飾品としての価値があるのは、私たちがそうであることを願っている（あるいはそう思い込まされている）からだ。八五点のゲイシャには、同じように美味しい八五点のカトゥアイにはない独特の風味があるかもしれない。この場合、稀少性と独占的価値、そしておそらく必須ではないが物質的価値のために、より稀少なゲイシャの価値が高くなることは大いにあり得る。しかし、八五点のブルボンは、同じ風味の特性を持つ八五点の防食カスティージョよりも価値が高いのだろうか。これはサビ病蔓延のリスクやその予防費用を出せる恵まれた環境のブルボン農家を優遇する快楽主義的な選択であるという点について、もっと議論されてよい。スライブ・コーヒー・ファーマーズとオーバーン大学が実施した調査によれば、COEオークションでは、複数の品種で構成されるロットは「平均して一三パーセント値段が低くなる」という[395]。

「よい」味はコーヒーをよくするか

　高価なコーヒーの属性を、高価な時計やハンドバッグの属性と比較することはできるだろうか。ルイ・ヴィトンの財布の価格をどうすれば合理化できるのか。総合的な品質の相違は、ルイ・ヴィトンの財布と地方の生産者のよく似た財布との価格の相違に対応しているだろうか。パナマのボケテにあるエスメラルダ・エステートの八八点のゲイシャと、コロンビアのトリマの無名の生産者の八八点のカトゥーラとの品質の違いは、双方の商品の価格差として正当化できるだろうか。先に述べたとおり、価格の大きな違いを理解するには、象徴的な価値が考慮されなければならない。

この違いは、独立系企業や地元企業が提供する品質もデザインも素晴らしい二〇〇〇ドルの財布があるにもかかわらず、ルイ・ヴィトンの財布に二〇〇〇ドルを払うのは愚かだと一般の人の多くが認めているのと同じことだ。裕福な家族の広大な農園の八六点のコナに一ポンドあたり二〇ドルを支払ったり、九〇点のゲイシャが一ポンドあたり二〇〇ドルで取引されたりすることは、依然として認められていて、スペシャルティコーヒー業界では尊敬されてさえいるが、その一方でその同じ人たちが、ホンジュラスの無名の小規模農園の八六点のパライネマ品種が一ポンドあたり四ドルで取引されることを「高い」と考える。

ほとんどの人が普段に飲むコーヒーとは比べものにならないが、カップ・オブ・エクセレンスのオークション結果を見ると、オークションの販売価格で定められた価値が、審査員による「カッピング」の結果と必ずしも一致しないことを物語っている。二〇二〇年、エルサルバドルの受賞製品は九〇・三点を獲得し、一ポンドあたり八〇・一〇ドルだった。コスタリカの受賞製品は九〇・二七点を獲得し、一ポンドあたり六六・九〇ドルだった。ニカラグアの受賞製品は他の製品よりも高い九一・二点を獲得したが、一ポンドあたりわずか三六・九〇ドルだった[396]。買い手は好きな製品のどの側面からも価値を引き出す権利があるが、これは買い手の多くがそう主張するように、コーヒー自体の品質がすべてを決定するわけではないことを示している。エヴァー・マイスターによれば、「こうした面についての答えを私たちは持ち合わせていない。私にはどうもしっくりこない価値判断がおこなわれていることを示しているように思える。もし私たちが厳密に品質を評価していれば、ニカラグアのコーヒーは（コスタリカのコーヒーを）はるかに上まわっていたはずだ[397]」。

農家の評価

誰がコーヒーの品質と価値に責任を持つのか　誰がその恩恵を受けるべきか

リック・ラインハートはハイエンド・スペシャルティ分野における価値のあり方について批判的な見解を持っている。「コーヒービジネスのスペシャルティの側面も、いかようにも解釈できるものであり、こうした素晴らしい原産地をすすんで旅してコーヒー豆を発見する勇敢な冒険家がいることが前提となった考え方で、（略）スペシャルティコーヒーは奥地のどこかに隠されていて、勇敢な探検家に発見されるのを待ってでもいるかのようだ。農家が土からコーヒー豆を栽培することでコーヒーの価値は生まれる。買い手は、もっぱら購入したい製品のパラメータを特定して潜在的な価値を付加するだけで、価値そのものを創造するわけではない。これは価値の創造とその公平な分配に対する欺瞞であり、しかも消費者にはそれを隠している。消費者が楽しむ特別なコーヒーの価値と品質を創造するうえで、農家がどんな役割を果たしたか、彼らは決して語ろうとしないのだ[398]」

生産者がスペシャルティの品質の豆から得る報酬は、業務用レベルの完成品となるレギュラー品質や低品質の豆から得る報酬よりは多いものの、小売段階で得られるプレミアムには遠く及ばない。[399]「バリューチェーンの力学」で述べたように、相場価格とは、売り手が受け入れられる最低価格であり、同時に市場が支払ってよいと考える最高価格である。もし売り手（生産者）に他の選択肢がほとんどないような場合、そして日持ちがせず、買い手が豆の品質を確認していない場合、その豆を手放すように売り手を説得するのにそれほどのプレミアムはかからない。もちろん、スペシャルティ・チェーンには、複数回の品質チェック、サンプルの発送、焙煎バッチサイズの少量化から、三〇〇ドルのエプロン、特製スケール、名前入りのチタン製タンパーまで、大きなコストがかかる。

「サードウェーブ」または「体験的」部門——そこが農家と小売業者と消費者の三者の人間的つながりにとって重要な役割を果たしている——は、南北貿易に典型的な「依存経路」を変える機会を提供している。[400]人々が自分の消費する製品についてもっと知りたいと思っているという事実から得られる価値がある。それによって、生産されたそれぞれの品質に対して農家の報酬を高めることができる。「このビジネスモデルなら、商品市場の予想不能な変動で制限されることのない価格で、長期的な関係を確立する意欲を提供し、農家と小売業者が付加価値を作り出すために協力する相関的バリューチェーン管理を可能にする」[401]。創造と伝達の業務は、より安価になった国際通信技術と輸送技術によって大幅に改善される。

すべてが可能というわけではない

解決策は明快かつ単純だ。コーヒー農家のすべての土地でスペシャルティ品質のコーヒーが作れるわけではない、というそれだけのことだ[402]。完全な新自由主義の合理的な考え方によれば、重労働、勤勉、賢明な投資は常に報われることになっている。あなたの製品によい値段がつかなければ、それはあなたの労働が不足しているせいであり、品質が低いからだということになる。しかし、これは事実ではない。ＳＣＡの品質定義では、スペシャルティコーヒーとは彼らの評価基準で八〇点以上の製品だが、「スペシャルティとなり得るのは、全コーヒー豆の五パーセント以下」だという[403]。

生産者がスペシャルティ品質の製品を作り、スペシャルティ市場で売るには、いくつかの条件が要る。まず、栽培に適した地理と気候だ。精製を最適に施すための支援とフィードバックが必要で、場合によってはインフラや運用費用に投資するための資金も要る。多くの生産者は、コーヒーの品質は物理的なものを超えていること、まったく同じに見える豆が二粒あってもそれぞれ味が異なり、消費者市場での価値も異なること、大きければよいというわけではないこと、などを理解していない。たとえ味の違いを現実のものとしてわかっているとしても、多くの人はコーヒーの味はどうあるべきなのかを知らず、模範となるコーヒーを作る技術を学ぶための訓練を受けることができない[404][405]。最後に、優れた品質を高く評価し、そのために喜んで金を払う市場で取引しなければならない。また買い手はどう行動するのか、適正価格がいくらなのかを知り、これらの市場を理解しなければならない。

ほかの投資と同様に、スペシャルティ品質のコーヒーを生産する決断を下すには、コストと潜在的な利益と、さらに両者の関係を評価しなければならない。第一に、どんなに優れた技術的支援が得られても、自然と植物は予測することができない。品質向上のために導入した対策がうまくいく保証はない。また、それらの対策がうまくいっても、それに見合った価格がつくとは限らない。第二に、価格の保証がない。スペシャルティの買い手が（ほとんどの買い手がそうするように）C価格に上位の差額を加えて支払うため、C価格がいくらになるかがわからないと、投資に見合った利益が得られるかどうかわからないのだ。焙煎業者の価格でそれなりの割合のスペシャルティを購入する買い手と取引できる保証はない。さらに、サンプル確認の期間は長く、買い手よりも売り手のほうが多い。高品質製品は放っておいても売れると言いたがる人が多い。しかし、あなたがコーヒー農家であれば、それは間違いである場合のほうが多いのだ。間違いないのは、並外れた品質のコーヒーを作ろうとすると費用がかさむ、ということだ。

値段――スペシャルティで勝つのはだれか

生産者はスペシャルティによってどれくらい救われるか

必要かつ価値ある働きをする小規模農園が参加しているサプライチェーンのなかで、次のリンクやその次のリンクが、感覚的品質を測定する手段を持っていなかったり、感覚的品質の測定に関心がなかったりする場合が多いため、生産者はスペシャルティ品質を評価する部門に積極的に参加して、それに相当するプレミアムを得ることが難しくなっている。「ほとんどの場合、品質の判断は、チェリーやパーチメントの表面の状態を通じて品質を評価する仲介業者次第だと言われており、（略）サードウェーブの消費者の理解は、どう見ても曖昧だ」[406]。少量のパーチメントをざっと見るだけで、重大な物理的欠陥やカビなどの問題を見つけることができるが、それは最高級部門で評価される感覚的品質を決めるうえで有効な条件ではない。視覚的なテストに基づいた商業バイヤーの評価は、感覚属性の評価と矛盾することさえある。たとえば、ほとんどの商業バイヤーは白または非常に明るいベージュのパーチメントを好み、黄色いパーチメントを嫌うが、黄色は本来より深い発酵の指標とされ、感覚品質の高さを裏付けるものと考えられている。

「スペシャルティ市場を通じて供給される高品質のコーヒーは、農場から直接購入されないかぎり、出荷価格が必ずしも高くなるわけではない」[407]。この一文は、コーヒーのサプライチェーンが主張するスケープゴートのうち部分的に無罪なものもあることを証明しようとしているが、これこそが完全に問題とすべきことなのだ。言い訳の余地はない。スペシャルティはほとんどの生産者にとって袋小路からの脱出口ではないが、それを生産する機会のある生産者は、作り出す豆の価値に基づいて補償されるべきである。ではどうやって補償するのか。まずは先を読んでほしい。

スペシャルティ焙煎業者向けの豆は、より高い価格で販売できる傾向にあるが、生産物グレードに対するプレミアムは、小売レベルでの業務用とスペシャルティとの価格差に比べれば小さく見える。最終製品の価値のうち生産者に帰属する価値の割合は、業務用コーヒーに比べてスペシャルティコーヒーのほうがかなり少ない[408]。消費者は、業務用の焙煎コーヒーに比べてスペシャルティの焙煎コーヒーに平均で三・五倍の金額を支払う。ところが農家は、平均で基本品質価格の一・三五倍、三五パーセントのプレミアムしかもらえない[409]。

感覚的品質も、各市場のトレンド仕掛人が何度もその味わいを定義しなおすたびに、その目標値が変動していく。メン＝ハンはブルデューの言葉を引用して「味覚とは、排他的で差別的な集団示威行動の極端な形態で」あり、「（略）根源的には趣味の良し悪しを区別することだ」という。バリスタチャンピオンや多彩なブランドのオーナーなど、非公式に任命されたトレンド仕掛人たちが、何が「よい」味わいかを決定し、彼らが「趣味のよい」人々に何を楽しむべきかを教えているのだ[410]。

品質における情報の非対称性

焙煎業者から生産者へ渡す報酬が違う理由は、単純に、生産者がコーヒーチェリーやパーチメントコーヒーを手放す取引時では品質がわかっていないからだ。ほとんどの輸出業者は、おそらく物理的な品質やその他の非感覚的要因を調整して、どの生産者からもその日の価格でコーヒーを購入する。価値は潜在的な消費者が、自分たちの定義によって決めるものであって、買い手と売り手のあいだで必ずしも共有されているとは限らない。上手い裁定（鞘取り売買）とは、ある種類の価値に気づいていない人から買い、その価値がわかる人に売ることである。このようにして売り手が気づかなかったために回収できなかった価値をサプライチェーンから抽出するのだ[411]。品質を見る目が必要だ。取引の際に、品質を基準に交渉できるかどうかは、交渉にあたる側の理解力、認識能力、品質を見極める力による。

これは原産地のコーヒー豆にしばしば見られることで、たいていの場合、原産地の仲介業者が物理的な面だけを基準に生産者から豆を購入し、生産者（売り手）もそれを受け入れてしまう。裁定は、物理的な面だけでなく、その取引の買い手にははっきりとわかっていたが売り手にはその時点でわからなかった感覚的品質を基準にし、その買い手が輸出業者や輸入業者に販売するときに発生する。[412] 買い手は売り手が気づいていない品質を見抜くことで優位に立ち、売り手は買い手が気づかない欠陥を隠すことで優位に立つ。売り手の優位は一時的なものにすぎない。欠陥は最後にはあらわになり、そうなれば買い手はその売り手とはもう取引しなくなるだろう。[413]

今、人々はスペシャルティコーヒーの袋詰や飲料にお金をたくさん払い、農家が製品に加えた特性を評価しているが、生産者が手にできるのは、といっても手にできるとしてのことだが、ほんのわずかなプレミアム価格だけなのだ。サンペールによると、スペシャルティ分野の出現は、「あるダイナミックで活気ある分野が、バリューチェーンの体制を大きく変化させ、生産者の競争的位置に変更を加えて業界を長期的に持続可能にするなどということがいかに困難であるかをはっきり示すものであるにもかかわらず、誰もがそこから目を逸らしている[414]」

製品を売る時点で感覚的品質と消費者価値を考えられるようにバリューチェーンを調整するだけで、スペシャルティ系の多くの小規模農園の生活水準と経済的持続可能性を向上させる大きな機会が生まれるだろう。ケニアでは、「古いウォッシュト・プロセスを新しいやり方に換えるだけで、潜在的なスペシャルティの生産量は輸出量の六〇パーセントに達する」と言われている。[415]

さらに、「最高のケニアのコーヒーは小規模農園が作っている。農園の多くは、中央加工工場で未熟チェリーと完熟チェリーを分離しないことで人件費を削減しているため、いまだに品質レベルを高くできないでいる」[416]。

生豆バイヤーの矛盾

すでに見たように、コーヒーの価値は象徴的な属性に大きく依存している。高級コーヒー豆の判断基準が不均等かつ主観的であるために、生産者に品質を良くするために投資を奨励し、一ポンド当たりの平均予算が高い焙煎業者を紹介するだけでは、生産者の収入を大幅に上げるには不十分かもしれない。たとえば、八五点のエクアドルは、同等の感覚属性を持つ八五点のコロンビアよりもはるかに高い価格であっても簡単に売れる。スラウェシのコーヒーには土くさい性質とエキゾチックな革の香りがするとよく言われるが、同じタイプのエルサルバドルのコーヒーは欠陥品と見なされて、「ずぶ濡れの犬」などと言われることがある。

焙煎業者のなかにはコーヒー豆を焙煎することで一定のマージンをとるところもあるが、多くは総予算で運営しており、コーヒーによってマージンは異なる。このような原産地の違いを利用すれば、あるロットには費用をかけ、別のロットでは費用をかけずにその差額を埋め合わせることができる。焙煎業者は有名農家から、パナマゲイシャのような非常に高価でエキゾチックなコーヒーを少量買って宣伝するかもしれないし、宣伝にならなくてもせめて自慢の種にはなるだろう。このコーヒーの価格を顧客に向けて正当化できなければ、オリジナルブレンド用や、他の日常用コーヒーの価格を下げてその分を埋め合わせなければならない[417]。焙煎業者はケニアやコスタリカの高級品に大金を支払うかもしれないが、そうしながらも、とても使いやすいコロンビアやホンジュラスの豆を低価格で手に入れてバランスをとろうとするだろう。

最近では、地方自治体から生産者協同組合、輸出業者にいたるまで、バリューチェーンのさまざまな関係者が主催する「コンテスト」がたくさん開催されており、焙煎業者は各国に出向いて生産者の提案書を「審査」している。買い手は長旅をしたり、生産者と仲よくセルフィー撮影したりするが、大袈裟なファンファーレや社会的圧力から、高品質ではあるがそれほどものではないロットに市場価格を上回る大幅なプレミアムを支払うように迫られたりもする。このプレミアムは、コーヒー豆の売り手が買い手に対して要求する経験値と言うことができるだろう。こうした戦略は、この特別プレミアムの上乗せをすれば成功するかもしれないが、ほかの買い物で埋め合わせされてしまうかもしれない。さらに、このようなコンテストの農家のランキングは多くの場合一貫性が乏しく、主催側の組織には農場の同一ロットすべてを管理する物流能力がないため、コンテストの結果が一度限りであり、将来の販売に影響を与えられるかどうかは疑問である。

スペシャルティ ≠ コーヒー先物

すでにわかっているとおり、商品の決定的な特徴は均質性と交換可能性（代替性）だ。代替可能な製品は、匿名の商品取引で効果的に販売される。商品《コモディティ》と、その商品に買い手が割り当てる価値が商品取引の基本商品と異なると、妥当な価格で取引したり価格を設定したりできなくなる。

差別化された特定の種類のコーヒーが存在するのは、先物市場の基礎となる商品（マイルドアラビカ）とも、取引が先物取引を左右する商品であるハードアラビカやロブスタとも重ならない需給市場だ。ウェルチのグレープジュースの元になっている一九九七年産のボルドーの価格を見れば参考になるだろうか。一リットルあたりウェルチ・グレープジュース＋１２０５９ＵＳセントということだろうか。もちろん、違う。製品は違いが大きく、購入者のニーズも多様であるため、比較しても意味がないのだ。「最終的な結果を予測するのは時期尚早だが、スペシャルティコーヒー生産者、輸入業者、焙煎業者／小売業者は、ビジネスを管理するための代替価格や回避《ヘッジ》対策を探しはじめたり、見つけようとしたりしている。（略）C価格の一・〇〇ドルの上昇は、スペシャルティ価格の一・〇九ドルの上昇に相当する。しかし、調査された販売契約の八七パーセントは価格設定の基準にC価格を使っているので、ここでは統計論理が循環しているように見える」[418]

コモディティとスペシャルティ

スペシャルティコーヒーの値段がもっと高く、スペシャルティの生産者がもっと金持ちであるなら、すべての生産者はスペシャルティコーヒーを作ればよいだけの話だ。しかし、すべてのコーヒーの品質が向上すれば、スペシャルティコーヒーはもう特別なものではなくなり、同じ需給の均衡化にさらされ、同じ価格水準で安定することになる。スペシャルティコーヒーの価格がコモディティコーヒー〔主にC価格帯のコーヒー〕に比べてそれほど高くないのは、買い手がその品質に報いたいと思うからだ。スペシャルティがすべての農家を救うという考え方を説明する際に使われる比喩は、全員が同じ出口に殺到する、という表現だ。全員がそこから出られるわけではない。

スペシャルティコーヒーの値段がコモディティコーヒーよりも高いのは、ものが違っていて、基調品質の量産コーヒーよりも優れていると考えられているからだ。一般に、基本価格との違いで価格が設定されている。つまり価格とは、基調品質とどれだけ異なっているかを表している[419]。いまは、「スペシャルティコーヒー」として知られてきたものがどんどん主流になってきている[420]。もしすべてのコーヒーがスペシャルティコーヒーであれば、それが基調品質になる。その価格は、人々が品質を気にかけるかどうかに関係なく、需供に基づいて決定される。それが新しいコモディティコーヒーとなると、その価格は今日の商品価格とまったく同じように変化すると予想できる。スペシャルティコーヒーの特別な価値を守れるのは参入障壁だけである[421]。

どうすれば「スペシャルティ」になるのか。稀少性もその価値の一部だ。「ＣＯＥオークションで提供されるコーヒーの価格と量のあいだには負の相関関係がある（提供する量が多すぎると特別な感じがしなくなるからだ）[422]」。量が増えれば、素晴らしさは半減し、価値もなくなる。価値がなくなるのは、稀少性が弱まるからだ。この事例は、先物市場から何光年も離れたこのウルトラプレミアム部門においてさえ、人々が何かに支払う金額に影響を与えているのは依然として需要だということを物語っている。生産者は、「希少性と専門性をマーケティングおよびブランド化することによって、自分たちの技術や製品を競合他社から区別している[423]」。

第 3 章

農園のあり方

THE FARM

農園の財政

生産者の意思決定

リスクの回避

小規模農園の生産者は主に経済的な立場が弱く、貯蓄と手元資金が少ない状態で経営をおこなっているため、不作が一回訪れただけですべてを失ってしまうことがある。農業経営の不確実性と、コーヒー生産の長い伝統とが意思決定を左右することも多々ある。経営者たちは必然的にリスクを恐れるが、手っ取り早い近道を選ぶ。品質、収益性、生産量などを改善するための手段を考える場合、小さなリスクさえ許容できない。[424] 小規模農園の生産者がサプライチェーンで負担するリスクが相対的に大きすぎると、サプライチェーン内の交渉力の低下にも繋がっていく。「リスクと権力の不平等は、大勢だが孤立している生産者グループと、団結している少数の買い手グループとが対峙するという非対称な図式に現れている」[425]。その一方で、より多様な収入源を持つ大規模生産者は、エキゾチックな高価格の製品を生産するためのインフラなどのリスクを負う余裕がある。大部分の小規模自作農に代替の生計手段のないことが、彼らが安値に耐えられない理由のひとつになっている。つまり、販売価格が下落し、たとえ生産費用を下回っても、農家にはほかの選択肢がないためにコーヒー栽培から離れることができない。もうひとつの原因はもちろん、サンクコスト（埋没原価）についての誤った考えだ。このせいで、生産者はさらに損失を被ることになっても、投資（あるいはサンクコスト）をやむなく諦めるのである。

サンクコスト

農家に示されるコーヒー豆の価格が生産費用を下回ると、（アダム・スミス的）経済学によれば、人々はほかの作物を栽培しはじめたり、より収益性の高い別の仕事をしたりして、資本（土地、労働力、資金）をより効率的な取り組みに変えていくはずだ。結果的に、それが農家にとって最良の決断になるのだろうが、これは多くの人にとっては厳しい事態を意味する。生産者が利益を得られなかった前の生産で負債を抱えている場合、その負債を返済するために生産しなければならない。その生産者には現金がなく、コーヒーを他のものに換えるための資金を頼る先もなく、新しい作物を収穫して生産を始めるまで待っている時間も、ほかのものを生産するための専門知識も持っていないかもしれない。[426] 悪いお金の後に良いお金を注ぎ込む（損に損を重ねる）べきではないとはよく言われるが、コーヒー農園の場合、コーヒーから足を洗って別のことを始めるのは金がかかりすぎるのだ。この依存、借金、資金不足の状況では、彼らは賃金奴隷のようなものになってしまう。彼らが生産に必要なものを所有したり、少なくとも管理できたりしていても、買い手独占的市場を前にして限られた選択肢とわずかな交渉力しかないのであれば、そうなるしかない。[427]

製品を市場へ

地域ごとに多様な規模の生産者が、その地域の成り立ちや管理するインフラの種類に従って、コーヒー豆、ドライパーチメント、ウェットパーチメントやコーヒーチェリーを販売している。

ドライパーチメント

これは、乾燥してはいるが外皮が未除去の、洗浄されたコーヒー豆のことだ。ハニープロセス（パーチメントの状態で乾燥）とナチュラルプロセス（チェリーの状態で乾燥）は、バリューチェーンでは似た特徴を持っている。パーチメントは半生鮮で、準最適環境で数週間、最適環境では数カ月間保存できる付加価値製品だ。[428] そのユニークな感覚特性は測定可能であり、SCA（スペシャルティコーヒー協会）の基準に基づいて定量化し、収益化できる。[429] 未加工チェリーをドライパーチメントに加工するのに必要な機器を使える生産者は、ウェットパーチメントやチェリーを販売する生産者に比べたら、買い手に対する交渉力が明らかに優位になる。平均以上の品質の豆が生産できた場合、それに値する金額を払ってくれる市場にアクセスする唯一の方法は、その市場の買い手が求めている豆を提供することだ。買い手のほとんどはドライパーチメントあるいは調整されたコーヒー豆だけを受け入れる。

乾燥は、精製処理のなかでもっとも不安定で問題の多いステップのひとつだ。スペシャルティ品質にとって重要な低速乾燥処理はキャッシュフローに負担をもたらし、収穫期の気候が高湿度だった場合には危険をともなうことすらある。高速・高温の乾燥処理から、農家は少なくともコモディティ価格レベルの収益を得られるし、そしてうまくいけばスペシャルティ価格レベルの収益さえ得られるかもしれない。その製品の賞味期限は短く、輸出業者や関連業者にとっては製品が時限爆弾のように感じられるかもしれない。輸出業者や関連業者は、製品の代金を支払い、到着したときに湿った段ボールのような味がする理由を海外の顧客に説明しなければならないこともあるのだから。

ウェットパーチメント

これは果肉を除去されて洗浄された、乾燥されていないコーヒー豆のことで、最終的には水洗式《ウォッシュド》として販売される。コーヒーは、開花から完熟コーヒーチェリーの収穫までに二〇〇日から二六〇日かかる。[430] 収穫当日またはその翌日に果肉除去がおこなわれる。通常の気候条件の下では、大半の地域の大半の生産者は豆を乾燥するのに五日から二十日を費やす。コロンビアでは、ウェットパーチメントを販売する農家は、コモディティ価格以下のドライパーチメントよりも安い値段に甘んじなければならない。というのも、コストを節約することをせずに、支払いを五日から二十日前に受け取るためにそうしているからだ。これは、車を一から組み立てていき、ハンドル以外のすべての組み立てが完了してから、実際の車の価値よりはるかに低い価格でハンドル取り付け会社に売却する決断をおこなうのと似ている。さらに、洗浄されたときから時計は刻々と進み始める。たちまちカビなどが生じて欠陥品になってしまう。また、ウェットパーチメントはドライよりもはるかに重いために、湿った豆を乾燥させる仲介業者への輸送費用は割高になる。

ウェットパーチメントを販売するのがそれほどに不利になるなら、なぜ生産者はこの方法で販売しようとするのだろう。この決断は、資金切れによる破れかぶれ状態でおこなわれるのだ。収穫は生産費用のうち最大で七〇パーセントを占めていて、生産者はコーヒー豆を売る前に収穫作業者への支払をしなければならず、そのときに資金がなければどうしたらいいのか。多くの生産者は経費を支払うための資金を一週間分も持っていない。その原因に不適切な資金管理、金融に対する知識不足、あるいは単に資金不足と貧困があるのかもしれない。あるいはこれら三つが複合しているのかもしれない。また、スーパーマーケットや農産物の卸売業者への負債もあるだろう。卸売業者は生産者がコーヒー豆を持っていると知っていて、圧力をかけてくる。生産者は生産費用を知らないので、ウェットパーチメントをその値段で売ればどれだけコスト割れが生じるのかがわからない。また、家族の問題、休暇、町の定期市などの社会的理由や、すでにコーヒーを売った仲間と同じことがしたいというだけの理由からかもしれないし、来週の金よりも今日の金を切実に欲しているということもあり得る。

天候に恵まれないと、地域によっては乾燥ができなくなる場合もある。乾燥に時間をかけられなかったり乾燥の温度が高すぎたりすると、仕上がる前に萎《しお》れて（腐って）しまう。逆に時間をかけすぎると菌を繁殖させて、欠陥品になってしまう。ある日の午前中にコーヒー豆を洗ったとする。その日は天気が良く、午後も晴れている。あなたは午後の日差しを利用してコーヒー豆を日向に広げるだろうか。毎日晴れが続いていれば、そんなことをする必要がないだろう。しかし、天候はこちらの思うようにはならない。もしこの機会を逃して翌週雨が降り続けたりしたら、コーヒー豆にカビが生えてダメになってしまうだろう。

未加工チェリー

コーヒーチェリーは、一次産品としてもっとも一般的なコーヒーの市場での姿だ。原料としてのコーヒー豆の基本的定義以外にこれといった特徴はない。チェリーは、価値の高いものだが、もっとも重くてかさばるコーヒー豆で、収穫後二四時間以内に売らなければならない。多額の輸送コストがかかることや、潜在的な買い手の貯蔵キャパシティが小さいことを考慮すれば、コーヒーチェリーの小規模な売り手は、買い手に対する交渉力は皆無だといっていい。

集中型ウォッシュトプロセス〔大型の精製工場に農家のコーヒー豆を集め、一括して処理をおこなうこと〕の普及率は地域によって大きく異なる。ケニアでは、ウォッシュトプロセスの九一パーセントが集中型である。[431] 一方、タンザニアでは、生産者の九五パーセントは小規模農園主であり、「ほぼすべて」のウォッシュトプロセスはその農園でおこなわれている。[432] 農場のインフラや生産者の加工品質に関する知識が乏しいのであれば、集中型ウォッシュトプロセスをおこなうと平均品質と均質性が向上し、農家の収入が増加するかもしれない。利益がないわけではないので、農家は収穫期の一日あたり三、四時間分の労働力を節約でき、それを専門の技術労働に回せば、さらなる品質の均等化と管理を強化できて、環境コンプライアンスの追跡可能性の保証も容易におこなえるようになるだろう。[433]しかし、農家はコーヒー豆を保管できず、毎日輸送して販売しなければならないため、時間の節約はむだになるかもしれない。

焙煎機と同様、ウォッシュトプロセスも規模の経済から恩恵を受ける。一日あたり二〇〇〇キロのチェリーを処理できる設備は、一日あたり二〇〇キロを処理できる設備のコストの十倍もしないことは確かだ。また、焙煎機と同様、労働は規模の経済に特に敏感だ。一人の設備オペレーターが二〇〇〇キロを処理するのにかかる時間は二〇〇キロを処理するのにかかる時間の十倍よりはるかに少ない。東アフリカの多くのコーヒー生産地域では、コーヒー農園の面積が一ヘクタール未満であることが多く、一部の地域ではそれよりもはるかに狭い。そのため、個々の生産者が自家用処理設備を利用することはまったく現実的でない。

収入を得れば、ほかの農産物よりもチェリーの販売に力を入れるようになるが、その一方で生産者の自己決定力、独立性、交渉力は決定的に低下する。コスタリカで処理設備が集中化していることについて、スティーヴン・トピックは「コーヒービジネスとその社会関係のグリッドを管理する鍵は、ウォッシュトプロセスをどう扱うかということと密接に関係していた」と言う。[434]この場合、当初はさまざまな買い手がコーヒーチェリー生産者に接触してきて「顧客争奪戦は熾烈になることもあったが、受益者たちは農家に提示する価格、あるいは少なくとも製品受取り時の前払い金を調整しようとした」[435]。チェリーの買い手は、前払い金の支払いを提案しておいて、あとから「危機の最中にあって借金を返済できない債務者から土地を取り上げる」こともあった。

現在のほとんどのコーヒー生産国とは対照的に、コスタリカには、多くの労働力を雇用するアシエンダ制度のような少数の大規模農場がなかった。むしろ、生産は小規模農園から始まり、今もそのままの状態が続いている。当初から、コスタリカの裕福なエリート層は精製と輸出を専門にし、低価格の原料のチェリーを小規模農園から買っていた[436]。

「村レベルにおけるコーヒー豆販売システムの市場構造は、価格の透明性を歪めるコレクター的貿易業者の独占的な購入行動のせいで、相対的に不公平になっている」[437]。アリフィンはまた、南スマトラの生産者が最大の関心を寄せている単一買い手システムを例に挙げている。大規模で比較的資本力のある農家も、付加価値のある差別化された製品として加工・販売するために、地域内のほかの小規模農園から未加工のコーヒー豆を購入してボトルネックになることがある。テクノロジーとインフラは基本的なものだが、小規模農園には取引についての理解がなく、短期的な目標を設定して現金がすぐに必要なうえに、機会費用に関する知識がないために、作物を売らざるを得なくなっている。「小規模農園には教育も交通手段もテクノロジーもなく、市場価格さえ知らず、強いられるままに、限られた手段を手当たり次第に使って豆を売るほかない」[438]

ルワンダでは、単一チェリー買い手システムが非常に深刻な結果をもたらした。この供給ネットワークでは、区割り法によってある地域の生産者に対して国内で活動する多くの買い手のうちの一社が割当てられており、指定の買い手は農家に対して完全な購入の独占権を持っている。このように交渉力が不均衡な場合、政府が課す最低価格がそこでの最高価格であり、しかもそれは近隣のコーヒー生産国の価格より二四パーセントも低いと言われている[439]。独自にチェリーを売る能力がない生産者は、価格に不満を感じても、彼らにできることは生産量を減らすことだけであり、比較的大規模でコーヒーへの依存度が低い生産者たちは、この方法を取るしかない[440]。

チェリーの買い手は、コーヒー豆を彼らの「ブラックボックス」であるウォッシュトプロセスの設備を用いて処理し、大幅なプレミアムで売ったり、業務用コーヒー豆の何倍にもあたる価格で販売したりできる品質が作り出せれば、高額のチェリー代金を生産者に払うことができ、実際彼らはいつもそうしている。著者が知るコロンビアのいくつかの事例では、未加工チェリーがドライパーチメントと同額か、重量に応じてそれより少し高額で取引されることもある。

スペシャルティの分野で販売してこなかった農家にとって、労力を減らし、数週間早く同じ金額を得られることは、断るにはもったいない提案だ。この数字は魅力的ではあるが、それへの依存度が増し、製品を加工して高級化する能力がなく、チェリーが急速に鮮度低下するのですぐに売らざるを得なくなり、生産者は辛い運命の道を辿る。今は自家精製が馬鹿ばかしく感じられるような高い金額を支払っている地元のチェリーの買い手は、将来、農家に選択肢がない状況を利用するようになる。今のチェリーの買い手は、そんなひどいことをしない優しい心のすばらしい人たちかもしれないが、次世代の生産者からチェリーを買うことになる今の買い手の子供たちは、それほど親切ではないかもしれない。未来の生産者は、ウォッシュトプロセスの知識もインフラもないため身動きが取れなくなり、業者に頼り切りになり、チェリーの買い手が決めた値段を鵜呑みにするか、農場を失うか、そのどちらかしか道はなくなってしまうだろう。

信じられないことだろうか？　コロンビアのアンティオキア州アンデスの大規模な協同組合

（組合員数三〇〇〇人以上）の例を見てみよう。この組合はコロンビアで最初に大規模に生産者からチェリーを購入しはじめたところであり、多くの農家が労働負荷を減らすために活用していた。この本を書き終える直前に、外部監査によって約三〇〇〇万ドルの損失が明らかになり、この共同組合は破綻した。組織とインフラがどうなるかは不明だが、きっとその地域の何百もの農家はこの共同組合にチェリーを売ることはもうできないだろう。空白を埋めるために次にやって来る買い手の多くはおそらく、生産者所有の協同組合ほど寛大ではなく、ご都合主義者ばかりになるだろう。あるいは、農家はドライパーチメントのサプライチェーンに再び加わるために、ウォッシュトプロセスの能力を苦労して再開発しなければならなくなる。せめてもの救いは、ここの生産者がチェリーを販売していた期間はわずか数年だったので、農家を明らかに困難な状況のほうへ追い込むような世代間の知識のギャップがないことだ。

ブロイラー

「ブロイラー」型養鶏の北米市場でも同じような市場構造への移行が起きており、このことはチェリーコレクターへの販売を優先してウォッシュトプロセスの設備の閉鎖を検討している生産者には警告となるかもしれない。鶏の屠畜と加工には大幅な統合が図られ、鶏の「生産者」には鶏を販売するための選択肢がほとんど残されていなかった。この高度な管理のため、農家は絶対的な買い手の要求に屈しつづけ、養鶏業者は多数なのに買い手はごく少数という現状を変えることができなかった。[41] 養鶏の場合もコーヒーチェリーの場合も、製品が差別化されていなければ、買い手独占の力の行使に対して極めて従順だ。売り手はごく少数の買い手に依存し、生産者は地理的に不利なために製品を市場に出すことができない。このような状況では、特に生産者がその製品の生産にかなりの投資をおこなっていて、簡単には別の製品に鞍替えできない場合には、サプライチェーンでの生産者の立場は、独立した起業家というよりは、雇用の保障や福祉手当が一切ない従業員のようなものになる。

農家の潜在的収入

未加工のチェリーから飲み物になったコーヒーの品質を知ることはできない。チェリーには価値が存在せず、熟練したシェフの手で平凡な米がベネチアンリゾットになるように、ウォッシュトプロセスで価値が加わると言う人もいる。ピカソに絵具を納めていた業者がピカソの絵の価値を補ってもらえなかったのと同じように、農家は別の誰かによって後で追加された価値を補償されることはない[442]。ウォッシュトプロセスを自らおこなわないとしたら、生産者がバリューチェーンで製品の地位を向上させることも、製品に何らかの価値を追加することもできない。チェーン内の他の関係者によって追加された価値はすべて、その関係者の財産だ。コーヒーの生豆の中に封じられているすばらしい品質の可能性は、生産者に何も恵んでくれはしない。

効率

組合員が所有し、その利益が所有者に分配される協同組合の精製設備は、それが適切に管理され、資金が効率的に使用され分配されるかぎり、有利な展開をもたらすことが多い。もちろん、その状態が永久に続くというわけではなく、ウォッシュトプロセスの引き継ぎを検討している生産者にはリスクになる。チェリー販売農家の収入は、精製業者の効率、加工技術、販売能力に大いに依存する。チェリーの価格は、精製業者のコストと販売価格に基づいて設定されるからだ。

生産者の分け前の多い少ないは、買い手や協同組合の方針によるが、そのパイ自体の大きさを決めるのは、組織の公平性や利他主義、ガバナンスのよさではなく、組織のパフォーマンスだ。生産者は、たとえそれが販売後に起きることであろうと、バリューチェーンの残りの部分に関して買い手がどのような態度を示すか真剣に注視しなければならない。

テクノサーブの報告書によると、ケニアのように精製部門が非効率である場合、多くの売り手を比較できる海外の買い手は、精製業者が非効率だったときの追加コストを吸収しないという。生産者は、すべての費用込みのチェリー価格で取引に応じることになるが、自分たちの利益のために何かすることはできない[443]。二〇〇八年のケニアにおける集中型ウォッシュトプロセスの平均コストは、二〇〇八年のチェリー一キロあたり〇・一一ドルで（これは、生豆一ポンドあたり約〇・七〇ドルに相当する）、エチオピアより七七パーセント、タンザニアより八一パーセント高い。この費用は必然的に生産者の負担となる。ケニアの事例では、使われていなかったウォッシュトプロセス設備の能力喪失が原因とされた[444]。この場合、テクノサーブが、小規模で安価な共同の処理設備を作り、管理やガバナンスやコーヒー品質の責任者にアドバイスすることで経費を削減し、販売価格を向上させようとした結果、後に状況の好転が見られたという[445]。

品質

主要な精製所には、精製に関連する微生物学的過程を理解し、記録管理と一貫性を担当する人材を雇用するための基準がある。この仕事を蔑《ないがし》ろにはできない。そのため、訓練を受けた専門家がウォッシュトプロセスを運用すると品質は向上する。農家にウォッシュトプロセスの訓練を受けさせ、正確であることの重要性を教え、記録管理をし、正確さを保つという文化を育ててもなお激しい抵抗に遭うのだから、精製所で集中的に処理したほうが簡単だ。最前線にいる人たちが生産者に経済的な機会を与えるために時間と金を費やしても、無関心や疑惑しか返ってこない状況では、ある種皮肉な見方をしてしまうのは理解できる。何年もなだめたりすかしたりして教えた挙げ句に、パーチメントの買い手は、当然のことだがすっかりうんざりして、「自助努力に関心がなく」、「すべて人任せの」農家の人々のサンプルを拒否することになる。しかし、ウォッシュトプロセスに何か難しいことがあるわけでなく、生産者が簡単に達成できるような目標を無視していることが買い手の目には明らかだ。よい品質の豆を作るための過程が引き継がれていないのだ[446]。

開発基金やNGOにとって、集中化は経済的な観点からするとまったく売り込みやすいものだ。コーヒーの品質が悪い場合に農家を教育することは時間と金がかかるばかりで、結果に結びつかない。集中型精製は専門スタッフがおこなって初めて、通常はウォッシュトプロセスのために品質が落ちる地域でのコーヒーの品質向上を保証し、分割できるほど大きなパイ（販売価格）を実現することができる。パイが十分に大きく、ウォッシュトプロセスの運営者が生産者と何らかの社会契約を結んでいると、ことがうまく運べば、すべての費用が賄われ、投資は納得のいく期間で回収され、生産者も最終的にはかなり楽な労働で大きな利益を得られることになる。そして、そのような組織を支援している資本家たちには、ウォッシュトプロセスは金のなる木であり、水をワインに変えるボトルネックであり、それを管理する者が品質の限界価値（精製が生産する品質と生産者がかつて農園で作っていた安物との価格差）を手にする。[447]

集中型と個別のウォッシュトプロセスの経済性とは別に、人材開発の問題もある。スペシャルティ等級のコーヒーが生産できそうな地域では、人材開発をおこなっている人がほとんどいない。家族農業は何十年も苦境に立たされたままで、土地を放棄している農民も多い。次世代がコーヒー栽培という長く続いた家業を継ぎ、その土地に住み続けることに関心を持つには、経済的な安定と繁栄への期待、やりがいある仕事などを彼らに与えられなければならない。ほとんどの小規模農園による自家精製は、たとえそこで生産されているのが優れたスペシャルティ品質でなくとも、潜在的な可能性を秘めている。彼らの自由に使えるツールでできることに限界はない。チェリーの販売をしても直接的に家計への影響がなく、改善さえできないかもしれないが、販売をすれば潜在的な収入に絶対的な上限が設定でき、永久的にコモディティ価格の変動とつきあい、あらゆる種類の繊細さと創造性を要求される面倒なプロセスを引き受けずにすむ。しかしその一方で、自家精製は、新たな局面を拓き、創造的なやり方を表し、バリューチェーンにおける製品の地位を向上させ、商品市場を離れたより差別化された部門に参入する機会を得て、さらに生産者はこれによって一家の収入が際限なく増え続ける可能性を得る。

苦境

生産者にとってドライパーチメントを生産するほうが、たいていウェットパーチメントやコーヒーチェリーを生産するよりもはるかに有利だが、チェリーで販売するほうが有望な側面というのがある。非常に小さな農園で、最小のウォッシュトプロセスへの投資でさえその返済に数十年もかかるためにインフラの整備ができない状況では、チェリーのまま売ったほうが都合がいい。ウォッシュトのコーヒーの市場形態であれば、コーヒーを乾燥しない農家にとって、チェリーを売るほうがウェットパーチメントを売るより有利であることはわかっている。適切に乾燥されていないウォッシュトのコーヒーは微生物の活動がさかんになり、特に真菌が生じたりすると、ディフェクトの原因となる。これは洗浄と乾燥の間に大幅な遅れがあるときに起きるが、チェリー内にある種のほうが、ウェットパーチメント内にある種よりかなり価値が高いともいえる。

チェリーから収穫されたコーヒー豆のほうが、ウェットパーチメントよりもかなり高い値段がつくことを考えると、生産者の取り分を含むパイはかなり大きくなりそうだ。そのパイをチェリーの買い手がどう切るか（販売価格の何パーセントを支払うか）は買い手次第である。もちろん、ウェットパーチメントを販売する農家ができる最善策は、乾燥を開始することだ。もし合法的に費用便益を評価できる事実を知らされていないながら、それでもなお生産者がパーチメントを乾燥させることに興味がなく、信頼できる買い手がいるのなら、チェリーは理想的な販売形態だ。

マーケットとの関係

製品が正常な状態であっても、マーケティング・チャネルを持つことは、売り手が魅力的な価格を手に入れるためには基本的な要素である。資本に恵まれた生産者グループや貴族階級のような不動産所有者は、ブランドを開発し、海外の展示会に出かけ、買い手と文化的に交流することができる。しかしたいていの小規模農園は、生産した品質や生産可能な品質がどんなものであっても、地理的、文化的、技術的に孤立し、遠隔地からのビジネス交渉ができないため、取引相手を見つけるのにも苦労する。こうした生産者は、たまたまその地域で事業展開していたために付き合いのある買い手、仲介業者、生産者グループなどに依存している。

販売経路に対する支配力の集中によって小規模生産者は交渉力のない弱い立場に置かれ、支配力のあるボスが提示するあらゆる取引に応じないわけにはいかなくなる。極端な場合には多国籍貿易業者が輸送インフラや港湾さえも所有している。[448][449]「アクセスが限られていて、経済的選択肢に乏しい地域に暮らしている小作生産者は、コーヒー豆を販売する方法を持ち合わせていない。貧しすぎて生豆を市内の加工業者に運ぶための家畜を飼うことも、保管用に生豆を加工する手動の脱穀機を買うこともできないので、カシーク／コヨーテのコーヒー購入システムの捕囚になっている[450]」

ルワンダの場合（二〇〇九年の時点では）、差別化されたスペシャルティ市場で取引できるコーヒー分野の唯一の関係者は、集中型ウォッシュトプロセスの運営者だった。多くの農家は（おそらく厳格な品質管理をせずに）自分たちで加工や乾燥をおこなっていたが、商品市場や地元の消費市場で低価格で販売できるだけだった。コーヒーチェリーはドライパーチメントよりも加工度が低いが、農家にとってはコーヒーチェリーをウォッシングステーションに売るほうが利益を多く得られた。のちにウォッシングステーションは付加価値に責任を負うようになり、スペシャルティ市場に売る品質から得られるプレミアムを受ける権利を得るが、当時ウォッシングステーションは、チェリーをすぐに工場に持ち込めるほど近いところにある農家には、かなりよい条件を示していた。〔451〕

スペシャルティは大きな利益を得たい小規模農園にとっては優れた選択肢となるが、スペシャルティ市場にアクセスできる業者や、その利益を小規模農園に還元してくれる仲介者は極めて限られていた。大農園がスペシャルティ市場に容易にアクセスできるのは、その規模が大きいからであり、また情報や技術がたくさんあり、市場での契約能力にも秀でているからだ。

自分たちの豆を売るためのチャネルを作ろうとする生産者は、海外の買い手とコミュニケーションをとり、自分たちの品質管理基準（カッピングラボとカッパー）を持つことで品質を保つためにコーヒーをテイストさせてその結果を収集し、自分たちの豆の品質と市場価値を知ったうえで買い手にそれを提示し、それに値するプレミアム価格を勝ち取る。そのプレミアムはたいていチェーンの下流に位置する仲介業者が吸い上げている。

価値の付加／アップグレード

コーヒーに価値を加える方法は種々あるが、その属性と製品自体を、関心を持つ買い手が望む方法で届けることができなければ何の意味もない。物質的価値はコーヒーのブレンドで品質を向上させることなので、より高い値段を支払ってもよいと考える人々に製品を届けられるのであれば、その品質は価値あるものになる。「ＳＣＡＣＲ（コスタリカのスペシャルティコーヒー協会）の副社長によると、コスタリカはブラジルやベトナムのような国と価格競争することはできない。だから我々は品質競争をしかる必要がある。我々が製品を提供する人々は値段ではなく品質で買い物をするのだ[452]」。象徴的な価値は、独自性、信頼性、独占性を増大させるさまざまな方法で付加され得る。価値はまた、認証や検証などの環境管理を通じて付加することもできる。

農家焙煎業者・輸出業者

地元の輸出業者や仲介業者がコーヒーに支払われる価格プレミアムを生産者に還元しないのであれば、生産者は自力で輸出すればいいのだ。すばらしい挑戦だ。独自のサプライチェーンを持つことは商品の脆弱性から脱却する方法だとよく言われる。しかし、サプライチェーンのうち精製と輸出の部分は規模の経済から恩恵を受けている。それは、小規模生産者には、輸入業者や焙煎業者のところにある利益に介入することはできても、独自の輸出サプライチェーンを創り出して市場での競争力を維持するのは不可能に近いことを意味する。大規模農場の生産者であれば、資金が充分にあり、リスクを受け止め、より多くの役割をこなし、予期せぬ事態を乗り越えることができるだろう。

製品はコーヒーを飲む末端消費者に届くまで、何度も必要な処理を経て変わっていくたびに価値が付け加えられていく。バリューチェーンのなかでより多くの処理を引き受けることを垂直統合といい、業者はその分、利益を増すことができるが、それが成果には必ずしもならない。効率的なプロセスは当たり前のことではなく、生産者のプロセスが従来の買い手のプロセスより非効率的な場合には、生産者にもたらされる純利益は、垂直統合をおこなわなかったときより少なくなるかもしれない。精製と焙煎には、大がかりで高価なインフラと、それを運営する技術が要る。運営スペースの賃料や給与といった間接費が固定費に追加される。農場で暮らす生産者は、潜在的な焙煎業者を探したり、業界標準の顧客サービスを提供したりすることを効果的にこなすのは得意ではないだろう。

焙煎されたコーヒーの平均価格はコーヒー生豆の平均価格よりも高いため、何千もの生産者、生産者協同組合、地方自治体、さらには国の販売機関にとっての最善策とは、焙煎されたコーヒーを輸出することだ。その結果、国には多くの外貨がもたらされ、小さな町には多くの雇用が生まれ、生産者の収入が増え、コーヒーから得られる税収も増えることになる。魅力的な見通しだが、こんなにうまくいくものではない。[453]

発展途上国の小作農民たちにとって、広範な（おそらく意図しない）文化的帝国主義に根を持つあらゆる問題の解決策は輸出産業だと言われてきた。この文化的帝国主義のせいで小規模農民たちは、贅沢な生活を送っている北半球の先進国の国際的な住人を羨むようになり、コーヒー栽培地域で電気の使えるあらゆる場所には衛星放送を受信してテレビを見るためのアンテナが普及する結果にもなった。

彼らの理屈とは、外国人はたくさん金を持っているから、外国人に物を売れば、いくらかお金をくれるだろうというもので、それは彼らには取るに足らないことだが、私には非常に重要なことだ。そして残念なことに、この理屈はほとんどの場合、まちがっている。高価格市場では高品質と高レベルのサービスが求められる。そのため、こうした意識の高い焙煎兼輸出業者になることは敷居が高く、しかも思ったほど利益が出ないことが多い。

第一に、焙煎コーヒーの海外市場に進出するというのは簡単なことではない。焙煎コーヒーの買い手を探すのは、たいていの生産国の関係者には馴染みのない行為だ。買い手と連絡を取って販売する際にかかる費用は、彼らが購入する製品量から生み出す利益では相殺されないかもしれない。というのは、その購入量が、普段の供給先である地元の焙煎業者から購入するコーヒー豆の量よりぐっと少なくなるのは必然だからだ。輸出された焙煎コーヒーが業務用製品の市場価格より高い価格で販売されなければならないのは、新鮮な状態で売るための物流コストの増加分をそれでカバーするためなのだ。少量のコーヒーを輸出して、感覚品質で勝負するのであれば、十分な鮮度を保持できる迅速な輸送方法は空輸しかない。輸出国や輸入国の規制当局、あるいは関連する貨物輸送の段階で必ず問題が生じるため、豆が腐敗して大きな損失を生むことは避けられない[454]。船便で輸送すればそのコストは比較的安いが、製品が買い手に届いたときにはすでに鮮度が失われているために、業務用品質の部門に売るしかなくなる。

スペシャルティコーヒーショップの販売体制がしっかりしているのは、そこがいくつかの産地のコーヒー豆を提供しており、供給業者から機材や販売に関する支援を受けられるからだ[455]。スーパーマーケットやその他の小売店は多額の利鞘を取り、供給業者に商業的支援を求め、賞味期限切れの売れ残り製品を返品することも珍しくない。もうひとつ、適切な一貫性と量を備えた消費者直販ビジネスは、物理的な拠点がなければ構築することは難しく、オンラインで一から開発するのは（おそらく途方もなく）費用がかかり、他国からの輸送となると物流管理コストが非常に高くなることを指摘しておきたい。最後に、大半のコーヒーはブレンドされているのだが、当然、メキシコ豆とインドネシア豆のブレンドをメキシコから効率よく輸出することはできない[456]。

焙煎コーヒーの輸出ができないのなら、現地（生産国）の市場向けに焙煎すればいいのではないか。しかしこれは実現できそうに見えるが、実際には実務経験が豊富な、そして資本集約的なプロセスが必要になる。焙煎コーヒーの現地用製品には、等級の低い製品や二級品が含まれることが多いため、国際市場のコーヒー生豆より低い価格がつくことがある。この場合、現地での加工は実際には価値を追加するどころか、その価値を破壊することになりかねない。スペシャルティ消費市場は多くの生産国で成長しているが、スペシャルティコーヒーの買い手は依然として少なく、しかも分散しているため、費用対効果の高い方法で製品を販売し、顧客に提供することは困難である。

農家の規模

ほとんどが小規模農園

ICOによれば、コーヒー豆の七〇パーセントは二五〇〇万以上の小規模コーヒー農家が生産しており[457]、各農家の栽培面積は一〇ヘクタール未満だ[458]。また、フェアトレード連盟によれば、その数は全体の八〇パーセントを占めるという[459]。中米では農場の八五パーセントが一五ヘクタール未満で、大きな農場を持つ大地主の割合は三・五パーセントにすぎないが、コーヒー栽培面積の四八・六パーセントを所有し、全コーヒーの五七・八パーセントを生産している[460]。パプアニューギニアでは、全農家の八六から八九パーセントが小規模農園である[461]。ケニアでは、全コーヒーの六〇パーセントを小規模農園が生産している[462]。

小規模農園と大規模農場のあいだには、ライフスタイル、平均的な生活水準、社会的な脆弱性、潜在的品質、バリューチェーンにおける交渉力など、多くの違いがある。大規模農場のほうがコーヒー販売に積極的に参加する態勢が整っていて、一般に小規模の限界農家よりも高い価格を要求できる経済的弾力性を備え、チェーン内のリンクを飛ばすことさえできる。「データによると、農場出荷価格はブラインド・テイスティングの点数よりも農場の規模やその社会資本の規模に大きく左右されている。この市場では、実際の経済力は、象徴的価値の条件を定義し、商品チェーン全体のそうした象徴的価値を転用する能力にかかっている[463]」

生産者（あるいは農場経営者というべきか）の教育レベル、情報へのアクセス、社会に対する一般的関心（ソーシャル・メディア・スキルなど）も、大きな商業的な強みだ。「高地コーヒーブームの最大の受益者は、中規模生産者すなわち大規模生産者のなかの比較的小さな生産者だった。こうした農場の所有者の多くは原住民ではなく、何代にもわたって事業を営み、生産と品質の魅力的なイメージを北米や欧州の市場に示すための社会資本を構築し、継承してきた者たちだ。こうした農家は教育水準が高く、多くの場合ある程度の大学教育を受け、少なくとも英語を話し、インターネットや携帯電話やその他の商業テクノロジーを早期に導入してきた[464]」

内部にテイスティング・スタッフがいるような大規模農場には経済的な余裕があり、確実に有利な取引をおこない、進んで許容できる金額を支払い、購入を求める買い手を探すことができるが、小規模で資金繰りの苦しい農場は、代金支払いのために豆を言い値で買われ、提示された価格をとにかく呑まなければならないだろう。大規模農場はインフラを確立し、品質改善のために大胆な実験をおこなう資本にも恵まれている。とはいえ、大規模農場の経営というのは非常に効率的に管理されているので、上手くいかない場合にはコストの削減と収益の最大化に重点を置くことを選択する。

アグリビジネスと貧困農家

小規模な家族で経営している貧困農家は、貴族階級や企業所有のアグリビジネス経営との共通点はほとんどなく、リスクへの対応力が低く資本にアクセスすることが難しい。それぞれに異なる目標とニーズがあり、自ずと管理の仕方も異なっている。

貧困農家にとって、農場は家族の住居であり、主要な生計の場だ。家族の収入のすべてではないにしても、ほとんどは農場から生まれる。したがって、農場で稼げなければ家族に収入はない。自給自足をしていない限り、金がなければ食糧は手に入らない。信じられないことだが、農場の業績に完全に依存した生活をしていながら、大半の貧困農家の人々は費用構造や採算性について何も知らないに等しい。

残念なことに、農学に関する地方開発政策の多くは、大規模なアグリビジネスを対象に運用されている。MBA取得者が経営する農場がもっともうまくいく農場だという考え方に準じている。小規模自作農のリスクプロファイル〔資産価格の変動に伴う損益の変化をチャート化したもの〕は、大規模で産業化された農場運営のものとは異なる。アグリビジネスは、収益性を最大化するために必要なリスクを引き受ける。多額の埋没費用《サンクコスト》を負担する余裕があり、収穫や市場で好条件に恵まれたときに大きな利益を得るが、収益が少なかったりマイナスだったりする期間を耐えることもできる。通常アグリビジネスは価格回避《ヘッジ》、輸出、優位に立てる信用市場などを利用できるが、小規模農園にはこのような市場やサービスが利用できない。

天候や市場が良好でないときに利益を最大限得るためにリスクを負担する小規模農園は、有利な条件がめぐってくるまで苦境に耐えて事業を続けることができない。貧困農家の人たちは、アグリビジネスが貯蓄と信用枠に頼って凌いでいる不況のあいだ、経済的困窮に耐えなければならず、好景気がめぐってきても、市場や商業サービスや土壌改良などの収穫前投資に限界があるために、大規模経営者ほど恩恵を受けられないことのほうが多い。大規模アグリビジネスが投資を回収する戦略は、貧困農家の人たちが生活の水準と安定を目指すやり方とはまったく違う。

小規模農園が一般的に、経済的および社会的に弱い立場に置かれていることを考えると、生産者の家族にとっては、臨機応変な対応や粘り強さのほうが、先の儲けよりもずっと大事で、それはインダストリアル農業経営者や大規模農場さえポートフォリオの一部に過ぎないような経営者よりもはるかに切実な問題だ。投資によって高い利益をもたらされる作物から離れて多角化を進めることは、産業化された農場にはお粗末な決断だろう。貧困農家には全体的な利益が減少するかもしれないが、卵をさまざまなカゴに入れておき、不作時や市場が暴落したときに家族に被害が及ばないようにすることは、巧妙なやり方になり得る。農業関連産業の労働者向け食糧生産というような大袈裟なものではないにしても、これは家族経営の農場では文字通りの飢餓に対する重要な回避手段となる。インダストリアル農業経営では、長期的かつ回避された売上予測を評価し、収量改善に投資する費用対効果を事前の単価と比較して判断する。

一方、小規模の経営では、総生産量を増やすために単価あたりの生産費用が高くなるのは、これまでの価格で安定した市場にアクセスするためには受け入れられるリスクかもしれない。地元の買い手に依存している小規模農園にとって、単位あたりの生産費用の増加は単に損益分岐点となる価格の閾値を引き上げるだけであり、収穫時期が来ても販売価格に影響を与えることができず、赤字で販売せざるを得なくなる可能性が高くなる。もし彼らに困難な状況に耐えるだけの貯蓄がない場合、景気低迷の影響はインダストリアル農業経営よりも小規模農園にとってははるかに

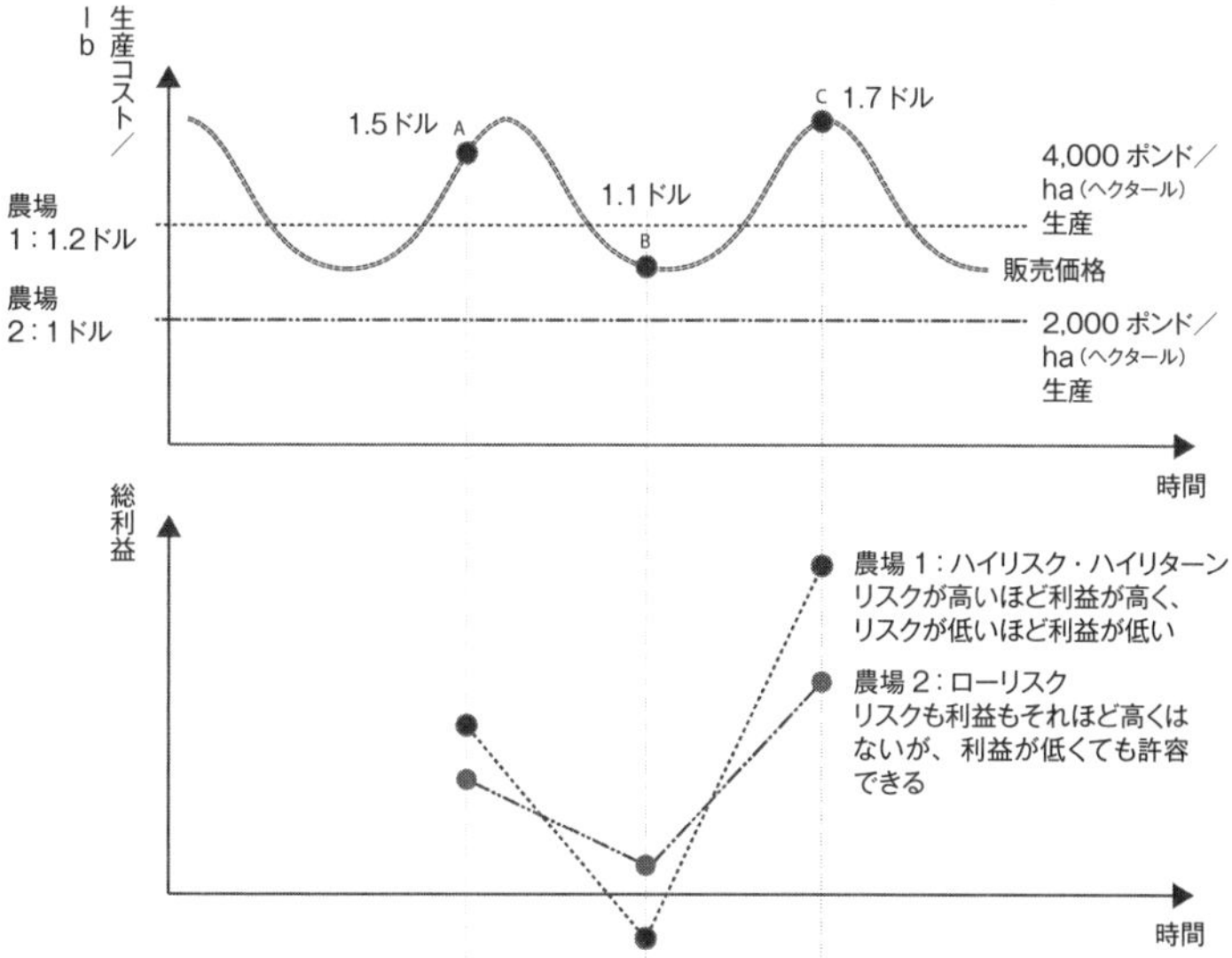

A：1.5ドル／lbで販売

農場 1：0.3ドル×4,000
＝1,200ドル
農場 2：0.5ドル×2,000
＝1,000ドル

B：1.1ドル／lbで販売

農場 1：-0.1ドル×4,000
＝-400ドル
農場 2：0.1ドル×2,000
＝200ドル

C：1.7ドル／lbで販売

農場 1：0.5ドル×4,000
＝2,000ドル
農場 2：0.7ドル×2,000
＝1,400ドル

農場 1の合計：2,800ドル

農場 2の合計：2,600ドル

農場 2の機会費用：200ドル

図3-1　農場のリスク特性

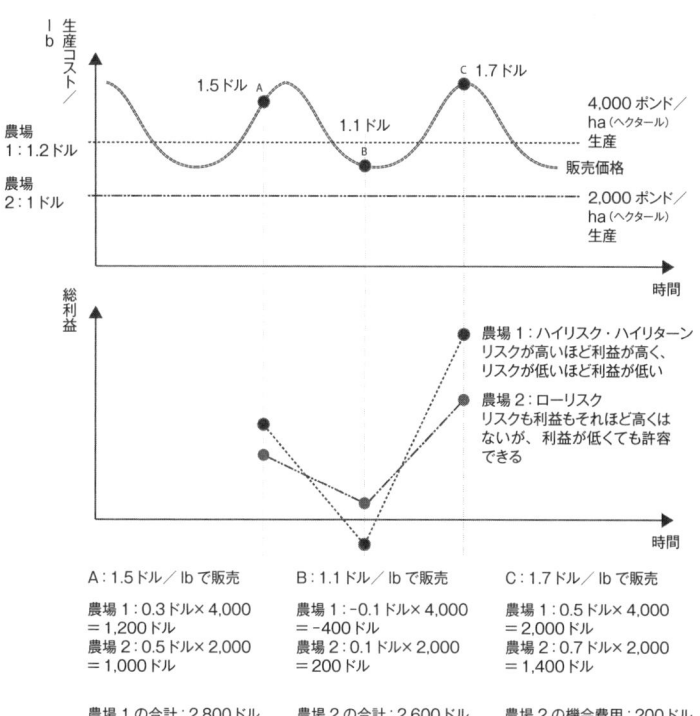

甚大なものとなる。

生産費用

資材

農業資材はコーヒー農園の生産費用の大部分を占めており、条件、脅威、予算、リスク許容度、農家の目標に基づいて、どの材料をいかに、どの程度の頻度で投入するかに関して多くの判断をしなければならない。すでに述べたように、これらの条件や要因に基づいて、生産者はそれぞれ異なる対処法をおこなう。資材には、肥料、植林と加工のためのインフラ、部材や工具、安全機器、作業者が必要とする各種の物品が含まれる。

化学的資材――土壌調整と害虫駆除

チェーン内の生産者の川上に、コーヒー栽培に必要な（必要と考える）資材を農家に販売する企業、農薬の供給業者がいる。世界中の多くの地域でコーヒー生産者に農薬を提供する供給業者が寡占化したのは、ここ数十年のことだ。コーヒー豆が買い手の寡占化により生産者が交渉力の弱い立場に追いやられたのと同じように、一九八〇年代から農薬企業の寡占化が進み、農家を反対側から圧迫してきた。一九八〇年代後半の世界の農薬売上高の九〇パーセントは最大手二〇社によって占められていた。知的財産と植物品種保護のためもあり、二〇〇二年までに七社が世界の販売量の九〇パーセント占めるようになった。[465]

小売のコーヒーブランドは、コーヒー生豆の価格が上昇すると価格を引き上げ、下落しても価格を下げないことで知られているが、農薬販売業者は（少なくともコロンビアでは）自国通貨の価値が米国ドルに対して下落した場合に同じことをする。農薬が輸入品だからだ。[466] 生産者に提供される農事相談サービスが、農薬企業の従業員によっておこなわれる場合、つまり利益相反が生じている状態なのだが、農薬の使用もしくは過剰使用に偏る傾向がある。[467] その結果、多くの小規模農園が、高収穫を見込めるものの生産費用の高くなる農業システムを導入し、化学物質の流出量が増加した。

植林

ＩＣＯによれば、コーヒーの木の寿命は条件や品種によって八年から二〇年の幅があるが、「コーヒーの木の収穫特性のために寿命が大幅に短くなることがある」という。[468] コーヒーの木の総合的な収穫高を計算した植林費用から、植え替えに適した品種と数量が決まる。しかし、これを計算している小規模農園はほとんどない。多くは地元の昔からのしきたり従って、余裕があるときに植え替えをしたり、財政の見直しをするよりも自国の輸出量を増やすほうに熱心な地方行政の指導に従ったりしている。現在、コーヒーの木の減価償却費を含めた総合的な固定費を計算している生産者はほとんどいない。

労働

手作業で豆を収穫する地域では、収穫労働が総コストの最大で七〇パーセントを占めている。[469][470]コーヒー栽培の地域では、近隣都市の建築業などの他の業界との競争があり、人件費がどんどん高騰している。採掘産業の発展や国際送金の増加も競争に拍車をかける一因だ。コーヒー農園は現在、高所得国への移住を希望する労働者を求めて国際的に競争しており、その多くは不法に働く移民である。農家は労働者に向けて、国外に出ないで働けるように多くの賃金を提供しなければならず、この競争で国内の労働賃金が上昇する結果になっている。[471]こうした人口動態の変化や、核家族化や基本ニーズを満たすための貨幣経済への依存の増大（通貨の必要）などの要因から、農民は前世代より外部の労働力を頼りにせざるを得なくなっている。[472]

労働者の不足

収穫労働者の権利は大事だ。彼らはサプライチェーンの下流に位置し、酷使されている。しかし、収穫労働者が不足すると農家は苦境に立たされる。私たちがいくつかの例を基にして計算したところ、コーヒー価格が低く労働力の足りていない小規模家族経営農園では、収穫労働者の純収入が農場の所有者の収入より大幅に多くなるという結果が出た。NGOソレダードによれば、「人口動態が変化してさまざまな経済分野における機会が増えたことで、労働力不足が構造的な問題となっていて（略）一部の地域では生産費用が上昇しており、（人件費の高騰から）コーヒーを生産することができなくなっている地域もある[473]」。

建設業など他の分野との競争や、テレノベラや北米のホームコメディに見られるような都市の繁栄や贅沢な夢の生活とは別に、コロンビアの善意からできた児童労働法のおかげで多くの若者がコーヒーから遠ざかっている。コーヒーの収穫は魅力に乏しいからだ。コーヒー農園での労働は、場合によっては都会での単純労働よりも高収入が期待でき、生活費も安く済むが、下層階級の仕事とみなされている。そしてある地方では、ショッピングモールの店員として働くほうが魅力的だとされている。十五歳以上の人々は保護者の許可があれば働くことができるが、（コロンビアでは）危険が伴うということでコーヒー収穫労働者にはなれない。そのため、ほかの分野でキャリアを開始することになり、後になってコーヒー業界に入ってくることはまずない[474]。また、労働者の移住が労働力不足を引き起こしたり、悪化させたりしている。たとえば、一部の中米諸国の労働者は、より良い賃金が期待できる近隣諸国に移住したり[475]、建設や農業、その他の部門で一時的に働くために北米に移ったりしている。

カッピングをしているときに生産者に電話をかけ、熟したチェリーだけを収穫するよう依頼するのは簡単なことだ。しかし、コーヒーを収穫したことがある人なら、これが無理な依頼だというこ とがわかる。ましてや、収穫労働者に賃金を払わなければならない収穫の最盛期には（小さなコーヒー農園を除き）だれもが無理だとわかっている。実を言えば、コーヒー業界ではスペシャルティは標準ではなく、買い手は多少の未熟な豆や「ピントーン〔コロンビアで使われる業界用語で、部分的に熟したコーヒーチェリーのこと〕」を気にしていない。つまり、収穫労働者のいる農園の九五パーセントが気にしていない以上、気にしている五パーセントの農園としても、労働者不足のときにもっとも熟したチェリーだけを摘み取ってくれと労働者に強く言うことはできない。そんなことをしたら労働者は、賃金が高くもっと多く収穫できる別の農場に働きに行くだけだ。こうした現実があることを考えると、フロート選別というのは未成熟のチェリーと熟しすぎたチェリーを分離できる優れた方法だ。手作業による仕分けほどではないが非常に効率的なのだ。しかし、かなりの量の水を使わなければならないので、チェリーネットといった、排水せずにおこなう方法もある。

雇用の品質

コーヒー農園での仕事は通常日雇い労働なので、働いた日数や収穫したチェリーの量に応じて支払いを受ける。ほとんどが季節労働のため不安定で、フルタイムや安定したスケジュールで働くことを約束してくれるような農家はない。[476] 労働者たちは、どれくらいの期間働くのか、いつ終わるのか、次の仕事がいつなのかすら知らされていないかもしれない。作業のために多くの人員が必要な大規模農場では、もっと安定した就業機会を提供できるだろう。小規模農園の所有者が土地を失ったり売却したりして、買い手のもとで働いたところ、結局、前よりも生活が安定し、高い収入を得られるケースもある。生産者は、自分たちの事業をわずかな給金による「食うに困らない」生活と交換できて喜ぶかもしれないが、コミュニティの力関係、依存関係、社会構成は大きく変わり、長期的に見れば多くの人にとって望ましくない結果になるだろう。「大規模農場では通常、小規模農園に比べて、低賃金で保障のほとんどない移動労働者が働いている」[477]

機会費用

多くの費用計算モデルでは、自身の仮想給与を固定費に含めることが推奨されているが、その数値は勝手なものであることが多い。より合理的に考えれば、機会費用になる。機会費用は家族の賃金を全員が働いていた場合の市場価格で評価して算出すべきだが、その地域の状況により異なる値になるだろう。コーヒーを生産するうえでのその土地の機会費用は、その土地が合理的に賃貸された場合に得られる価格だ。そして、農作物の収穫のために費やされた資本が投資に回されていた場合に得られたはずの利回りがその期間の機会費用になる。こうした計算を正確におこなうためには、想定されるシナリオをすべて考慮にいれなければならない。多くの農民が農場から得る収入は、町や都市で日雇い労働や単純労働で得る収入よりも少ないが、そのような収入を得るためには生活のための費用も大きく違うはずだ。都市での生活費について考えてみよう。賃貸の部屋を借り、公共交通機関を利用し、調理済みの食品を買うことになる。これに対して農場での生活は、家賃を払わず、家族の食料の一部は栽培することができる。定量化はできなくとも重要なのは、農場という環境がそこで生きている人々に与えてくれる幸福感と満足感だ。もし農民が通勤時間に一日四時間もかかるような生活を送りたくないのであれば、そうした生活は農業に代わる現実的な選択肢ではない。

生産費用を計算する際は機会費用と、または農家の家族がどこかで何かをして稼げたかもしれ

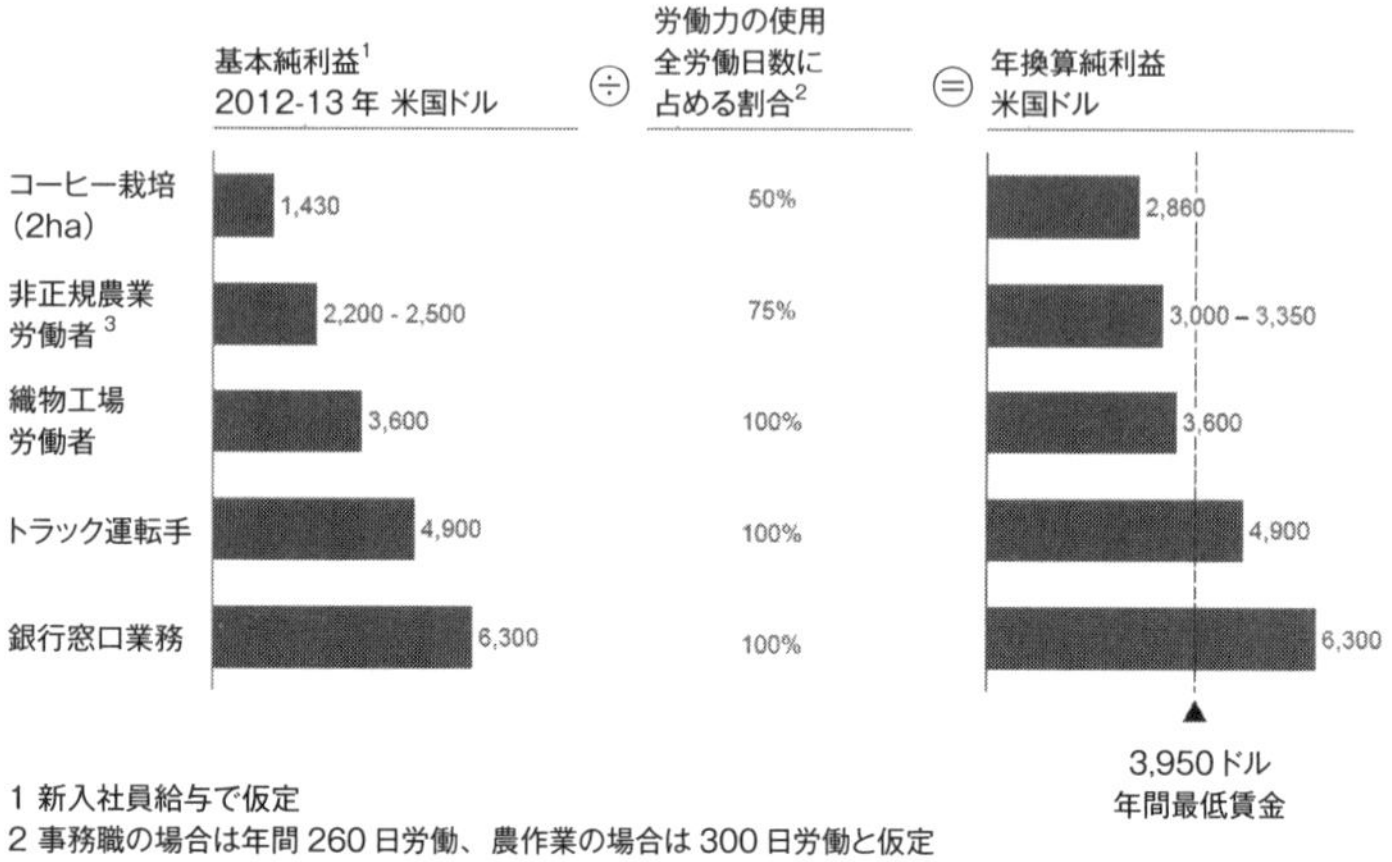

1 新入社員給与で仮定
2 事務職の場合は年間260日労働、農作業の場合は300日労働と仮定
3 一日の単価20,000コロンビアペソ、年間220日労働と仮定
出典：DANE ,tusalario.org 関係者に取材 TechnoServeによる分析

図3-2　コロンビア：持続可能なコーヒー生産の収入比較

ない賃金を、生産費用として使用している。これは、農業の収益性と、農業をやめて他のことをする可能性を比較評価するうえで有益な検討材料だが、損益分岐点や収益性を計算するための項目として無報酬労働の機会費用を含めることは意味がない。というのも、実際にはそれが支払われないからだ。SCAの報告書は、その代わりに「等価日当賃金」を使用することを提案している。これは一日あたりの農業での利益を農民の給料として計算する。なぜなら、それが彼らの利益であり、基本的には彼らの手元に残る金と同じことだからだ。[179]

公共財

コーヒー栽培事業は、ほかの事業よりも多く公共財から恩恵を受けることになるが、その公共財がたまたまそこに整備されていることが多い。公共財のなかには道路、教育と医療サービスの利用、治安と秩序、法制度、土地の権利などが含まれる。公共財は農家にとって重要な生産費用で、それらをどれだけ利用できるか次第で、競争上の有利と不利が決まる。

輸送とインフラ

サプライチェーンで利用可能な公共財とインフラは、特に輸送費用として農家の最終的な損益に重要な影響を与える。コーヒーを農場から市場まで運ぶ費用と実行力は、コーヒーの入手可能性を左右し、ひいては生産者がサプライチェーンで受け入れる最低価格にも影響を与えるだろう。コーヒーがどのような形で販売されるかにかかわらず、その輸送経費によって利益を得るか損失を出すかが決まることになる。農家が非常に傷みやすいコーヒーチェリーを販売する場合、大きな交渉力を持っているのは運送業者のほうだ。彼らは望みどおりの金額を請求し、農家は価値あるチェリーを無事に市場に送るために輸送業者の言い値の代金を支払う。通常なら、輸送料金は重量に応じて請求されるはずなので、販売価格総額に占める輸送経費は、どのような形態（ドライパーチメント、ウェットパーチメント、またはチェリー）でコーヒーが売られるかによる。道路インフラが限られている地域では、輸送費用が法外に高くなることもある。ウガンダでオックスファムが実施した調査によれば、「コーヒー一袋をたった一五キロ先の地元の精製工場まで運ぶ費用が、同じ袋を精製工場から一〇〇キロ先のカンパラまで送る費用に比べて、たいして安くなかった」[480]という。場所によっては、コーヒーを農園から市場まで運べる公共交通機関がないことさえある。そうした状況での唯一の選択肢は、トラックで乗りつけてきて販売交渉の全権を握る仲介業者に販売することなのだ。

公共財利用の不均衡

第1章「コーヒー経済学入門」で見たとおり、経済的外部化には、経済活動をすることで発生する費用が含まれるが、その活動における経済主体にはその費用を支払う義務はない[481]。農業では、さまざまなかたちで公共財利用の不均衡が見られる。特に、資源不足のために規制が実施されない場合や、自由市場の自己規制能力の名のもとに故意に無視される場合がこれに当てはまる。規制の欠如は、暗黙裏に与えられる間接的な補助金であったりする。

たとえば、コーヒー生産地域のほとんどの政府は、地主に何を植えてよいのか、何を植えてはいけないのかを教えない。地主は、浅根性のコーヒーを植えることに決めるかもしれないし、さらにまずい選択をし、季節性の大雨が降ることも珍しくない地域だというのに、町を見下ろす急斜面で牛を放牧するかもしれない。地滑りが起きて町の家々が押し流されたり、何百件もの農家が頼りにしている道路が分断されたりした場合、地主は道路や家屋の復興費用を支払わなければならないのだろうか。ほとんどの場合、地主ではなく政府が費用を出すか、あるいは誰も費用を出さないかである。無責任な農家は、日々、無責任に農業ができることで利益を得ており、結果的に災害が起きたときには、損害の代償を負うことになるものの、彼らにはそれを賠償する義務はない。

農家の動機

生産性、費用または品質

コーヒーを生産するために土地と材料を管理する方法は無数にあり、ほかより効率のよい方法もあれば、ほかより多くの材料や機器、労働力が必要となる方法もあり、最終的にできた製品の量もまちまちだ。同じ土地で生産量が増えるのは一般には良いことだが、土壌や天然資源が枯渇したり、合成材料への依存が収穫量当たりの生産費用を押し上げたりする場合、生産量が増加しても利益が減る、ということにもなりかねない。

二〇二〇年のルワンダのコーヒー業界に関する調査では、投資収益率が低下していることが確認されている。最小規模の貧困農家の多くは、生産量を増やして収入を高めることに躍起になり、販売価格を超える投資をおこなっている。[482]「極貧生活に陥らないためには、たとえ収益率が低下しても収益を最大化することが唯一の方法だ。彼らの主要な投資先は自分たちの家族労働だ。生産性が上がっても、労働投資の比率ばかりが高く、コーヒーで利益を生む構造を作れない[483]」

世界の農家の七〇パーセントが生産する量の平均値は、一ヘクタールあたり約四袋である。[484]（一

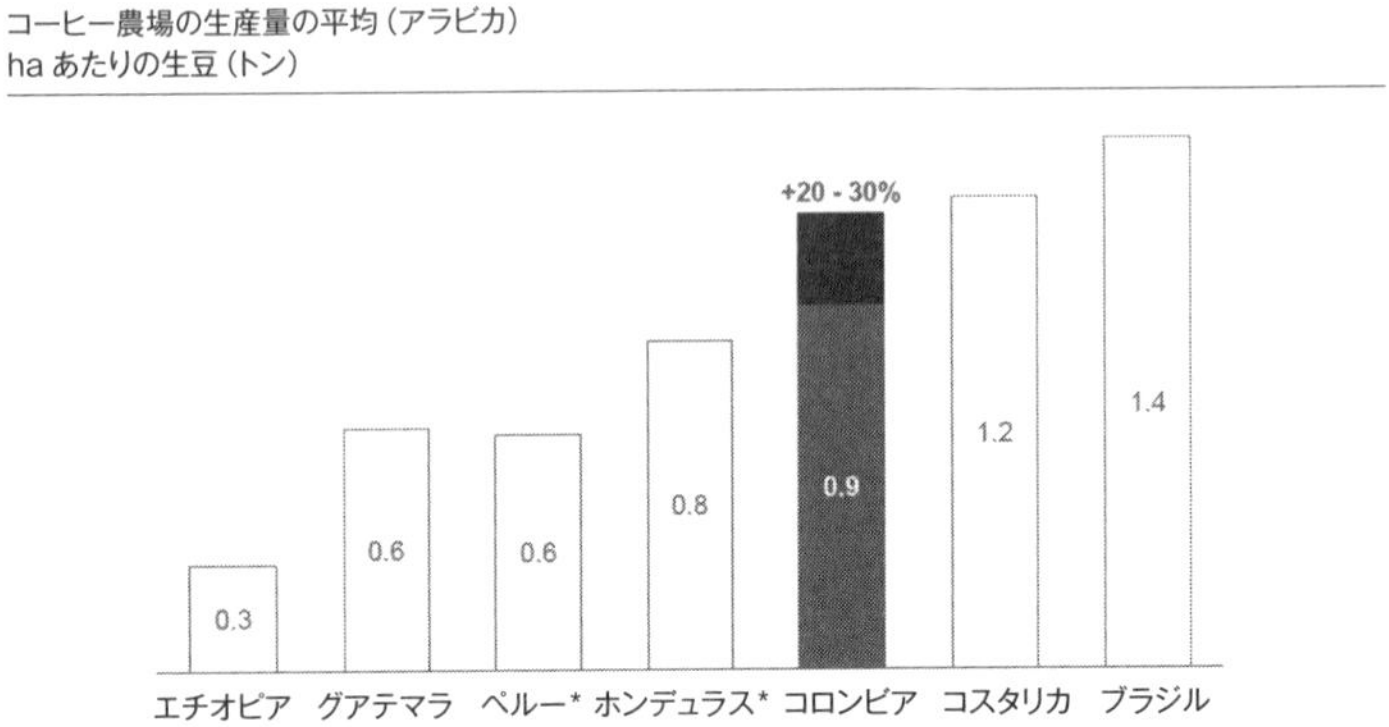

*赤錆病のため近年収穫量低下
出典：ICO（生産量）。コーヒー部門の情報についてナチュラルコーヒー協会と関係者に取材
「コロンビア、ある持続可能なコーヒー生産のためのビジネス事例」（2014）。IDH 持続可能な貿易の取り組み。2019 年 10 月 26 日より
https://www.urosario.edu.co/Mision-Cafetera/Archivos/Business-case-write-up-v20140930-FINAL.pdf

図3-3　コロンビア：持続可能なコーヒーの生産量

般に使用されている国際的な「袋」の定義は、コーヒー生豆六〇キログラムまたは一三二ポンド）。大規模な産業化農場を含んだうえの世界平均は、一ヘクタールあたり十二袋。ヘクタールあたりの年間の平均生産量は、ブラジルが二十四袋、ベトナムが四十袋、インドネシアが七袋となっている。「アジアの平均生産量はサハラ以南のアフリカに比べて二倍であり、ラテンアメリカの生産量はアフリカより六〇パーセント高い[485]」

ある本の著者は、ケニアでは「国の生産性レベルは一ヘクタールあたり二八九キログラムにすぎず、コーヒー生産全体の五六パーセントを生産する小規模農園にとってはさらに厳しい状況であるため、彼らにとっては生産性を通じて生産量を増やすことがすべてである」と述べている[486]。その対策はいくつかあるが、同じ方法がすべての人に効果があるわけではない。「農家が実現する生産量のレベルは、材料の選択だけ

でなく、収穫量の変動を招きかねない気候条件や害虫や病気などの確率的要素にも依存する。肥料・殺虫剤などの材料を使用し、特別な農業技術を導入することでこうした要因の影響をある程度は軽減できる[487]」

コーヒー豆の価格が低いとき（ICOによると、価格は二〇〇六年から二〇一六年にかけて多くの生産者にとって「頻繁に」生豆費用を下回っていた）、資金の乏しい貧困農家は生産費用を削減しなければならない。「その結果、適正な農業活動や農場の持続可能性への投資のための資金がまったく（またはほとんど）なくなり、負のスパイラルが起きて品質と生産量が低下し、収入の減少につながり、以下、このサイクルが繰り返される[488]」

固定費と限られた土地を考えれば、農家が生計を改善するための説得力のある方法とは、収穫量を上げることだ。だが、生産量が増えても収穫後に手元に残る金が増えるとはかぎらない。投資やメンテナンスをほとんどしなくても、コーヒーを植えた区画から一定の少量の収穫を得ることはできる。何らかのメンテナンスや手入れをすれば、生産量は大幅に増えるだろう。ある時点から、生産費用の増加分がコーヒーの販売による収入の増加分を上回るようになる。この臨界点を超えれば生産量の向上は意味がなくなる。この時点の生産量は、生産者がコーヒー豆から得られる金額次第で、常に変動する。「通常、収穫量が増えれば、とりわけ短期的に見れば、ヘクタールあたりのコーヒー生産費用は上昇し、そのために農場の収益性は低下する。材料を削減した農業システムは生産費用が安いため、多くの場合、収益性を高める戦略として、コーヒーの生産量を増加するよりも、農業システムにかける材料費用を削減するほうが優れている。このような低コスト、低生産のシステムから得られる収入は少ないものの、こうした戦略をもちいる農家は他にも多様な収入源を持っていて、その収益性は、豊富に材料を使って大量に生産するシステムの収益性より優れている」[489]。生産量の向上は、農場の平均生産費用の増加を意味し、家族収入は増加（農場の利益）となり、必然的に損益分岐点の販売価格が上昇して赤字販売のリスクが高まり、小規模生産者をめぐる深刻な社会現象に発展する可能性がある[490]（次ページの図3・4参照）。

さらに、収穫量の増加をめざすための「良好な農業活動」をすれば、「無条件に農業システムにさらなる利益をもたらすわけではない[491]」。ヘクタールあたりの投資を回収するには一定の収穫量が必要なため、一ヘクタールでどれほど収穫できるかはもちろん重要だ。この計算は、この埋め合わせを予測するのに役立つ。しかし、一ヘクタールの収穫量を増やすために一ヘクタールあたりの投資を増やさなければならなくなると、投資収益率の減少が起きる。先にも取り上げたSCA調査報告書によれば、生産者の販売価格にもよるが、世界各地で調査した現在の生産システムについて言うなら、「キログラムあたりの生産費用を下げ、ヘクタールあたりの投資費用を減らせば、収益は上がる[492]」。

チェリーが木からどれだけ取れるかばかりに注目が集まるが、別の形態の農産物を販売する農家には、これがたった一つの生産量の指標ではない。パーチメントと精製された輸出可能なコーヒー生豆との関係を決定する品質の善し悪しは、生産者の報酬にもかかわってくる。パーチメントからコーヒー生豆への収穫量を最大化するためには、豆の損傷を最小限に抑える果肉除去機の調整、清潔な施設の維持、適切な状態での保管など、さまざまな対策が不可欠になる。豆のスク

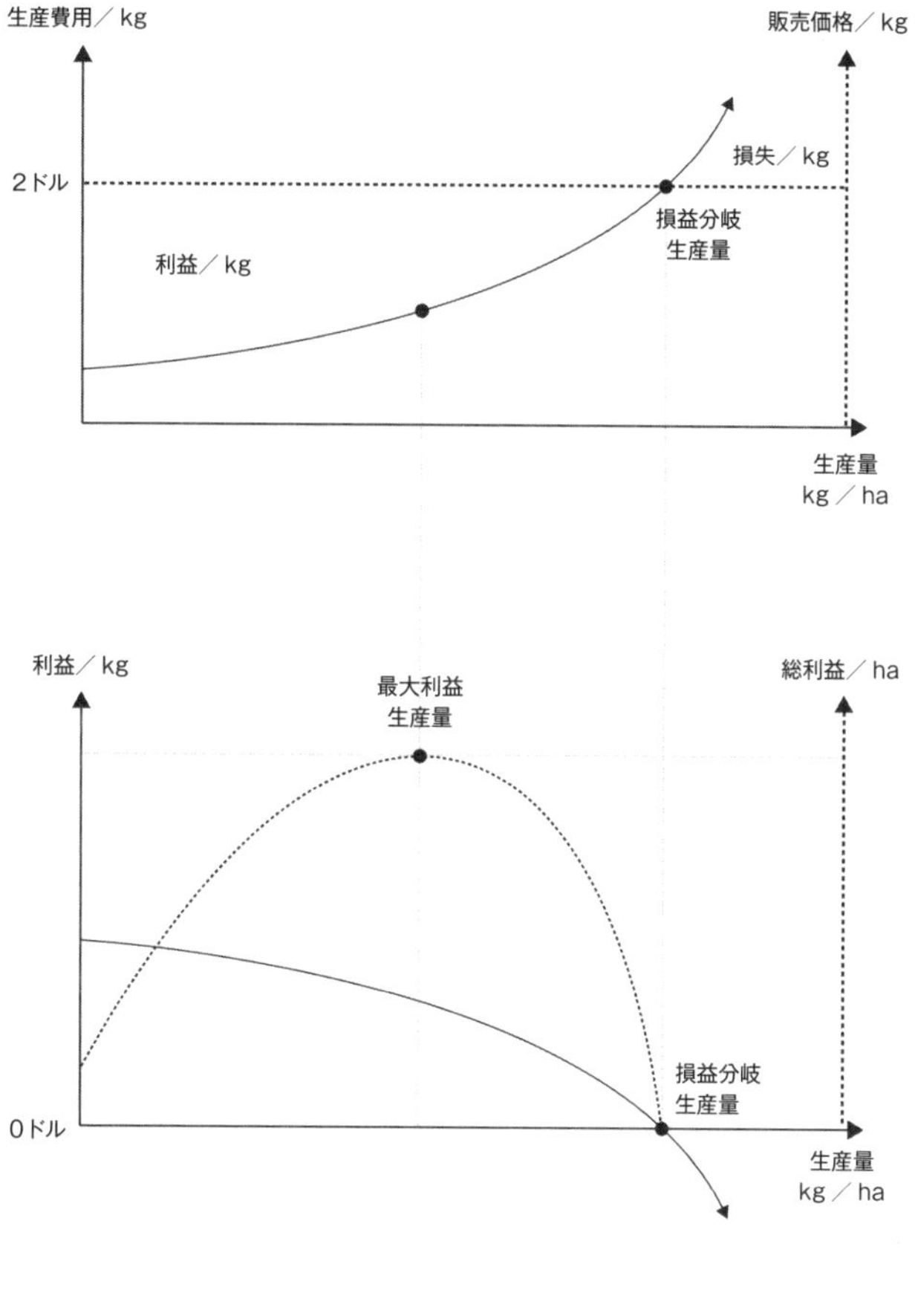

図3-4　生産拡大による利益の減少

リーンサイズの分布状態は、特定の分野では市場性や価値に影響を及ぼすだろう。

多くの農家には、生産量を上げたり、単位あたりの生産費用を下げたりするという選択のほかに、差別化された品質を作り出すという第三の方法もある。この戦略を取ると、低コスト戦略より単位あたりの生産費用が高くなり、生産量重視の戦略より生産できる製品は少なくなる。しかし、生産者がそれを評価し、代金を支払ってくれる買い手が見つかれば、潜在的な利点は非常に大きくなる。さらに、小規模農園の場合には、単位あたりの生産費用を低く維持しながら高い感覚品質を実現できるので、この戦略は収入を最大化する理想的な戦略となるかもしれない。

小規模農園の長所と短所

小規模農園は、より大型の機械を使ったり、より大量の出荷をおこなったり、業者からより多くの量の材料を買い付けたりする経済の機会を欠いている[493]。しかし、これは、いわゆる階層不経済が生じないことで相殺できるのかもしれない。階層不経済というのは、従業員の管理と対応と、経営者に比べたら当然ともいえる従業員の無関心に対処する費用と定義されている。小規模な家族経営の自作農では、家族の労働の動機は効果的かつ効率的であり、給与による監督や管理は必要ない[494]。

小規模生産者には多額の貯蓄がないか、すでに負債があることが考えられるので、これ以上のリスクは避けなければならない。小規模生産者は、天候や市場の問題に直面した場合、給与を支払い事業を続けるための短期信用をあまり利用できない（または、まったく利用できない）。著者が取材した多くの農家は、自分たちの状況を改善する唯一の方法は生産量を増やすことだ、と思い込んでいる。日陰の木を伐採し、交配種を植えるときにだけ、「現代化」のための融資を受けられる。しかし彼らは、これまで恩恵を受けてきた単作物密集植栽のやり方が、以前よりはるかに多くの合成材料を購入しなければ成り立たないことを知らされていない。[495] 彼らのドライパーチメント一キロあたりの生産費用は増えている。確かに、価格が高いときには、より多くの利益を得る。しかし、販売価格が低くなれば、以前よりも立場がずっと弱くなる。大規模で多角的な経営をしている生産者は、赤字の年を乗り切ることができるが、家族経営の貧困農家は収支を合わせるために難しい決断を迫られる。世界中の多くの生産者は、それが前に進む方法だと信じこまされ、目くらましをされている。国際援助団体は中央アメリカの技術プログラムに資金を提供してきたが、そのプログラムのせいで損益分岐点販売価格は高くなり、農家をより脆弱化してしまった。[496] 一九七〇年代から一九九〇年代にかけての米国の「麻薬戦争」と、それにともなう「開発」プログラムも、コロンビアに同様の結果をもたらし、ペルーとボリビアでは環境破壊まで発生した。[497]

異なる市場へのアクセス

差別化されるコーヒーの生産に投資するという生産者の決定で重要な要素となるのが、差別化された品質に相応しい価格を支払う買い手にひきもきらずアクセスする能力だ。多くの生産者は相対的に孤立しているので、これらのリンクにいる買い手の行動や、その買い手の見つけ方などに詳しくないため、あらゆる面での費用の増加は難しい賭けとなり、報われるかどうかはわからない。その一方で、農家は差別化される品質を生産しなければ、その潜在的な品質が評価されるかどうか、相応の金額を払われるかどうかを知りようがない。業務用品質の保証された市場が存在するかぎり、そして差別化された製品（ナチュラルプロセスなど）の市場が実際に現れないかぎり、現状を覆そうとは思わない。〔498〕

この動きは、生産者のリスク許容度による。十分な資本のある先進的な農家はリスクの許容度が高いが、一度の不作で土地を失うような農家のリスクの許容度は非常に低い。この状況に加えて、世界中の田舎の農業コミュニティの多くが伝統的かつ保守的であることを考えると、居心地のよい自分の場所から出ていって、なじみのないことに挑戦するのは足のすくむようなことだろう。地元の買い手の購入システムでは、特に平均以上の品質を追求しようと思わせる動機がなければ、高品質の農産物を作ろうとする意欲は生まれない。

世界中の多くの生産者は、各国政府への輸出業者から肥料販売業者に至るまで、さまざまなバリューチェーン関係者から、収穫量と物理的品質を向上させなければならないと教えられている。一ヘクタールあたりの収穫量を無理に増やしたりすると、環境だけでなく感覚品質まで犠牲にすることになりかねない。〔499〕品質に金を出してくれる市場にアクセスできない場合、残された唯一の潜在的に実行可能な戦略は、低コスト・高収量になる。

高品質をめざす動機がない

「商人や買い手は、生産者たちが提供したインディゴの品質にケチをつけて、それで価格を下げさせようとした（嘘をついた）ため、生産者は、余計な手間をかけて、それに見合う高い価格で販売するより、たとえ農産物の品質が落ちてもできるだけ多く生産するほうが理屈に合う、と考えるようになった[500]」

ＩＣＡ以後に多くの国でコーヒーの購入と販売が自由化されてからというもの、自由市場競争により買い手（仲介業者や輸出業者）間の競争が激化したため、わざわざ高品質製品を生産しなくてもいいような状況になった。この競争のおかげで農家に支払われるＦＯＢ（輸出）価格に相当する部分が増え、農民への支払いが早まるようになった[501]。買い手が売上高を増やして資金調達コストを最小限にして素早くコーヒーを購入して輸出しなければならず、そのためにその過程ですべての袋の製品を検品する時間がなくなり、全員に同じ料金を支払った。これは世界中の生産者および地方の流通業者レベルでの大半のコーヒー産業に当てはまる。こうした大量の農家ブレンドの品質はサプライチェーンの後方で認識される可能性が高く、仲介業者、輸出業者、輸入業者は品質のプレミアムを獲得することになるが、すでに農家との取引は終わっていて、どの農家の製品かを特定することができないせいで、プレミアムに相当する部分を生産者に還元する術もない[502]。

自由化された東アフリカではコーヒーをめぐる買い手間の競争が激しくなり、農家に支払われるＦＯＢ価格の割合が高くなったが、買い手側の品質へのこだわりも低下したので、農家はより低品質の農産物を供給して同じ利益を得ることになった。最終的に、全体的な品質が低下したためにＦＯＢ価格も、生産者価格も低下した。[503] こうなることをだれも意図してはいなかった。生産者と輸出業者は自分の利益しか考えていなかった。資本主義の新自由主義理論にしたがえば、自由市場はすべての人の生活水準をより高くし、サプライチェーンに必須のすべての関係者の利益を大きくするはずだった。しかし、そうはならなかったのだ。

生産者の利益

「二〇一六年のＩＣＯによる主要コーヒー生産四カ国の農園の収益性調査では、コーヒー農家の多くが二〇〇六年から二〇一六年にかけて赤字経営に陥っており、コーヒー栽培が存続可能な生計を提供していないことが明らかになった」[504]。ＩＣＯによる二〇一九年の調査では、強力な制度によるコーヒー産業の枠組みと差別化された市場を持っているにもかかわらず、コロンビアの農場の五三パーセントが利益を生み出していないと推定している。[505] さらに、二〇一九年のＩＣＯ報告書によれば、二五から五〇パーセントの農場が「高コスト傾向」（収穫が手作業でおこなわれているため。しかしブラジルを除くどこの国でもそうである）であり、「生産費用の全額を賄うことができていない」[506]。

品質プレミアムへのアクセス

すでに述べたように、差別化された市場の利用しやすさにしても、差別化された価格にしても、世界中の何百万人ものコーヒー生産者のあいだではかなりの隔たりがある。圧倒的に優位なのは広大な農園と十分な資本を備えた国際的な生産者だ。立場の弱い生産者たちは高品質製品を生産するつもりがなく、採算が取れるはずもなく、全体的な品質も価格も低下し、状況は悪くなる一方だ。

一九八〇年代初めからコーヒー生豆を買い続け、生まれたときからコーヒー豆に囲まれていたキーンコーヒーの設立者マーティン・ディードリッヒによれば、「探し求めているごくわずかな宝石を見つけるために、私は以前よりもいっそう大量のコーヒーをテイスティングしなければならなくなっている」という。彼の説明によれば、生産費用は上昇しているが、価格は変わっていない。スペシャルティの経済学は生産者の収入に反映されていないので、どこかで節約しなければならない。買い手がコーヒー豆の品質を高評価する経路に販売する場合でも、生産者はプレミアムを得られないことが多く、それでは平均以上の製品を作ろうとは思わない。

入手できる品質情報が等しくないために、農家がスペシャルティのプレミアムを騙し取られることがある。買い手はサンプルを評価するスキルやツールを持っているが、農家の大半にはそういったものがない。また、構造的な問題もある。品質評価がおこなわれるたびに、サプライチェーンの特定の箇所で取引費用が増える。〔507〕チェーンの各段階で物理品質と感覚品質のチェックをおこなう場合には、その費用は利益に織り込まれ、そのせいで生産者の取り分は減っていく。最終的に多くのコーヒーが、買い手と売り手がどちらも感覚品質を了解している（輸出業者と輸入業者とのあるいは輸入業者と焙煎業者との）取引が成立すると、それが販売価格に反映される。しかし、利益を多く手にした売り手が、その豆を売ってくれた人に電話をして利益を配分しようと申し出るということはありえないだろう。一九八五年から二〇〇〇年にかけて、品質の差別化が進み、特定の品質に支払われたプレミアムを反映し、各国間で取引されるコーヒーの値段が多様化した。同じ時期に、生産国の農家に支払われる価格は減ることになった。世界がプレミアム価格を支払ったにもかかわらず、その高品質コーヒーを生産した人々には、その努力に報いるような値段が支払われなかったといえる[508]。

このような「生産者と消費者の間で情報が等しくない環境では、投資、リスク管理、技術導入に関する情報に基づいて、きちんとした意思決定をおこなえない生産者が不利となる」[509]。これは、生産した品質に対してきちんとした報酬を得ている生産者がいないということではない。しかし、かなり大きくて「公平な」金額が、事業遂行のために必要な情報を利用できる多くの大規模農場や国際的な農業事業者に支払われている[510]。このことが問題ではない。問題なのは、コーヒー豆のサプライチェーンの構造のせいで、本来ならもっとも多くスペシャルティのプレミアムから恩恵を得て生活水準が良くなってしかるべき小規模農園の人々が、実際には報酬を得る機会もなく放置されている点だ。

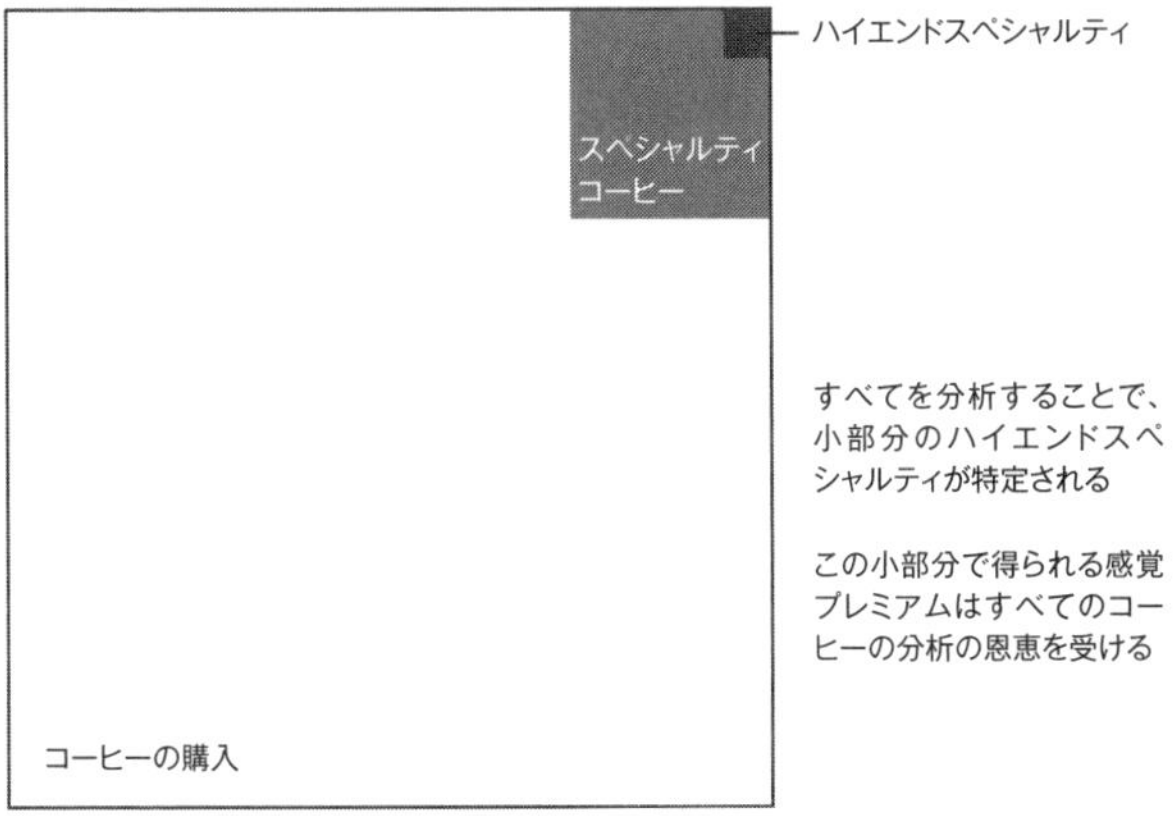
ハイエンドスペシャルティ
スペシャルティコーヒー
すべてを分析することで、小部分のハイエンドスペシャルティが特定される
この小部分で得られる感覚プレミアムはすべてのコーヒーの分析の恩恵を受ける
コーヒーの購入

図3-5　品質分析の費用

品質リスク

感覚分析がおこなわれない場合には、プレミアムと値引きは平均と過去の経験に基づいて設定されるので[511]、ある種の人々はほかの人より品質改善からの恩恵を受けることが難しくなる。どれほど栽培・精製処理に科学技術を取り入れようと、コーヒー生産は自然次第であり、予測するなど不可能に近い。「私たちは、コーヒー焙煎業者がスペシャルティコーヒーの焙煎しかしないかもしれないという現実がある一方で、コーヒー農家がスペシャルティコーヒーしか生産しないということにはならないという事実と向き合わなければならない[512]」

品質改善のための加工には、洗浄したコーヒー豆が発酵するなどさまざまなリスクが伴う。発酵は、焙煎されたコーヒーを煎れたときに風味や香りを生み出す鍵になる。多くの場合、スペシャルティ等級の感覚的特性と商業的魅力がさらに高くなる。もうおわかりのように、農家が最終消費者のために風味を向上する処理をしないのは、管理が行き届かず監視の利かない環境で発酵させるのは、予測不能な事態が起こるからだ。そもそも、発酵しすぎるよりは発酵が足りないほうがましなので、発酵時間が長ければ長くなるほど、事態は最悪な状態になってい く。次に、コーヒー自体の品質を購入するスペシャルティチャネルは、業務用グレードとは互いに排他的関係になるかもしれない。より長く発酵させたパーチメントは黄色く見え、フルーティな香りがする。業務用の買い手はこれを欠陥と見なし、基本コモディティ価格からの減額要素にする。彼らが好むのは色が白く、フラットな味だ。そのため、長期発酵した豆は、セーフティネットとなるべき業務用グレードへの選択肢すら失う。

買い手は高品質のコーヒー生産への投資が、常に矛盾した結果になるという事実について考えなければならず、ほとんどの生産者は、自分と家族の生活水準を悪化させずに低パフォーマンスのリスクを吸収することができない。リック・ラインハートによれば、「スペシャルティコーヒーの世界では、努力をすれば必ず素晴らしいコーヒーを提供できると信じられている。そして、努力を惜しまずに厳選した豆を購入すれば焙煎士は必ず素晴らしいコーヒーを提供できる、ということに間違いはない。しかし、農家にとっては決してそうではないということを、私たちは考えていかなければならない」という。コーヒーが期待に応えてくれない場合に買い手が設定する厳格な基準とはなにか、ラインハートはこれを明らかにしている。「状況がよくなればまた私は戻ってくる（略）。きみやきみの家族を飢え死にさせようなどと思ってはいない。ただ、これはビジネスなんだ。きみの病気になった子どもに医療を受けられないようにさせるつもりはなかった。本当に申しわけない。きみにはわかってもらえないだろう。私のお客には八八点のラテが必要なんだ[513]」と。

一貫しない品質可測性

先に述べたように、農家がドライパーチメントを販売するほとんどの市場では、物理的な品質に基づく単一価格しか設定されないため、感覚品質のコーヒーを栽培しようとする気が起きない。スペシャルティ輸出業者や仲介業者にとって、裁定取引の機会（安く買って高く売る）は品質情報の取得の不平等と結びついている。ほとんどの生産者はテイスティングの訓練を受けておらず、カッピングラボを持っていないので、自分たちの製品の品質を知らない。仲介業者がこうしたツールを持っていれば、基本のコモディティ価格かそれをわずかに上回る価格で豆を購入し、品質プレミアムを付けて売りさばくことができる。しかしたいていの場合、仲介業者でさえ感覚品質情報を利用できず、品質プレミアムを得られる見込みは、製品がチェーンの次のリンクに渡されてからようやく見つけ出される。「コーヒー価格の変動の大きさ、平均的なコーヒー生産者の取引量の少なさを考慮すると、取引費用、特に価格決定や物流にかかる費用は農家にとって重荷になるだろう。孤立した地域ではさまざまなコーヒーの価格が不透明になることがあるが、これは地元の業者にとって利益の機会を意味するものだ[514]」

農家との取引の際におこなわれる品質の等級付けが不透明であるせいで、農家は価格交渉で非

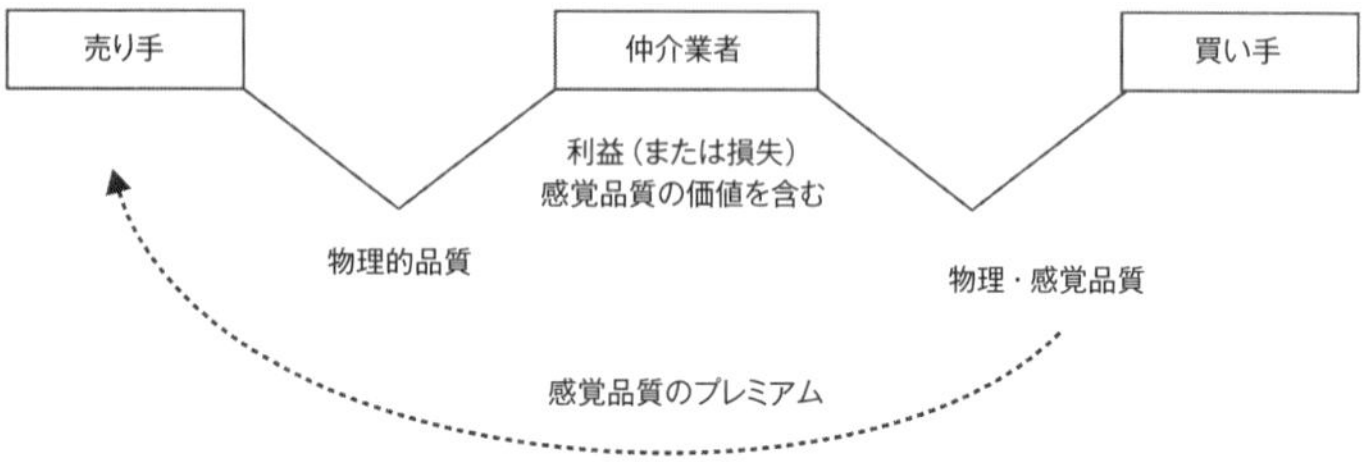

図3-6　コーヒー品質情報の非対称

常に不利な立場に置かれる。スペシャルティ生産者の大半は、自身の製品の等級を知らず、それを判断する設備や技術がないので、コモディティ価格で販売するしかない。それはたとえば、あなたがベンツを売りに行ったとき、買い手に「起亜のハッチバックの市場価格で売ってくれ」と言われたのだが、売り物の車がベンツなのか起亜なのかを知る手立てがないということと同じだ。情報を隠して交渉を有利に進めることなど、あってはならない。

農家の管理

このようなシステムから抜け出し、家族の生活水準をよくするためにあらゆる努力をするのは称賛に値する。しかし、小規模生産者の市場理解はほとんどが不完全か、部外者のせいで歪められている。多くの生産者は品質の測定の仕方や、製品の適切な価格設定に使われる基準を知らない。ニューヨークのスペシャルティ・ショップでラテの価格がどれくらいかを知って、その値段のうちで自分たちの取り分の少なさに憤慨するものの、サプライチェーン全体のコスト構造や、買い手がチェーンの次のリンクに請求できる金額については何も知らない。

たいてい、生産者—輸出業者—輸入業者というチェーンのリンクは、輸入業者から生産者までは不透明なため、小規模農園の人たちはチェーン内でコーヒーの価格や、焙煎業者や最終消費者に販売される際のコーヒーの価格がどう設定されるかについて、ほとんど知りようがない。そのために、価格のうちどれくらいが支払われるべきかを知るために参照とするべき基準がない。現時点では、ほとんどの生産者が利用できるのは、ニューヨークC価格や国が公表するNY価格から導き出された基本価格、さらにはCOEや他の競争オークションだけだ。このオークションは宣伝効果やコーヒーに付与される価値を上乗せして原料や使用価値の何倍もの値段を付けている。輸出業者と正しく交渉するには、その業者がどの程度の差額を支払うかを知り[515]、市場のさまざまな部門が、自分たちの提供する個性的な製品をどう評価しているかを知らなければならない。多様なコーヒー分野の市場やその背後にあるビジネスの性質についての真の情報を知ることは、自身の状況と今後について考えている野心的な生産者にとってはたいへん有益だろう。

価格が下落すると、生産費用が最も低い生産者が生き残り、ほかの人々は転落し、土地の寡占はさらに進行する[516]。

FOB価格の割合

農家の価格と最終的に加工された飲料の価格を比較すると、必ず怒りと憤りが湧いてくる。より適切に比較するには、農家が受け取るFOB価格の割合を用いるべきだ。これは、一般にパーチメントを販売する農家がコーヒー豆とラテを比較するのとは大きく異なる。パーチメントは非

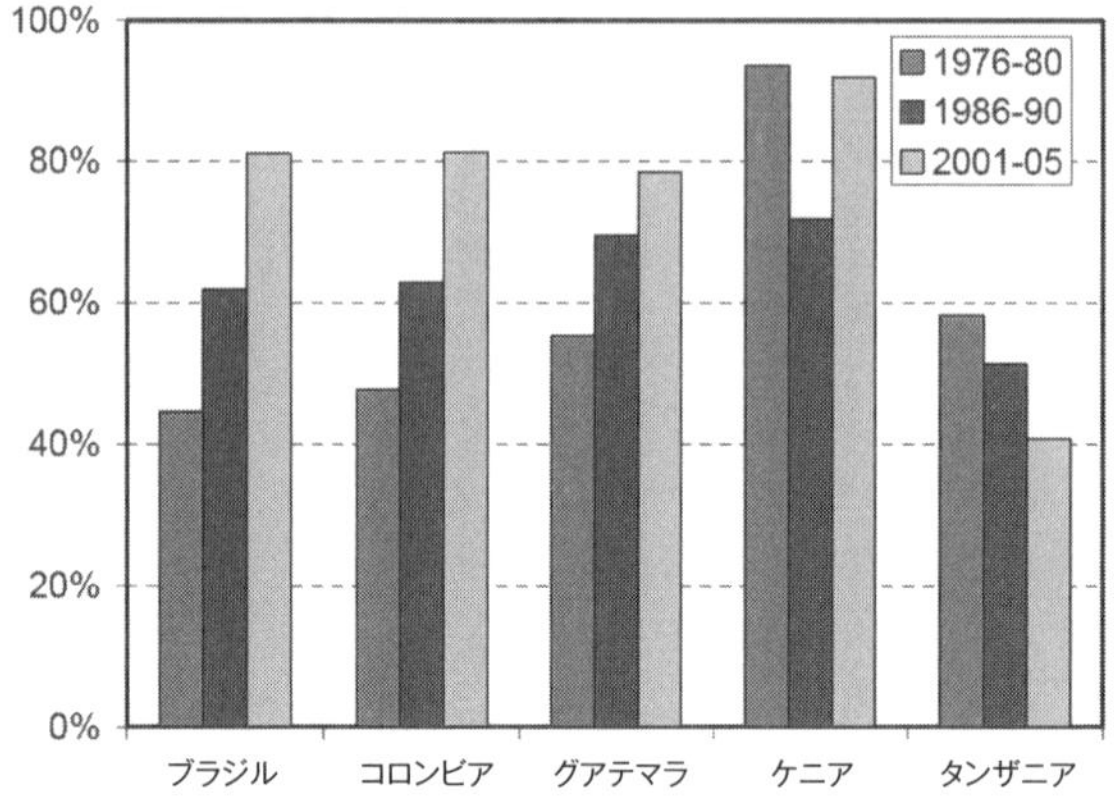

クリストファー・ギルバート（2006）「ココアとコーヒーの申請に関する商品処理におけるバリューチェーン分析と市場の力」トレント大学経済学部調査報告（イタリア）

図3-7　アラビカの輸出（FOB）価格に対する生産者価格の割合

常に単純で標準化された加工でコーヒー豆に変換されるため、本質的には同じ商品だが、標準化された加工コストとサプライチェーンが正当化できる利鞘が追加されている。しかし、農家がチェリーを販売する場合、多くの変動要因と、加工による付加価値や破壊の可能性があるので、この状況はレンガ製造業者と住宅販売業者間の合意となんら変わらない。

農家は国際価格を知っていても国際市場を利用できないために、仲介業者に完全に依存しているので国際価格に近い価格で交渉することができない。このような買い手独占的な状況（多くの農家、少数の仲介者。カルテル化されていることもある）では、農家には実質的な交渉力がなく、仲介者の言い値を受け入れることになる。

農家が手にする最高価格は、販売価格に大きく依存し、販売価格はサプライチェーンの効率、すなわちコーヒーを加工して農場から出荷するまでのコストにも依存する。たとえば、大量な豆が運ばれ、大型機械で処理され、低コストの梱包で出荷され、ユニットごとの大規模な品質管理労働力がいらない業務用等級のロットは、処理と戦略に膨大な手間のかかる単一農園の五〇ポンドのナノロットよりも、サプライチェーンの費用ははるかに安くすむ[517]。輸出業者がコモディティ等級の製品のコンテナを準備する費用の、FOB価格に占める割合は、小規模な「コーヒーの冒険家」が完全な生産管理履歴情報が印刷されたバーコードを付け、真空パックで箱詰めして混載コンテナに積載するのに費やす金額よりも大幅に少ない。生産者が利用できるFOB価格の総額は、インフラ、政府やその他の規制、税金やそれに準ずるもの、コーヒーを農場から船まで運ぶために必要な資本費用など、市場の様態によって大きく異なる。

コロンビアでは、ほぼすべての農家が彼らのコーヒーをウォッシュトプロセスで処理し、大半がドライパーチメントを販売している。そのために業務用グレードの実質FOB価格の最大八〇パーセントを稼ぐことができる。ケニアでは、集中型ウォッシュトプロセス設備の能力が供給過剰になっているため、十分に活用されていないこうした設備を維持する固定費がFOBのかなりの部分を占めている。「平均的なFOB価格の五八パーセントは、小規模農園に分配することができる。しかし、他の控除（ローンの返済や一部の協力団体の超過費用など）が発生する可能性があるため、必ずしもこれが支払われるとはかぎらない[518]」。ウガンダでは、国家コーヒー委員会が廃止された後、「生産者価格が輸出価格のおよそ四〇から五〇パーセントだったが、七〇から八〇パーセントに上昇した[519]」。テクノサーブの証言によると、ルワンダでは通常、生産者が輸出価格の六〇パーセントを得ているが、彼らのプログラムの一部である協同組合に参加している生産者は、FOB価格の八〇パーセントを得ているという[520]。国連FAOによれば、一九七六年から二〇〇五年まで、農家に支払われるFOB価格の割合が増加する傾向にあり、これは「（略）市場の自由化、税の軽減、品質の向上」の結果と考えられている[521]。こうして生産者のパイの取り分は増加したが、パイのサイズは小さくなった。

疎外、抑圧、市場操作といった歴史的遺産を別にすれば、焙煎業者にとって農家は供給元である。そして農家は独立した事業主だ。焙煎業者は、品質が一貫して素晴らしいのであれば、理由はどうであれ、ある農家にほかの農家より多くの金額を支払ってはならない。むしろバリューチェーンは、品質を補償する平等主義的なやり方で、いわば平等な競争の場で、組織されるべきだ。誰もが高品質なものを生み出せるわけではなく、だれもがすすんで高品質なものを生み出そうとしているわけでもない。これら二つのうちの一つが当てはまり、生産者が要求し得る価格に満足していない、または要求し得る価格を維持できないのであれば、焙煎業者の商売のやり方がまちがっているのだ。現在、ほとんどの小規模農園が自分たちの製品の市場価値を知らず、基本的に買い手の言いなりで、買い手の言い値を受け入れている。その値が安いときもあれば高いときもあり、「適正」の場合もある。買い手や焙煎業者が、農家をまるで従業員か子どもででもあるかのように扱って彼らの収入を決定するという考え方は、植民地時代の地主やアシエンダ、封建的階級制度などといった過去の時代を彷彿とさせて気味が悪い。

最終製品の割合

ここ数十年で焙煎業者と末端販売者が力を持つようになり、彼らの利益が増える一方で、必然的に最終製品に占める生産者を含む他のコーヒー豆サプライチェーンの利益の割合は減少した。一九八九年（国際コーヒー協定が破棄された年）から二〇〇四年にかけて、小売価格に占める、原産国に支払われる金額の割合は五〇パーセントから二〇パーセントに減少し、農家の取り分は二〇パーセントから一三パーセントに減少し[522]、二〇一五年には一〇パーセントを下回るまでになり[523]、その後、現在（二〇二一年）まであまり変わっていない[524]。このサプライチェーンのテコ入れにより、焙煎業者と小売業者のサプライチェーン内での交渉力が強化されて、そのほかのサプライチェーン全体は相対的に交渉力が落ち、特にコーヒー原産国の選定に及ぼす焙煎業者の影響力が強まった。「主導権は農家から地元の販売業者へ、輸入業者へ、焙煎業者へ、多国籍企業へと、そしてほぼ二〇世紀をとおして、国家へと移行した[525]」。これに対して、バナナは、ほとんどの場合、生の状態で最終消費者に販売される産物だが、生産国が手にする収入はわずか一二パーセントにすぎない[526]。

「ケーキ切り分け」の間違い

国連FAOの言うように、最終コーヒー製品の加工と流通に関連するコーヒー消費国の費用が、原産国のコーヒー豆の生産費用より急激に上昇していることは注目に値する[527]。焙煎されたコーヒーや抽出されたコーヒーの実質価格が上昇している地域がある一方で、コーヒー豆の実質価格が下落しているのは事実だ。しかし、この二つの現象に因果関係があるという証拠はほとんどない。焙煎業者と農家のあいだで分け合うようなケーキはない。消費者のための体験や加工を通して最終製品に付加される価値には、生産者を貶め、貧困に陥らせようとする悪意はないのだ。

実際、コーヒー豆は、地球の裏側で五ドルで提供されるラテに含まれる多くの原料のうちの一つだ。最終製品価格に占める割合に基づいて収入を得る生産者は、住宅価格に基づいてレンガ代をもらうレンガ業者と変わらない。もし売り手が売上を伸ばしながら上手に価格を引き上げることができたとして、売り手は供給者により多くの金額を支払う義務があるのか。重要なのは絶対的な価格だ。別の製品の価格に占める割合など、気休めに過ぎない。

グラウンドワーク・コーヒーのジェフ・チェーンによると、経済学者ジェフリー・サックスは、会議室に集まった数千人のコーヒー生産者を前にして、この状況を無責任にも単純化して説明し、聴衆を激怒させたことがあるという。「生産者全員が、会議のあいだずっと『どうして我々にその分を支払わないのだ』と（言っていた）。『なんてことだ、こっちは五〇万ドルを使ってやっとのことでカフェを建てたというのに』と私は思った。一年で閉店しなければならないことになったら、どうするのか。あなたそれでもこの話に乗るつもりか……。儲かるときだけ話に加わって、損するときは知らん顔というわけにはいかないのだ[528]」

コインの裏を返せば、消費者がコーヒー製品に支払ってよいと考える価格が押し上げられても、それが必ずしも生産者の収入に反映されるわけではないということだ。消費者の支払いによってサプライチェーンはコーヒー豆のコストを引き上げる余地が生まれるが、実際にはそんなことは起こらない。その理由は、小売価格は過去数十年間で一般的に上昇しているにもかかわらず生産者の収入は上昇しないことを考えればわかる。焙煎、輸送、提供にかかるコストは確かに増加しているが、生産者の収入が自然に増えていくことはなく、新たな経費がサプライチェーンに追加されていく。「長いあいだ、合言葉は『消費者にもっとお金を払う必要があることをわかってもらう』というものだった。しかし、この手のトリクルダウン〔富める者が富めば、貧しい者にも自然に富が浸透するという考え方。富裕層や大企業を優遇する政策をとって経済活動を活性化させれば、富が低所得層に向かって流れ落ち、国民全体の利益になるとする〕が機能しないことは他分野の実例からも明らかだ。なぜなら、消費者はカフェにお金を払い、カフェはそのお金を自分たちのビジネスに還元するからだ。彼らが振り向いて、『私は消費者からたっぷりもらっているので、その分を生産者に還元しよう』と（生産者に）言うことはない。そんなふうになるわけがない」とエヴァー・マイスターは言う[529]。

いずれにせよ、問題となっている構造をどのように定義するかにかかわらず、スペシャルティの生産者はおしなべて、業務用等級のコーヒーに比べると末端消費者価格に相当する製品価値の取り分を受け取っていない。エモリー大学のピーター・ロバーツによれば、「農家が得ている収入は、需要を満たすのに必要なスペシャルティコーヒーを供給するには不十分だ。実際、その金額では設備、リソース、マーケティングへの投資費用を賄うことなどほぼ不可能だ」という[530]。

価格の緩衝材としての生産者

生産者は、さまざまな意味でバリューチェーンの緩衝材だと言える。必ずしもそのように仕組まれているわけではないが、ほとんどの成長地域でのバリューチェーンが機能する仕方、および多国間のチェーンに対する生産者の反応の結果、そうなるよりほかにない。価格決定の時期や方法、支払い時期、契約期間などを含む交換条件は普通、より大きな交渉力を持つ当事者が決定をくだす。これまでで見てきたとおり、その当事者とは小規模生産者ではないのだ[531]。

オックスファムによれば、「価格変動性は輸入段階に比べてチェーン末端の消費者側では三倍から五倍ほど低くなり、バリューチェーンの上流と下流の関係者間でのリスク分担の不均衡がここにはっきりと表れている[532]」。コーヒーサプライチェーンのほとんどの関係者は、自分たちの会社の目標を達成するのに必要な利益を考慮して、標準化された方法で購入価格と販売価格を決定する。目標利益を達成できないことがわかれば、彼らはただその提案を拒否するだけだ。燃料価格が上がれば、荷主はその差額を賄うために追加料金を請求する。C価格が上がれば、輸出業者が輸入業者に請求する金額も上がる。不確実な状況になっても、業務用グレードのサプライチェーンのほとんどの関係者は単にリスクを回避《ヘッジ》するだけのことだ。C価格が下がり、輸入業者の支払が減れば、輸出業者が生産者や仲介業者に支払う金額も減る。

しかし、肥料の価格が上がると、それにつれてコーヒーの価格も必ず上がるとはかぎらない。その場合には生産者の利益は減少する。世界のどこでも、コーヒーの平均価格は過去十年間、おおむね下落しているが、生産費用と取引費用は上昇する一方で、二〇〇九年から二〇一九年のあいだに約二倍に跳ね上がっている[533]。「パプアニューギニアの農村地域で燃料価格が高騰しても、ゴロカ〔パプアニューギニアの山岳地方の東部山岳州の州都〕の輸出業者はコーヒーにそれ以上の金額を出すことはない[534]」。基本的に世界市場の影響を受けないような特化された分野でさえ、生産者が弱い立場に置かれるねじれた状況が続いている。

プライステイカーとプライスメーカー

「（コモディティ化された製品の）個人生産者は自分で製品の価格を決めることができない[535]」。製品はすべて同じなため、買い手は製品を買う相手にこだわらない。市場が提示する価格で支払わなければならない。しかし、差別化された製品の場合は、ある買い手にとっては完全に唯一無二のものであるため、生産者は自由に価格を決定することができ、買い手がそこに見出す価値が価格を上回っている場合には購入するだろう。このとき、製品はどのように差別化されているのだろうか。特許を取得していたり、ほかにない技術を使っていたり、あるいはより多くの場合、ブランド戦略や広告戦略を通じて差別化が図られるようである。

差別化されたコーヒー豆（すべて同じであるために交換可能であり、商品取引所で扱われ、デリバティブで回避されるコモディティ化された豆の対極に位置するもの）の場合、代替のリスクがないため、価格を固定することができる。これは焙煎業者と消費者レベルには当てはまることだが、その一方で、輸出業者の大部分は依然として市場の差額に基づいて生産者に支払をおこなう。そして、多くの輸入業者が固定価格または完全ＦＯＢ価格を支払う一方で、輸出業者や収集業者はたいてい、商品市場に基づいて差額を支払う。「市場のハイエンドでは差額は存在しない。」「それは一方向にしか機能していない（略）。価格リスク管理の特性を活かすと、回避《ヘッジ》できるという唯一の目的のために実勢価格を算出するのに差額を用いている。しかし実際には、それらはすべて実勢価格なのだ」とリック・ラインハートは言う[536]。

八五点のスペシャルティコーヒーやオーガニック認証コーヒーといった製品に付加価値を与えることは、必ずしもほかのコーヒー製品との差別化をすることにならず、むしろ製品をより小さなニッチな商品市場に投入するだけのことなのだ[537]。たとえば、エクアドルのスペシャルティコーヒーは国内の品質ピラミッドの頂点を占めているにもかかわらず苦戦している。というのは、同様の品質のペルー産とコロンビア産のロットが、生産費用の違いのために大幅に安い価格で入手できるからだ。本当に差別化されていれば、代替になる製品はないはずだ。しかし、ケニアのコーヒーは他国のコーヒーに比べ、ある程度は差別化の恩恵を受けている。ほかの製品では再現が困難な特定の風味があるからだ。少なくともケニアのスペシャルティコーヒーは、同様のカッピングスコアを持つ他国の製品よりも著しい高値で取引されているため、この立ち位置を市場で確実に活かしている。しかし、生産者、精製業者、輸出業者の内部では、どれほどニッチな製品でも感覚品質は計測可能であり、コモディティ化が進むのは目に見えている。独占的な市場に参入するためのハードルは常に上昇している。

農家の自給自足問題[538]

特有のリスク

コーヒー生産者は、収入を不安定な商品市場に依存していることに加え、対処しなければならない特有のリスクを多く抱えている。技術化された集約システムのなかで生物の多様性が低下しているために、そのリスクはいっそう深刻になり、それと戦うことがより困難になっている。また、コーヒー自体が遺伝的な多様性に乏しいために、ほかのより多様性のある分野に比べて害虫や病気の被害を受けやすい。現在、ラテンアメリカで栽培されているアラビカ種は、起源が同じなために遺伝的多様性に乏しく、病気や害虫に抗えない。[539]気候の変化によって多くの地域で天候を予測できなくなり、一部の地域では適応性が脅かされている。気候が変化すると、現在コーヒーを生産している地域ではコーヒー栽培ができなくなる。国際熱帯農業センター（CIAT）によると、二〇五〇年までにアンデス地域と中米諸国はコーヒー栽培にとって適した土地の二〇から三〇パーセントを失うと予測している。ワールド・コーヒー・リサーチによれば、世界中でコーヒー生産に適した土地のうち五〇パーセントが失われるという。[540]

不作のリスクがそれほど高くなくても、生産者が土地を守り続けられるかどうかさえ確かではない地域がある。財産権が記録に取られていない地域も多い。立ち退きは常に脅威であり、土地の生産的な持続可能性へ投資することの優先度は低い。コンゴ民主共和国（DRC）のキブ州の一部では、コーヒー栽培は一時的なものにすぎず、貧しい小規模農園であってもなくても土地の所有権が一切ない。コーヒーの木はある地域にわずかに植えられ、肥料は与えられず、うまく育たなければその場所は放棄され、ほかのどこかに新たに植えられる。「財産権を持つ農家には、単作的コーヒーシステムよりも重層的な森林農業システムを確立する傾向がより多く見られる[541]」という事実は、彼らにとって生産的な持続可能性のほうがより優先順位が高いという主張と一致している。

不完全な情報アクセス

たいていの生産者は市場の機能の仕方や市場データの入手方法、価格設定、生産しているコーヒーの輸出額、その金額のうち自分が要求すべき割合などを十分に理解していない。「しかし、我々がスペシャルティコーヒー市場の内部で透明性のある運動を進めていけば、この種の問題は減っていくだろう[542]」。農家は、自分たちが販売する当日の市場価格がいくらなのかを知らないかもしれない。価格が高騰したら、たぶん地元の買い手はわざとその話はしないようにするはずだ。ホンジュラスコーヒー協会によれば、こんなことがまさにホンジュラスの各地で頻繁に起こっているのだという[543]。

資金へのアクセス

解決策を申し出るのは簡単だ――作物を多様化する、インフラを改善する、あるいはみんなでゲイシャだけを栽培するなど――しかし、貯蓄や効率的な信用貸付を利用しない状況にある生産者が実行できる解決策を提案するのは難しい。多くの農家は、通常の収入が少なく、価格の変動が大きいために、借金の連鎖と短期的な考え方から抜け出すことができず、数十年働いても数週間分の蓄えさえ確保できない。さらに営業経費の支払のためにウェットパーチメントを売ることを強いられ、自分たちの生産物を差別化するために必要な努力もままならず、わずかなリスクを負う余力さえない[544]。「資金不足からコーヒー農家や企業は、事業やリスク軽減のための技術に投資することができず[545]」、金融機関が現実的な顧客と見なすレベルに到達できない。小規模農園は信用枠からこぼれることが多く、交渉力が低下するばかりだ。その理由のひとつに、担保が必要になるということがある。コーヒー生産者にとって借金の担保としていちばん手近なものは土地だが、今日になってもコーヒー栽培の世界では、農民たちが土地の所有権を証明する正式な証書を持っていない。国際女性コーヒー同盟ジャマイカ支部のアンドレア・ジョンソンは、多くの家族が奴隷の身分から解放されてからずっと自分たちの土地でコーヒー栽培をしてきたが、いまだに土地の所有権を得ることができずにいると述べている[546]。

略奪的融資も、多くの人々が合法的な信用貸付を利用できていない状況にある場合には見なれたものになっている。短い収穫期に収入が集中する世界中の地域では、多くの農家がコーヒーの販売期間に営業経費や生活費を支払うために闇ルートの債権者に依存している。こうしたところから融資を受けると、高金利、場合によっては悪質な高利貸の手口をともなう変動金利が適用されることが多い。また、融資が次のコーヒー収穫のための前払金の形でおこなわれることもあり、この場合には、市場価格での完全な販売と比較すると生産者側には極端に不利な条件になる。「地元の買い手はこうした信用供与を介して重要な役割を果たしているが、貧弱なインフラ開発や反競争的な慣例は依然サプライチェーンへの価値の低下を進めるだけで、生産者はさらなる財務的圧力にさらされる[547]」

バリューチェーン上の、高度に集中化したリンクに位置する大規模な関係者は、その規模も巨大であり、より効率的な資本市場を持つ先進国の企業である場合が多いため、極めて容易に信用貸付を利用できる[548]。ほとんどのコーヒー生産国では、金融市場が不十分で、小規模農園には利用が困難なうえに、非常に高い金利を引き受けざるを得ない。その一方で、産業化されているスペシャルティ消費国の多くでは、信用貸付を利用することが比較的容易であり、金利もかなり低い。驚くべきことに、焙煎市場に繋がっている生産者、または生産者グループ、あるいは生産国の関連業者は、現在、支払い日の延長を提案するように求められている。コーヒー生豆では三〇日が標準になりつつあり、場合によっては支払が一四五日、さらには三〇〇日まで延長される。こうした長いあいだ支払を待てるのはごく限られた多国籍貿易業者であり、そのために彼らに関与してもらわなければならない状態になっている。彼らは基本的にコーヒーを委託販売で提供している。支払日が延長されるにしたがい、「直接取引」のようなものは、規模も資金力も最大規模のコーヒー農場でもないかぎり、まったく手の届かないものになっていく。[549]「比較優位」は交渉力を強化し、そのため信用限度額の大きい関係者が信用限度額の小さい関係者に対して力を行使できるようになる。

銀行はビジネスである

問題なのは、農家がサプライチェーンのパートナーのように信用貸付を利用できないため、サプライチェーンとの交渉で不利な立場になることだ。しかし、銀行は商売だということを忘れてはならない。顧客に利益をもたらす商品を提供するのが銀行の仕事だ。顧客が利益を出すのに役に立たないような商品を提供することはない。小規模農園が辺境に位置することは、コーヒー生産ビジネスの規模が小さいことや、経営が組織的でないこと、不安定な世界市場で外貨で販売される農産物に特有のリスクがあることとあいまって、銀行の支援をさらに受けにくくしている。[550]資本市場が整備できておらずリスク許容度が低い生産国では、銀行が比較的安価な取引費用と低リスクで利用できる資本を融資してくれるセクターがいくつかあるようだ。

農家の考え方

小規模農園の農民は、たとえどんなに貧かろうとも、威厳と欠陥を兼ね備えた生身の人間だ。彼らを見下している者たちもいるが、彼らは孤児や迷子犬のような百パーセント庇護すべき人物ではない。複雑な人間であり、不利な社会力学や無関心、貧困、暴力のはびこる環境のせいでそうした立場になっている。都市の拡大と産業の近代化によって多くの人がますます疎外されるようになり、外部の者たちに騙され、借りているものを奪われてしまう人々がいる。その一方で、騙されて高コスト高収量をあてがわれ、必要とする材料が多い、自分たちに不向きな農業システムを導入させられる人々もいる。資源を十分に持たない人々のなかには、絶望することに慣れてしまい、自己憐憫と、生活におけるすべての不愉快さや不満を吐きだすことに慰めを見出している者もいる。彼らの苦しみのすべてではないにしても、その幾ばくかはいわゆる「システム」のせいであるというのは本当のことだろう。外部の人間が貧困地域のコミュニティを観察する場合、そうした彼らを状況の犠牲者か状況の原因かのどちらかに分類するのは簡単だ。繰り返しになるが、ここまで見てきたことからわかるとおり、真実は灰色で、微妙で、複雑だ。

彼らに支援や機会を提供する外部の人間にとって、無感覚や無関心のせいでプログラム自体がうまくいかないとき、支援する人たちは強い不満を覚えるだろう。彼らの状況を改善するために努力する機会を与えても、たいした資源もない生産者たちは、現状を変えようとはしない。しかも、こんな田舎にいることを正当化し、自分たちが受けて当然と思うものをだれかがやってきて与えてくれるのをただ待っているばかりで、人に何かしてほしいと頼みもしない。そして、簡単な指示に従わなかったためによい結果が出なければ、またいつものように、システムに騙されたと言うのだ。

植民地の遺産

とはいえ、この世界観は何世代にもわたって軽んじられてきた結果なのだろう。パワーポイントとpHメーターを使って、根深く染みついたこうした体質を数週間で打ち砕くのは難しい。とりわけ無法の辺境地域で、著しい逆境のなかで暮らし、そうした状況に対して一生無力なままできた資源の乏しい人々は、経済や商売にかかわる決定に対して生存第一の短期的な見通ししか持たない傾向にある。外部の人間が、こうして軽んじられてきた小規模コーヒー農家を理解するためには、熱帯商品〔熱帯地域で生産され、先物市場で取引される商品〕の歴史を理解しなければならない。リック・ラインハートによれば「基本的なビジネスモデルが、ただ同然の土地とただに等しい労働力を利用することを基本に構築されたことは否定できない。この基礎のビジネスモデル（としての採取）は（略）市場の構造、様態、姿勢、指向、感性に影響を与えてきた。これら商品取引の開始時点に（生産者が軽んじられる）根本的原因があることを否定するのは無意味であり、恥ずべきことである」という。[551]

ほとんどのコーヒーの生産コミュニティのような、不平等で社会的流動性が低い半封建的社会では、将来の見通しや自身の前途への考え方は変わってくる。リック・ラインハートは、あまり議論されることのないこの力学を鋭敏に理解している。彼は「多くの人々のあいだに世代を超えた無力感が漂っていて、（略）これはこれまでも、これからもいっこうに変わらない。そして、それは不当に見えるかもしれないが、不公平は何世代にもわたってこうした生き方をしてきたことによる」と主張する。[552] このような考え方は、経済的機会や社会的流動性を確保しやすい高所得層に属する人々には理解しがたいものだろう。「起業家精神に対するアメリカ人の見方の基礎となっている考え方は、移民と勤勉と忍耐の報酬がアメリカ農民の生得の権利である、というもので（略）、彼らは階級構造を超えて完全に流動的だった。植民地経済で定義された階級構造も、帝国経済の階級構造も持たなかった。（略）十世代ずっと抑圧され続けてきた人たちが将来の展望について信じていることと、十世代のあいだ絶えず目の前にチャンスがあった人たちが将来に対して信じることとでは、あまりにも違いがありすぎる[553]」

植民地時代以後も、意図的にか過失からなのか、彼らは軽んじられ続けてきた。地方の農民は教育やビジネスから遠ざけられ、社会的に発展することができなかった。構造的な蔑視と排除は貧困と絶望の原因を説明できるが、その言い訳にはならない。資源に乏しい地方の住民は現代経済に積極的に参加するためのツールを欠いている。それが、強力なサプライチェーン関係者が優位を保てている理由である。しかし、彼らは逆境を克服するために利用可能なツールを使って、ともかくもできるかぎりのことをやるほかない。

コミュニティのメンバーが解決策や改善の機会を提供すると、生産者はそうしたツールを有利に使えて利益を生み出せるようになる。最善の解決策とはコミュニティの内側から出てくるものだが、外部の人々もアイデアを練り、過去の過ちを正すために援助の手を差し伸べている。たとえば、見境なく助成金を出したり憐憫からの施しの形で無責任になにがしかを提供するものもいれば、能力を伸ばしたり弾力性のあるサプライチェーンを構築したりするものもいる。いかなる努力もせず、いかなる変化も受け入れずに、生産者（あるいは他のだれか）にたまたま生じた利益（二〇一九年十一月から十二月のC価格と米ドルの同時高騰など）は持続可能なものではない。疎外された小規模農園の社会的・経済的状況を改善するには、彼らがそれを望み、それを実現するために足を踏み出すことしか方法はないのだ。

農家への支払を増やす——公正か謙遜か？

価値は正当に評価されるべきだ。売り手への同情と買い手優位性の認識は、コーヒーの取引と切り離して考えたほうがいい。慈善的発想から生まれたリソースの移行は、慈善の寄贈者の心に優越感を植え付け、受け手の心に劣等感を植え付け、地球の南北間〔北半球にある先進工業諸国とその南に多い低開発および発展途上諸国との関係〕の家父長制度を揺るぎないものにする。一般的に信じられているのは、収入が低く、多くの基本的なサービスを利用できない弱小コーヒー農家は、同情や寄付やあなたの古着を受け取るに値する哀れな人々である、というイメージだ。彼らは、買い手が引き取って世話をするべき迷子の仔犬ではない。実際は複雑なパズルのピースでありながら、彼らに不利に働く目に見えない権力と依存と情報へのアクセス制限という構造のせいで、貧しい不利な状態に置かれている。このような構造は、小規模な原材料供給者だけでなく、消費者や、サプライチェーンの他のリンクにかかわる多くの人にも影響を及ぼす。私たちは消費者やサプライチェーンの関係者として、彼らを哀れむのではなく、目に見えない権力構造を明らかにして理解し、その構造のせいで弱い立場に追いやられた人たちを絶対に利用しない、ということを学ばなければならない。売り手から提供された価値に惜しみなく物質的な富を付けて返しても、侮蔑と不平等の構造を壊せないどころか、その構造をもっと強固にするおそれがある。[554]

市場の歪み

ポテトチップスを買うためにスーパーに行ったとしよう。値段は〇・五〇ドルだ。「ポテトチップスにはそれ以上の価値がありそうだ。たぶんメーカーがひどいことをやっているのだ。だから私は一・八五ドル出そう、それが正義というものだ」。こんなことはありえない。人は取引が好きだ。あなたが支払う金額と得るものの価値が同じなら、良心を疑う余地などない。販売業者がメーカーに不利な取引をした結果、あなたがポテトチップスを安く手に入れられるのであれば、悪いのは販売業者であってあなたではない。はたしてそうだろうか。焙煎業者に低価格のコーヒーを供給するシステムを使わせないようにして、それが正義だからといって自発的にもっと支払うよう求めること、問題の本質はここにある。焙煎業者や小売業者が、公平なやり方でコーヒー豆の取引をしたいと考えているのに実際にはそれができない場合、選択肢はごくかぎられている。価格の透明性は最初の一歩としては上出来である（後に詳説する）。

貧困ポルノ

「彼ら（売り手）がコーヒーに未開と貧困の匂いをまとわせると、グローバル資本と商業システムに参加しようとする生産者の姿を浮かび上がらせるより、製品の価値は上がるようだ[555]」とペイジ・ウェストは、否定的なイメージを利用してコーヒーに価値を付加する手法を説明している。こうして「消費者は、コーヒーが貧しい農家の夢の実現に貢献していると考える」[556]。他者の貧困が「象徴的なリソース」として利用されるわけだ[557]。それを分解して分析すると、かなり邪悪に見える。確かに、この種のマーケティングを実践したり、それに引きつけられたりする人は多いだろうが、彼らは無意識のうちに、あるいは自分が相手を見下していることに気づかずにそれをおこなっている。優越感と劣等感についての文化的な見方というのは、ある程度、無意識のうちに身についている。人々はこうした考えが存在することにさえ気づかず、天が上で地が下であることを認識しているのと同じく、それが間違っているかもしれないと考えたことが一度もない。人々がこうした心理的なものを自然に受容していることは理解できるし、許容できはするが、人々が互いに結びつき、共感を抱いて関係していくためには、こうした前提を見極めて検証することが重要だ。「貧困ポルノが、より優れた権限を持つ立場にある欧米で大きな役割を演じているのは、欧米の人々が『他者を救える』のは自分たちだと考えているからだ[558]」。ここで利他主義と消費主義が曖昧な形で交差している。「この種の幻想は、社会正義のプロジェクトはコーヒー焙煎業者と小売業者が現地に行って取引をおこなうだけで簡単に達成できると言わんばかりだ[559]」

論理のねじれ

問題の支援が助成的なものであり、搾取的なものではないとすれば、支援によってもっとも恩恵を受ける人を助けるために自分の消費習慣を利用したいと考えるのは理解できる。支援をすれば生産者の状況がすべて改善されるというわけではない。深刻な人道危機が起きているからといってイエメンからコーヒーを購入することが状況の緩和に役立つとはかぎらない。いや、効果はあるかもしれない。とはいえ、援助する意味を慎重に吟味しなければならない。長年にわたり生産者に次善の状況を押し付け、標準的な価格と条件を提供してきたサプライチェーンを通じてコーヒーを購入することは少しも自慢するに値しない。

従順で軽んじられている人々への支援は、それが競争段階になると危険になる。生産者の声が悲惨になればなるほど、そのコーヒーを欲しがる人が増えていく。市場への参入が困難な生産者を探そうという熱意は賞賛されるべきだが、彼らの不幸や貧困の程度に基づいて独自の販売提案が決定されるようなことがあってはならない。さらに、これは生産者と買い手にとって「キャッチ22」〔ジョセフ・ヘラーの小説のタイトルで、不条理な規則（どうすることもできない）を表している〕的（八方塞がりな）状況を作り出す。買い手は貧者の中でももっとも貧しい人々を「助けたい」と考えている。貧困に苦しむ生産者は、収入と生活の質を改善したいと考えている。必然的に、コーヒーの買い手と疎外状況にある生産者とが商業的にうまくいった状態というのは、彼らが貧困ではなくなること、すなわち、消費者への価値提案（貧困そのもの）の減少にほかならない[560]。

仲裁者が別の個人や集団に対して抱く優越感の表出は「救済者コンプレックス」と呼ばれている。作家のマイケル・シェリダンがコーヒーの買い手を指して「白人の救世主」と言っているのがちょうどこれと符合する。パプアニューギニアのコーヒー生産者コミュニティについての豊富な研究で有名なペイジ・ウェストは、不用意な新植民地主義的な行動やマーケティングを解説して次のように述べている。「想定生産者は、(略) 慈悲深く正しい考えをするアメリカ人実業家がやって来て、資本主義の比較的優しい側面を通じて経済的平等を作り出すことを切望している貧しい農民たちだ[561]」

一ポンド六ドルのセルフィ

一般的な特徴を話すのではなく、具体的に説明しよう。競争入札《オークション》は、地域で最高のコーヒーを審査する名誉を焙煎業者に与えるために、輸出入業者がおこなっている。出品されるコーヒーはすべて、組織を担当する輸出業者の品揃えの一部であり、そこで生産されるコーヒー全体のわずか一部にすぎない。しかし、それでかまわない。輸出業者はこの地域で最高のものをすべて持っていると謳っているからだ。審査員 (審査するコーヒーの購入を検討している買い手) が献身的な社会奉仕として時間を提供し、それに続く競争入札に参加することができる。そうなると、審査がおこなわれたのは専門的な品質評価の見地からか、彼らの懐具合に応じてか、と疑わざるを得ない。オークションロットを購入するのは、サンプルを郵送するよりはるかに費用がかかる。少量のコーヒーのために移動する旅費を含めれば、一ポンドあたりの経費は驚くべき額になるだろう。かかった費用のうちのそれなりの部分が生産者の利益になるのは確かだが、それは彼らの全収穫量を考えればごくわずかでしかないはずだ。価格は、審査結果の順位にしたがって高くなるが、上位入賞したら、また次に入賞することは簡単ではない。しかし、なぜ焙煎業者はこのような少量のコーヒーのために多くの費用をかけるのだろう。興奮と、審査員としての名誉を与えられたことへの感謝、藪《やぶ》の中で何かを「見つける」物語。その心理はさまざまだろうが、買い手の常連客にとってエキゾチックに見える人物との自撮り写真や、財力の乏しい人物との通訳を介したちょっとした会話のエピソードは、利他的な調達戦略を象徴するものであり、帰社して量販の可能性を報告する際に活用されることになるだろう。

第４章

持続可能性を問う

SUSTAINABILITY

持続可能性とは何か

「持続可能性」という言葉にはさまざまな解釈がある。コーヒーの場合、しばしば「オーガニック」、「倫理的」、「責任ある」、「再生的」などの言葉と混同される。このなかには、怪しげな意味を持つ言葉もある。あるスペシャルティ焙煎業者によれば、「責任があるということと持続可能であるということとは違う。私の考えでは、持続可能とは、何かを何度でも繰り返しできるということで（略）、それが必ずしも良いことを意味するというわけではない。ある企業にとっての持続可能とは、支払う金額が減少した結果、その企業の諸経費が削減できるということを意味するかもしれない。それがその企業にとっての持続可能性なのかもしれない。それは必ずしも責任を負うこととはかぎらない[562]」。では、責任があるとはどういう意味なのか。その定義に関するコンセンサスは、おそらくどこにも見つからないだろう。

コーヒーのような物理的商品で持続可能性という場合には、本質的にその商品を必要とされる量以上を永続的に入手できることを保証する、という意味である[563]。一九八七年にブルントラント報告書で発表された世界環境開発委員会による、一般に認められている定義によれば、持続可能な開発は次のように定義されている。「持続可能な開発とは、将来の世代がその需要を満たす能力を損なうことなく、現在の需要をも満たす開発である。そこには二つの概念が含まれている。

一つは『需要』の概念、特に重要なのは、最優先されるべき世界の貧困層の需要である。もう一つは、現在および将来の需要を満たす環境の力に対し、技術と社会組織のあり方が規定する限界の概念だ[564]」

コーヒーの持続可能性を構成する要素の詳細はよくわからない。「（略）その影響を分析するための基準として用いられるVSS（Voluntary Sustainability Standard 持続可能性自主基準）全体にわたる持続可能性の統一概念は存在せず[565]」、優れた特徴を持つばらばらの基準があるだけだ。あるいは、国連の持続可能な開発目標のリストから始めるのも悪くない。組織や職員の行動について言いたいことはいろいろあるが、ともかく国連は有能な人材に給与を支払い、調査を指揮するためのリソースも豊富である。

農業には一般的に、定義として三つの柱が含まれている。すなわち、経済[566]、環境[567]、社会である。これら三つはどれも生産的な持続可能性、つまり製品の永続的な利用可能性を確保するために必要となるものだ。コーヒーの取引という文脈では、「持続可能性」の意味するものが、あらゆる利害関係者（収穫者、貿易業者、バリスタ、水資源、樹木、鳥類など）の総合的な幸福を、過去に悪化した状態からの回復という目標をも含めて確保することであるならば、その特異性は「再生的」、「回復的」、「修復的」などの言葉によって補われるべきだろう[568]。

回復力も持続可能性の基本的な要素だ。現在の文脈に鑑みれば、持続可能性を実現するための条件が満たされるだけでは不十分だ。真の持続可能性とは、将来の想定される状況にも耐え得るものでなければならない。サプライチェーンの文脈での回復力《レジリエンス》とは、「潜在的脆弱性を軽減し、混乱に対して抵抗できること」と定義される。[569] 小規模農園にとってのコーヒー栽培の経済的生存能力は、支払われる国際価格と深くかかわっているが、その一方で、気候変動に対する回復力が今後数十年間でもっとも差し迫った問題となるかもしれない。世界の需要は、現在の、そして近い将来に予想される供給の伸びをはるかに超えて増加すると予想されている。[570] 現在の生産動向から考えて、将来的にはブラジルの年間生産量に相当する不足が生じ、価格が大幅に上昇すると言われている。[571] もし何らかの手を打たなければ、多くの小規模農園は物価が改善するまで持ちこたえられず、土地を去ることになるだろう。[572]

持続可能性に関するどんな議論も、その範囲をきちんと定義する必要がある。コーヒー会社が世界の生産コストの半分以下の価格でコーヒーを購入することは、少なくとも中期的には持続可能かもしれない。しかし、それでは世界の生産者の半数にとっての持続可能でしかない。工場が有毒廃棄物をそばを流れる川に排水することは持続可能かもしれない。彼らがそれを続けられない理由はない。しかし、下流の漁師やその有毒な魚を食べる人々にとっては持続可能であるわけがない。それなら、持続可能なコーヒーはどのように定義されるべきなのか。それは誰にとって持続可能なのか。急な傾斜地で日なた栽培されたオーガニックやフェアトレード認証のコーヒーは、硝酸塩で汚染される心配がないために近隣の河川にとっては持続可能かもしれない。しかし、過去に例がないほどの豪雨で地滑りが起きて土砂に埋もれてしまうようなことになれば、傾斜地のふもとにある町にとっては持続可能でもなんでもない。一般的なコーヒーのバリューチェーンについて見てみると、持続可能性のなかには世界中のすべての直接的および間接的な利害関係者が必ず含まれなければならない。しかし、そうなると、持続可能性などというものが存在する余地はなくなるかもしれない。宇宙に存在するすべてのオーガニックコーヒーをもってしても、地球温暖化の危機から北極熊を救うための役には立たない。この複雑で広範に及ぶ考え方は、ツイートやスローガンにするのが難しい。

なぜコーヒーの心配をするのか

私たちがコーヒーを楽しみ、愛し、そしてコーヒーがサプライチェーンのさらに先で私たちの多くに仕事を与えてくれるという事実は脇に置いて、農家の幸福が私たちのおもな関心事であり、コーヒー栽培で生計を立てるのが難しいことであるなら、私たちはなぜコーヒーがなくなることを、とりわけ中米やアンデス地方や東アフリカなどの生産費用が高い地域で栽培できなくなることを心配するのだろう。多くの生産者にとってコーヒー栽培をやめることがいちばん良い策なのかもしれない。また、コーヒーが農家に充実した仕事と生活を確実に提供し続けることが、業界にとっても地球環境にとってももっともよい策なのかもしれない。「高地のアラビカコーヒー栽培は、原生林や他の動植物相と共存するもっとも持続可能な農業のひとつと言えるかもしれない。原生林がいいにこしたことはない。しかし、コーヒー栽培が時代遅れになって地価が下落したとき、予想される結果というのは、農園が急峻な不毛の牧草地に戻り、牛が放牧されるということだろう。それはもっとも低リスクで、持続可能性がもっとも低い土地利用法のひとつである。[573] 多くの地域で、コーヒーに代わる農業は牛の放牧だと考えられているが、これが環境的に持続可能性の低い土地利用法であることは明らかだ。「コロンビアでは、大規模畜産が農地の八〇パーセント（三四〇〇万ヘクタール）を占めている[574]」。コーヒーがうまくいかなければ、この数字は確実に大きくなる。

地方開発

コーヒー経済は世界中の約二五〇〇万人に生計をもたらしている。コーヒーは地方経済の重要な原動力であり、コーヒーの持続可能で安定した世界貿易は、コーヒーを栽培する地方コミュニティの生活の質と安定の基礎なのだ。コロンビアでは、コーヒーは農業雇用の三〇パーセントを占め、地方住民の二〇パーセントの主な収入源となっている。ホンジュラスでは、数字はさらに顕著な事実を示している。コーヒー産業は、経済活動に携わる人口全体の二五パーセントの収入源を占めている。[575]

地方から都市への移住

地方から都市への移住は、ここで適切な意見を言うことのできない複数の研究分野を含む非常

社会問題	食糧不安
	栄養不良
	劣悪な教育・医療環境
	年金不足
	ジェンダーの不平等
	老齢農家のコミュニティ
	移住者・若者のコーヒー生産からの離脱
	制度や適切な管理の不足
経済問題	生豆価格の変動
	為替レートの変動
	コーヒーの実質価格の長期的下落
	市場情報不足
	製品情報不足
	生活費の上昇
	コーヒーの木の寿命
	不明確な土地所有権
	利用可能な保険やヘッジの不足
	地方または農業組織によるサービスの不足
	生活費に満たない収入
環境問題	森林破壊
	生物多様性の損失
	土壌の侵食・劣化
	農薬の不適切な使用
	水の供給状態と水質の悪化
	排水処理の限界
	コーヒーの害虫と病気の蔓延
	気候変動

ルイ・サンパー、シオマラ・キニョネス＝ルイス（2017）
「コーヒー業界の均衡のとれた持続可能性を目指して」資料 6.17

図4-1　小規模コーヒー生産者が直面する諸問題

に複雑なテーマだ。あえて言えば、それは必ずしも悪いことではない。地方に住んでコーヒーを栽培している人が、都市に移住して別のことで生計を立てたいと考えている、そのどこが悪いのだろうか。この決断になんの問題もない、転職したければ転職すればよい。しかし、経済的絶望や身体的迫害によって移住を余儀なくされる場合、離れていくコミュニティと新たに加わるコミュニティに影響を与える。コーヒー栽培は価格が変動しやすく安いため、生産者は飢餓や不安、将来が見通せない状態を耐え忍ばなければならなくなる。価格の低い時期が続くと、より安定した収入を得て生活水準を上げたいという希望を抱き、土地を捨て、都市に移住する農民が増える。[576]

コミュニティの離散と消失

小規模農園を軽視するせいで、家族経営の農場労働力を大規模な輸出指向農場の賃金労働へと振り向けることは、地方の人々を「土地を持たないプロレタリア労働者」に変え、農村部の世帯を地理的に分断することにもなっていく。センタボ〔ペソの一〇〇分の一の通貨単位〕を懸命に求めて村から人がいなくなったことで、「コミュニティを結びつける道徳的合意と互恵的利他主義は損なわれて死滅していく[577]」。

自立の終焉

農業は、多数の地域にある農村部の貧困層が自立と成長・進歩の可能性とを達成するうえで唯一の実行可能な選択肢だ。土地を失って農業産業に従事するために村を出て行けば、より安定した給与収入を手に入れられるかもしれないが、ほとんどは将来的な収入の増加が期待できず、給与に縛られた生活の質しか得られない。経営や品質の改善が販売価格の向上につながるとしても、従業員がその利益を享受することはない。[578] 元農民が都市部で仕事を探すことを余儀なくされたら、都市部の低スキルの雇用分野では農業や農業経営の知識経験が評価されないため、彼らは最低レベルの仕事しか得ることができない。

多国間コーヒー農民移住

少なくとも最初の頃、移住は家族による計画ではあるが、別の種類の依存心を生むことになりかねない――つまり、自分の生活が「遠方のつながりのない『他者』に左右される」という感覚である。[579] その「他者」とは雇い主であり、その寛大さや無知のゆえに私たちに繁栄をもたらしている成功者だ。彼らは模範的な存在か憤りを生む源になり得るし、あるいはその両方になるかもしれない。

中米の農村部から都市部へ移住する場合、繁栄の源（移住せざるを得ない貧困の原因のひとつだと主張する人もいる）は外国人だ。この場合、アメリカ合衆国に集中する世界的な娯楽産業も、移民とその親族が依存する「他者」の性格づけに一役買っている。「（略）西側メディアの世界的な普及は、地位と価値に関する昔ながらの考え方を破壊し、個性を生かすという進歩を取り入れていく役割を果たした[580]」

個人は、特に比較的貧しい人々は、以前には「意識の届かぬところ」にあったライフスタイルや製品を西側メディアを通して目の当たりにしている。[581] そして彼らが強く感じるのは、自分たちが持ってもいないし経験もしたことがないもの、そんなものがあるとは知りさえしなかったものがこの世に存在する、ということから来る劣等感や不利益感なのだ。しかし、このようなメディアのあり方に対する考え方が小規模コーヒー農家の生活と本当に関係しているか否かはともかく、彼らの抱く感情や状況変革に対する動機の強烈さは現実にあるものだ。

農村部から都市部への移住は、多くは他国間にまたがるものだが、経済的絶望を原因としてではなく起こることもある。ホンジュラスのある町からアメリカ合衆国へ移住していく人々に関する研究では、移民は必ずしも極貧の人々というわけでなく、あらゆる社会階層の人々が含まれ、その多くが「より良い生活」や「機会」を求めていたが、目的のあり方はまったく異なっていた。[582]

家庭問題

一般に、人々は農場の収入を補填する現金を獲得できる仕事を求めて農場を離れる。二度と戻らない人もいる。戻ってくる人もいる。[583] 薬物依存を抱えて都市から戻り、家庭内暴力問題を引き起こす人もいる、と述べる研究者もいる。

脆弱なコミュニティ

家父長制文化が支配的な社会では、男性リーダーのいない家族やコミュニティはさまざまな脅威に対して脆弱である。家族やコミュニティに結束力がないことに乗じて、資本家が入り込んできたり、商業的農業や採掘活動のための土地強奪が起きたりすることがある。搾取者や少年を仲間に引き入れるギャングなどの犯罪者もこのような状況を利用する[584]。

コーヒーの取引方法やそれが生産者のコミュニティに与える影響といった問題はあるが、コーヒー栽培は多くの農村にとって相対的に見れば良好な経済的選択肢であり、歴史的に繁栄をもたらしてきた。コロンビアでは、「コーヒー生産地域では、これまで国内の他の地域に影響を及ぼすような政治的暴動が起きることが比較的少なかった[585]」。

地方からの移住者を取り巻く都市の貧困

小規模コーヒー農家の人々には、都市部で良い仕事を得る能力がないことが多い[586]。にもかかわらず、ラテンアメリカとアフリカの大都市の大半は、過去数十年にわたる大量の農村部から都市部への移住者のためにすでに崩壊寸前だ。その都市には、これ以上人々を受け入れるために必要なインフラ、公共サービス、雇用機会がない。これを合理的に説明することはできない。「救命ボートの倫理」の話を思い出してほしい。ボゴタには一二〇〇万人が住んでいて、数人から成る一家族すらもはや入りこむ余地はない。

発展途上国の急激に膨張する都市を守っていくうえで、新移住者に公共サービスを迅速に提供するのはたやすいことではなく、彼らを見つけ出すことさえ難しい。国勢調査や世帯調査では、特に都市部においては、一時的に居住している未登録の移民は見逃される[587]。女性の場合、「男性よりも農業以外の非正規分野で雇用されることが多い」ため、状況はさらに困難になる[588]。元農民は都市部の製造部門で職に就くだけのスキルを持たないことが多く、また、そうした職もなくなりつつある。都市部では工業化と経済成長が進むにつれ、労働力は削減され、創出される雇用機会も減少し、選択できるものといえば非正規の商業・サービス部門にわずかに残るだけだ。ある報告書によれば、「都市部ではすでに人が多すぎて仕事が足りなくなっている[589]」

土地の分配と集中

農業を仕事にするならば、土地がなければ何もできない。土地がなければ何も栽培できないからだ。土地は非常に重要なツールだ。有限だが、住居、生計、食料をもたらしてくれる。人類は土地のために文明の始まりから戦い続け、今もやむことがない。これは少しも驚くべきことではない。しかし、著しく不平等なポスト植民地社会では、公平な戦いができない場合が多い。「土地は有限なために、どんなものよりも価値がある。金には実体がない。金を作り出すことはできても、土地を作り出すことはできない」とマーティン・ディードリッヒは言う[590]。

たいていの場合、土地所有権は少数の裕福な人々に集中し、彼らは市場へのアクセスに恵まれ、非常に肥沃な土地を所有している。「人口の大部分が農村部に居住する国では、農業生産システムはますます大規模な機械化農業に依存する傾向が強まっており、信用貸付や技術の恩恵を十分に受けられず、これが干ばつや気候変動に適応していこうとする小規模農園の人々に重い負荷となっている。地方から都市への移住は、このような変化の結果であり、都市化が進む重大な要素になっている[591]」

ラテンアメリカにおける土地分配の不平等（と経済的不平等）は、世界のなかでも最悪の部類にあり、生産性の高い土地の半分以上を一パーセントの農場が所有している。つまり、その一パーセントが所有する土地の総面積は残り九九パーセントの合計面積よりも大きいのだ[592]。「（ラテンアメリカの）農地改革のプロセスは、土地所有権の持続的変革を達成していない[593]」

一九六〇年代、土地改革と再分配は大きな関心事だった。土地をより多くの個人の管理と所有下に置くために、多くの賞賛に値する努力がおこなわれたにもかかわらず、地域レベルでの土地集中は六〇年代よりも現在のほうが悪化しており[594]、厄介な現象のせいでラテンアメリカの農村部における不平等な封建的構造が維持され、さらに悪化している。

失敗した土地改革の極端な例には次のようなものがある。「一九五二年、民主的に選出された二人目のグアテマラ大統領ハコボ・アルベンツが封建制に終止符を打ち、マヤの人々に土地を分配することを目的に農地改革が開始された。これは地主や米国のユナイテッド・フルーツ社などの企業に直接影響を及ぼすことになった。二年後、米国の後盾を得た軍事作戦によってその改革は暴力的に阻まれ、グアテマラの歴史の流れは変わり、三二年間にわたる血なまぐさい独裁政権が始まった[595]」

少数の富裕層の手に土地が集中する一方で、同時に家族の分散はさらに進む。一族の慣習からコーヒー農園は縮小し、家族の扶養が難しくなる。コーヒー栽培をおこなう多くの地域では、土地の相続は通常、息子と娘、あるいは息子だけで分割される。たいていは、相続人が生計を立てられるほどの土地は残らず、収入を補うために別の仕事を探したり、家族農園を手放したりする人も出てくる。[596]

変動による集中

小規模のコーヒー農家は収穫まで借金を抱えていることが多いが、不作や価格低迷から返済ができなくなって破産することがある。このような場合、貸し手が土地の所有権を取り上げることになり、無条件で土地を購入することが多い。その結果その土地は、不作でも流動資金を持つ大地主の手に渡る。[597] そして、比較的平等主義的だった自作農コミュニティは、賃金労働者と地主からなる資本主義的階級社会に変わっていく。この状況は小規模農園の主権やバリューチェーンの将来的な発展可能性には好ましいものではないが、短期的には、今すぐ給料が必要な労働者にはより確固たる経済的安定を約束するものだ。

生産性

農地所有権のより公平な配分は、土地と労働力のより高い生産性、より効率的な資源配分、よりいっそうの経済的平等、より多くの農村部雇用をもたらし、その結果、農村の貧困状態を改善する。[598][599]「小規模農業はエネルギーの使用効率に優れ、大規模農場よりも単位面積あたりの生産量が多く、そのため環境負荷も少ない」[600]。小規模自作農の保有する土地が増えれば、環境面での配当も得られる。「先住民の土地所有権を確保することは、森林保護に恩恵をもたらす低コストの投資である。実際、これは二酸化炭素回収・貯蔵戦略と比較して、費用対効果に優れた気候変動緩和策である」[601]

混乱と暴力

土地をめぐる争いは暴力的になることが多い。それは土地を失ったことで経済的にたちゆかなくなって引き起こされる社会状況だ。この残酷な闘いが苛烈な場所はコロンビアだろう。「土地と紛争の関係は現在、コロンビアで顕著に現れている。ある報告書のデータ分析によって、コロンビアにおけるもっとも不平等な土地分配が明らかになった（略）麻薬密売業者と民兵組織は、コカイン密売から得た利益の一部を土地購入につぎ込んでいる。彼らは現在、国の総面積の一五パーセントに相当する約五〇〇万ヘクタールを所有しており、油ヤシのプランテーションや牛の牧場を設立している」[602]。二〇一五年に暗殺された一八五人の活動家のうち一二二人はラテンアメリカに居住し、「そのうちの四〇パーセント以上が土地や領土、環境、住民の権利の防衛に関係していた」[603]。

土地がないことで引き起こされる絶望や自暴自棄から暴力や犯罪は生まれる。「もし農民がコーヒーから合理的な収入を得ることができなければ、コカイン栽培に手を出したり、新たな武力戦争に巻き込まれたりすることになる」[604]。コロンビアのある研究では、商品価格は暴力の発生率と相関し、農産物価格が上昇すると紛争が減少する現象が見られる。[605] 価格が下落し、人が職を失ったり賃金が減ったりすると、より多くの人が自暴自棄に陥り、武装活動に引き込まれやすくなる。天然資源の栽培品の場合は逆の関係が成り立つことがわかっている。価格が上昇すると、紛争も増加するのだ。[606] 仕事のない人々は、金があることに気づけば、そこに引き寄せられる。その結果、天然資源を管理している、あるいは管理したいと考えている人々は、天然資源へのアクセスを獲得し維持するために民兵組織や傭兵グループを雇うことになる。[607]

貨幣化

最近の世代では、かつて自給自足していた社会が、暮らしていくために貨幣経済（お金の使用）に依存して、農場や町の外で、さらには国外で生活を維持するような社会になった。かつて人々は食べるために農耕していた。その後、育てたものの一部を売って食べ物以外のものを買うようになった。そして十九世紀には、必ずしも自分たちが食べたいわけではないものを栽培し、それを売って貨幣に換え、その貨幣を使って食料を買う人たちが現れた。[608] 土地があるのに、人はなぜ食料を買うために金を得ようとするのか、と不思議に思う人がいるかもしれない。農家は換金作物を販売することで、自分たちが必要なすべての食料を賄える以上の貨幣を手に入れることができ、さらに他の商品を購入できる余剰金も得られるからだ。サプライチェーンの国際化が進み、多くの関係者に依存し、世界の商品先物市場、為替レート、原材料の市場や通貨価値などの要因の影響を受けるようになってから、人々はひどく弱体化し、セーフティネット（食料）さえなくなってしまった。

農家がおもに換金作物を生産する場合、食料を含むすべての必需品の入手をその販売売上に頼ることになる。換金作物が不作だったり売れなかったりして換金作物から十分な貨幣を稼げなければ、食料を含むすべてが入手できなくなる。あなたが遠く離れた都市の資本主義的投資家であれば、コーヒー農園でどれだけの新鮮なオレンジが入手できるかについてまったく気にかけないだろう。あなたが気にかけるのは利益だけだ。そのような利益追求者が所有する農園では、植える意味があるのは換金作物だけだ。しかし、自作農家は、換金作物とそれが作り出すはずの利益に完全に依存しているため、食料の面でも、確実な保証のない弱い立場に置かれる。

投資が換金作物生産の輸出に流れる場合、地元消費のための食料生産への投資には容認できない機会費用が必要になる。つまり、輸出作物に投資すればより大きな収益が得られるので、まっとうな投資家ならほかには投資しないということだ。[609] 食料が地元で生産されなければ、他の地域や国から輸入される食品価格は上昇する。食料が他国から輸入される場合——腹立たしいことだが、その多くは特定のコーヒー生産地域にあることが多い——地元価格は為替レートに依存する。コロンビアは世界でもっとも食料依存率の高い国の一つであり、「農業に使用される総面積八五〇〇万ヘクタールのうち七一〇〇万ヘクタールを、輸出用に生産される広大なコーヒー、アブラヤシ、サトウキビのプランテーションが占めている[610]」。

世界市場が変動するにつれて、食料価格は現実的に農場労働者の固定賃金では手の届かない水準に達するおそれがあり、そうなればこのもっとも肥沃な土地が広範な飢餓に襲われることになりかねない。この輸出換金作物に完全依存するコミュニティは、砂上の楼閣である。

農業が家族の唯一の収入源である小規模農園にとって、外貨収入に依存せざるを得ない農村貨幣経済では、不安定な換金作物市場から入る現金が命綱だ。[611] 彼らがお金を必要としているのは、自分たちが栽培しなくなってしまった食糧を手に入れるためであり、自律的農業を実現する材料を購入するためなのだ。季節性の飢餓は大きな問題であり、特にコーヒーのみを栽培し、年に一回だけ収穫する地域では飢餓の状況は深刻だ。[612] 販売価格が原価を下回れば、家族が生きていくための資金が底をつき、最悪の場合には次の収穫サイクルに費やす資金もなくなる。このようなやり方で生産を続ければ、資源の乏しい小規模自作農は極めて弱い立場に追いやられる。彼らの利用できる信用貸付はほとんどないか皆無のため、高利貸から借金する可能性が高い。[613] 高利貸の一般的なやり口を考えると、次の収穫時に天候のせいで不作だったり市場の販売価格が低かったりした場合、農家は農園を失いかねない。

収入の多様化と創造的な回避《ヘッジ》戦略は、依存と脆弱性を最小限に抑える手立てになり得る。生産者は、実在するかどうかは別にして、コーヒーのより安定した市場を探すことができる。彼らは、コーヒーより安定した市場、あるいは少なくとも、変動がコーヒーとは相関しない市場を持つ別の作物を栽培することで生産を多様化させ、収入のない状況を減らすことができる。さまざまな気候耐性を持つ作物を栽培すれば、異常気象でコーヒーの収穫が損害を被っても、ほかの作物は損害を受けない状況を作り出すことができる。利益の最大化をめざす大資本の農場では、収益性の高い作物からの撤退は機会費用と見なされるが、リスクの最小化という観点からは、農業産業主義者より小規模自作農の人たちにとって価値がある。

立場の弱い小規模農園は循環経済の手法を取り入れることで、生産費用だけでなく生活費用の削減をも推進することができる。たとえば、バイオダイジェスターを利用して、コーヒーや動物の廃棄物・排泄物からメタンを発生させ、調理用ガスや薪の代わりに使用する。池を造って魚を育てたり、堆肥を作ったりする。豆のような一時的な窒素固定力のある作物を循環させることができる。小規模農園に特有のニーズ、脆弱性、リスク許容度によく適合した多様な農園経営のやり方は検討に値する。

特殊化と多様化

比較優位にしたがえば、だれもが自分の得意な分野のことをもっとも効率的におこなうべきである。そうすることで自分の作れる最高のものを作ってより多くの金を稼ぎ、自分で作る以上に多くのものを買うことができる。この考えは理にかなっているが、たとえ完全に実行できたとしても、少なくとも下位九九パーセントにとっては、疑わしいことが多く、場合によっては悲惨なことにもなる。「バナナの輸出経済から裕福になった生産国は存在しない。(略)問題は、各国が輸出によって生じた利益をどのように利用するかにかかっている」[614]。比較優位を利用して生産された製品を輸出することは必ずしも悪い考えではないが、不確定な要素が多いために多様化が重要になる。ここが多くの人が進むべき方向をまちがえるところだ。輸出用の換金作物の生産は、生計のために外部の関係者と貨幣経済への依存をも生み、そのため、農家が耐えなければならないリスクの一つに為替レートが加わることになる。[615]「コーノ・スール諸国〔アルゼンチン・ウルグアイ・パラグアイ・チリよりなる地域〕の経済は、輸出で得た利益を非輸出経済や他の種類の輸出に再投資したが（略）、中米諸国は同じ分野にのみ投資し、経済を多様化させなかった。さらに、以前から存在した土地と所得分配の極端な不平等によって人口の大部分がバナナ輸出の恩恵を享受することができなかった[616]」。当然のことだが、少数が生産要素の大多数を支配するところで特化を推し進めても、階級の流動化や富の平等な分配には繋がらない。

食料の安定と収入の多様化

ここまで述べてきたように、もっとも多くの貨幣を稼ぎ出す作物に特化した収益化換金作物経済では、食料生産の優先順位は高くないことが多い。コーヒーが儲かれば、農家は家庭菜園でもう少し多くコーヒーを栽培して利益を得ることができる。つまり、食料を買った後でも、これまで以上の貨幣が彼らの手元に残ることになる。収穫量が少なかったり販売価格が低かったりして、コーヒーの販売で利益が上がらなければ、ほかの野菜を栽培していた家庭菜園を潰してコーヒーを栽培していた場合には、金も食べ物もない状態になる。食料を購入するための通貨が足りなくなると、小規模農園の家族では入手できる食料の種類は少なくなり、栄養価は低くなる。このような場合、子どもを含む家族は、低コストのカロリー（炭水化物）をより多く摂取し、適切な成長と行動に必要な他の栄養素の摂取が不足しがちになる。[617]

また比較優位によって、「米国からの安価な穀物の輸入は、穀物生産の収益性を劇的に低下させ[618]」、コーヒー生産コミュニティではある種の食品が安くなり、自分たちの食用作物を栽培する意欲がさらに失われた。米国政府による米国政府の穀物生産補助金によって引き起こされたこの不公平な競争は、市場を歪め、穀物農家から仕事を奪い、コーヒー生産地域の農村コミュニティでは外部依存と食糧不安を引き起こした[619]。

業界、政府、NGOが進める価格プレミアムの上昇や、コーヒーの差別化に向けたあまりにも視野の狭い取り組みは、小規模コーヒー生産コミュニティの食料不安の根本原因、つまり単一作物と貨幣経済への依存を解決するのに少しも役に立っていない[620]。

かつてのコーヒー生産システムはもっと多様で、そこには家族が食べるための作物もたくさん含まれていた。マリオ・サンペールによると、「コーヒー多様性」は、コーヒーによる作物の多様化を補完するものであるべきだという。ニカラグアでは、一九九九年から二〇〇一年にかけての極端な不作のため、多くの家族が自家栽培したものだけを食べていた。当時の小規模農園は家族が通常消費する食料の半分以上を栽培したという[621]。しかし、二〇〇二年、ホンジュラスではコーヒー価格の低迷が「干ばつの影響と相まって、三万人の人々が飢餓に苦しんだ[622]」。自分たちが食べるための食料生産は重要な安全策だが、自分の土地を持たない農村部のコーヒー労働者には無益だ[623]。

焼畑、すなわち移転農業は古代からおこなわれてきた伐採の様式で、通常は森林地域を焼き、数年間栽培し、その後、耕作していた期間の二、三倍の期間で回復させ、その間に他の地域を耕作するという手法をとる。このやり方は人口密度が低い地域でのみ持続可能である[624]。つまり、一度に耕作されるのは、利用可能な土地のわずか三分の一か四分の一にすぎない。人口が増加すると土地が不足し、より多くのカロリーが必要となり、耕作地の休眠期間が短くなる。このため森林は破壊され、土地は痩せ、浸食が生じ、作物収量が減って生産コストが増加することになる。輸出し換金するための作物を生産する目的で収益化・グローバル化が進められた世界では、地域の人たちが生きるためのカロリーを追求することは、農業を強化するための動機ではなく、むしろ農業をしない場合の財務上の機会費用である。これは、土地を支配する者たちが限界まで換金作物を栽培した結果である。

仲介者の必要性とサプライチェーンによって制限される多様化

卵をそれぞれ違ったカゴに入れて、収入源を多様化し、さまざまな食料や換金作物を栽培するというのは素晴らしい発想だ。しかし、換金作物を現金に換えるためには、それを人に買ってもらわなければならない。コーヒーの価格は品質にかかわりなく、その場にいる買い手と、提供される品質を彼らが欲しいかどうかによって決定される。この状況を変えるために小規模生産者にできることはほとんどない。彼らの力では、より高い値段を付けてくれる差別化された市場を効率的に開拓することは不可能なので、生産者主導かどうかにかかわらず、優れた仲介者が必要となる。多くのコーヒー生産コミュニティは（コミュニティから）コーヒーのみを輸出し、それ以外のあらゆるものを、卵や果物など自分で作れるものさえも全面的に輸入しているが、それはコーヒーの価格が良い場合にはほかのことをする意味がないためなのだ。コロンビアのトリマにあるプラナダス（コーヒー生産が多数を占める地域の中心地）のコーヒー生産者が、鶏卵生産用の鶏小屋を作って収入を多様化することに決めたとする。頑張れば町まで行って卵をダース単位で売りさばくことができるかもしれない。しかし、プラナダスから出荷される卵のサプライチェーンは残念ながら存在しない。その代わり、毎週地元のトラック隊がパーチメントを積んで出発し、包装された食品を積んで戻ってくる。小規模農園の生計は、そこを経由するサプライチェーンによって決定される。

ルワンダの食料不安

ルワンダの一九八〇年代のコーヒーブームは大当たりだった。ほかの作物を栽培する理由がなくなり、実際に「農民たちはコーヒーの代わりに自給作物を植えると罰せられたほどだ。その結果食糧備蓄が大幅に不足し、（略）政府の経済対策は不安定でインフラも食糧投資も不足していた」[625]。そのため、一九八九年に最初の「コーヒー危機」が起き、そこに干ばつが重なり、「食糧備蓄が払底し、借金がかさみ」、飢餓や子どもたちの栄養失調が発生し、マラリヤの壊滅的な大流行に繋がった。「医療や教育を提供する国営企業は倒産した。ルワンダの安定はコーヒー生産に大きく依存していたために、その市場が崩壊しだすと同時に、国家としての機能も崩壊した。多くのツチ族が国外に逃亡し、政治的緊張が再び表面化し、南北間の内戦の様相を呈した」[626]。この物語の続きは信じられないほど悲惨かつ残酷で、これが発端となってこの小さな国で五〇万人以上が殺害されることになる。この紛争が落とす影には複雑な濃淡が含まれ、それは詳細な研究がなされるべき問題であり、本書が取り扱う範囲を超えている。しかし、安定とは程遠いコーヒー市場への過度な経済的依存や社会的依存が一因となって、想像を絶する悲劇にまで至る凄まじい社会状況を作り出したのは明らかだ。食糧事情がもっと安定し、経済の多様化がもっと進んでいたなら、ルワンダの悲劇は起きなかったかもしれない。この問題にコーヒー経済がどの程度関係していたかは定量化できないが、歴史から忘れ去られてはならない。

世代間の連続性

生産者の高齢化とはつまり、若者が高齢者の跡を継ぐのではなく別の職業を選ぶことで起きるのだが、これはコーヒー生産の世界には顕著であり、経済的なさまざまな原因が横たわっている。コーヒーは、何世代にもわたってコーヒー生産に携わる世界の大多数の人々に経済的に不安定な生活を強いてきた。季節的な飢餓に耐えてきた親たちは、自分の子どもたちが同じ状況に陥ることを望まない。コーヒー経済が不安定なため、逆境に耐えて成長してきた若者たちは、同じ状況で家庭を持ちたいとは思わない。多くの地域で教育環境が改善されたことも、コーヒー農家の娘たちや息子たちが、コーヒー生産よりも高い報酬を期待できるスキルを持って農園を離れるのを後押ししている[627]。

若者がコーヒーと農業に興味を持つには、それが若い家族の望む生活水準を十分に達成できるような、刺激的で安定した職業でなければならない。今のところ、そうではない場合がほとんどだが、その可能性は十分にある。スペシャルティ品質の豆を生産し、エンドユーザー市場への販路を切り開くことは、適切な栽培条件と必要なツールを利用できる一部の人にとってひとつの解決策だ。もしコーヒー業界が、コーヒー原産地を故郷とする若者たちに農場に留まってもらいたいのであれば、今日の農家にそれを可能にするツールを提供しなければならない。

援助

ここで言う「援助」とは、何らかの形の「開発」を創り出すことを目標として、ある国（通常はその政府）から別の国へ提供される対外援助のことを指す。それはおそらく援助国の外交政策目標や構成企業の利益がもとになっているが、純粋に他者を救済するためにそうするものもある。あらゆることに言えるが、良い援助と悪い援助とがある。家父長主義的で依存や劣等感を助長するものもある。たとえば、ケニアのコーヒー協同組合の場合、「研修参加費を農家に支給し、無料の交通手段や食事を提供するというNGOの慣習が農家に期待を抱かせ、依存を引き起こし、ある種の農家の就職活動を妨げることとさえあった(628)」。場合によって援助は市場を歪め、持続可能な資本分配を阻み、誤った指向を作り出すこともある。

誤った指向(629)

海外援助は貧困レベルの高い国や地域に提供されるため、援助資金の一部が収入を手放したがらない意思決定者やその利害関係者に吸い上げられてしまう場合には、貧困の軽減に繋がらないという問題が存在している。海外援助の成否は、多くの場合、贈り手・貸し手によって「よい」

と見なされる政策（適切な予算管理、人権保護、民営化、貿易・投資の自由化など）の実施いかんにかかっている。海外援助では、その計画が援助団体を喜ばせるために変更され、その後で元に戻され、変更のたびに「改善箇所」を示して資金を調達し、また同時にきわめて不安定な規制環境を作り出し、挙げ句、ビジネスや日常の意思決定の過程で保守的な投資や短期目標へと落ち着いていくという、「ジグザグ」の政策が指向されることになる。

搾取的融資

各国政府に提供される海外援助パッケージには融資が含まれることが多く、国際通貨基金（IMF）や世界銀行が提供することがある。これらの融資には条件があり、資金を利用するためには新自由主義的で親西側諸国のビジネス政策の実施が必要となる場合が多い[630]。そのような措置には、民営化、財政規律、貿易と投資の自由化（規制緩和）が含まれる。こうした投資では、米ドルで支払うために強い自国通貨を維持しなければならず、それには高い利率を維持して外貨を輸入しなければならない。外貨を輸入するには、商品を輸出したり、金を使ってくれる外国人観光客を受け入れたり、海外からの直接投資を受け入れたりしなければならない。海外からの直接投資は国内産業に生命を吹き込み、雇用を創出することができる。しかし、その結果、国内産業は外国企業の支配下に置かれ、利益は外国企業が持ち出していき、国外で使われることになる。

外国資本と自国通貨の需要を繋ぎとめておくためには金利の高い状態を維持する必要があり、この結果、国内ビジネスや起業家精神が逆風にさらされることになる。これらの管轄区域の事業者には、自国ではるかに低い金利でいくらでも資金調達できる海外の大企業と競争する力がない。こうした状況にある国は、外貨収入と全体的な経済成長をもたらすために輸出が必要になるが、経済が縮小したり、海外直接投資（ＦＤＩ）を失ったりすると、自国通貨の価値を下落させるわけにはいかなくなる。これがいわゆる「黄金の拘束衣」だ。これが起こると、コーヒーのような輸出作物の小規模生産者の収入が、多くの場合、不運な緩衝材としての役割を果たすことになる。政府が自国民に不利となる決定をするとき、「所詮、自分たちでやったことだ」と言うのは簡単だが、私たちはすべての人々をひと括りに扱うことはできない。自己中心的な派閥主義政治家たちは、比較的短い政権期間中に手っ取り早い見返りや良好な目標と引き換えに、将来の世代の繁栄を抵当に入れることをいとわないかもしれない[631]。だからといって、外国人が自国を踏みにじってそのような状況を利用することを無条件に正当化してよいわけがない。

基本的に、農村開発は複雑かつ微妙であり、経験の浅い部外者には理解することはできない。金次第ですべてが変わってしまう。したがって教訓は次のとおり。もしあなたが「長い間」疎外されてきたコミュニティや資源の乏しいコミュニティに行き、金をばらまき始めれば、あなたは市長に選ばれるかもしれない。しかし、あなたが農村開発の専門家ではなく、あなたとあなたの金が置かれた状況の真相を徹底的に調査していないのであれば、あなたの金が有害無益であることはほぼ確定だ。

社会経済的挑戦

コーヒー価格の「危機」

問題は、多くの生産者が満足に暮らせる収入を得られない、という点だ。問題や課題が山ほどあるが、私たちはまず何が問題で何が問題ではないのかを見極めなければならない。関連する要因（ベトナムによる低価格競争）や市場のメカニズム（過剰供給）、実際には責任のない関係者（投資家）を攻撃したところで、時間と資金が無駄になるだけだ。

悲しいことだが、今日の世界的な商品経済で誰かがあなたより価格を安くできたとしたら、あなたに運がなかっただけのことかもしれない。商品分野では、生産費用の安い産地が勝つ。「コーヒー価格が低水準の状態が続けば、収益性の低い産地からより収益性の高い産地へと生産地が変わることになるかもしれない[632]」。コーヒー栽培が天候や害虫の影響を受けやすい少数の地域に集中すると、コーヒー栽培の世界がいまでは地理的に多様化しているにもかかわらず、供給ショックが拡大しやすくなってしまうだろう[633]。スペシャルティ品質のハードルも上がっているため、現在、コロンビアの広い範囲の地域で多く見られるように、以前は高品質だった製品が業務用商品と同等に扱われるようになり、低コストの生産者との競争に勝てなくなっている。「コロンビアのコーヒー部門の競争力はここ数年低下しており、彼らの長期的な存続可能性は、他のアラビカ生産者と比較した場合、疑わしい状況となっている」[634]

価格は市場が決定し、買い手と売り手は市場が設定した価格でやりとりする。倫理的な問題は措《お》くとしても、現在の市場価格のままでは、最終的な生産量の低下とそれに続く不足に繋がることは明白だ。[635] この必ずやってくる未来は、将来の契約期間や未公開株式の保有期間などの任意の要因があるために、現在の需給状況に織り込まれていない。なぜ誰も手を打たないのか。それはある企業が、長期にわたって経済的に持続可能なコーヒー生産が可能となる価格で支払いを始めたのに競合他社のどこも同じことをしない場合、その企業が不利な立場になるからだ。[636] 彼らは取引に邁進できるほど十分な利益を得られずに市場シェアを失うかもしれない。コーヒーショップのオープン数が減ったり、配当が減ったりしたら、投資家を失うかもしれない。これは全員が同意した場合にしかうまくいかない。しかし、全員同意などありえないだろう。

この自己破壊行為は割り勘現象と似ている。たとえば、友人たちと夕食をとるとする。あなたの予算は限られている。一人なら、安い料理を注文するところだ。しかし、請求書の金額を均等に割り勘することになっていて、同席者にも安い料理を注文させることができないなら、（料理の平均価格以上の）限界コストはみんなの支払いに吸収されるのだからと考え、ほかの人たちよりも高い料理を注文しようとするだろう。割り勘の場合、もしあなただけが安い料理を注文すれば、ほかの人たちの高い料理の費用を補助することになる。それと同じだ。

コーヒー生産に関してひとつ大きな疑問がある。それは、ちっぽけなコーヒー農園の商品はどこまで保護されるべきか、というものだ。石油などと比較してみよう。石油で金を稼ごうとしている家族に同情しないのは、石油投資はゲームであり、それで遊んでいるわけだから、負けることもあるからだ。

低価格への抗議

これまで、コーヒーのサプライチェーンに関するさまざまな問題と、ほかの商品と比べてコーヒーのもたらす利益にどのような特徴があるのか、といったことを見てきた。とはいえ、市場の基本的あり方を否定することはできないので、価値（と価値でないもの）を理解しなければならない。たとえば、もしあなたがナマズ料理のレストランを経営していたとして、ピザが食べたいからという理由で顧客がひとりも来なくなったらどうするだろう。抗議して補助金を求め、権力者に働きかけてナマズ料理のレストランで食事をとるよう人々に強制するだろうか。もちろんそれは間違っている。ピザを作り始めるか、店をたたむかの二者択一だ。どんなものでも、個人が起業して利益を得ようとすれば、ある程度の責任を負わなければならない。コーヒー農園でも同じことだ。あなたが週に一脚の割合で椅子を手作りしていたところ、それと同じ椅子をロボットで一日千脚生産する工場が現れ、その工場での生産費用はあなたの十分の一だったとする。その結果、工場製の椅子があなたの椅子の半額で売りに出された。あなたは補償や補助を求めるだろうか。不当行為だと言って中止を求めるだろうか。そんなことはしないだろう。あなたの生産コストで商売を続けるのは現実的ではないと考えるはずだ。

同様に、ブラジルの生産者が現在（二〇二一年）のＵＳＤ（米ドル）／ＢＲＬ（ブラジルリラ）為替レートで一ポンドあたり一ドルで積荷のクリーンカップアラビカを販売し、そのＦＯＢ価格一ポンドあたり一・二〇ドルで満足していたところ、エクアドルで生産されていた一ポンドあたり一・四〇ドルの同じ品質の製品が、残念なことに市場から消えた（ここでは潜在的な象徴的価値は考慮しない）。彼らには補助金が支払われるべきなのか。それとも、自分たちの競争力不足という現実を認め、何か別のことをするべきなのだろうか。このような状況では、製品に付加価値を付けて、競争に勝てるだけの製品にする方法を見つけるのもよいし、何か別のことを探すのもよい。

コーヒーの価格が高くならない理由は、競争力のない生産者に対する政府や他の団体の補助金があるために彼らが市場から撤退しないからである。需要が増加しないままで人為的に供給が膨張することになった結果、より大型で継続的な補助金の必要性も高まっている[638]。たとえば、「二〇一三年にコロンビア政府は初めて農家に直接補助金を提供し、農民の収入を増やすために六億ドル以上を供出した[639]」。部門を再活性化して競争力を高めるためのこの一時的な措置は、それ以来、二〇一八年と二〇一九年など数回にわたり実行された[640]。

コーヒー起業家は、取るべきリスクに対して責任を負わなければならないが、政府や援助団体などは生産者をわざとコーヒー依存のほうへ誘導しておきながら、コーヒーが成果をあげないとなると彼らが干上がろうとも平気で放置するので油断がならない。生産者はコーヒーにすべてを投資し、こうした団体からの融資を利用しており、ほかの生産活動に関する知識がなく、すでに百パーセント貨幣経済に生計を依存している場合が多い。もっとも簡単な解決策とは、コーヒーに補助金を出し、問題を先送りすることだ。正しい解決策とは、食料の安定と経済の多様化を通じてコーヒー依存からの脱却を進めることなのだが、こちらのほうがより複雑かつコストがかかる。

不平等

人々を取り巻く不平等と階級の問題は、一万年前に農業革命が始まって以来、その過酷さこそ異なるものの、さまざまな社会組織で顕在化し続け、その状況は現在もまったく変わらない[641]。利害関係の絡み合う世界でそれがますます無視できなくなるなか、資本家の本能のせいで世界規模で悪化していき、利潤追求行為が推進され、交渉力を利用して利益の最大化が図られてきたことが問題なのだと述べる人もいる。不平等はコーヒーのサプライチェーン内に極端な形で存在しており、まちがいなく消費国のサプライチェーン関係者にとっては悩みの種であり、生産者や原産国のサプライチェーン関係者にとっては大きな憤りの原因である。

コーヒーサプライチェーンの不平等は是正されるべきである、ということに同意しない人はいないだろう。では、どの程度是正すればよいのだろう。不平等は根絶すべきだろうか。仮にコーヒーサプライチェーンのすべての関係者――その大部分は小規模生産者――の生活と収入の水準が完全に平等になれば、消費国のサプライチェーン関係者の可処分所得が劇的に悪化するだろう。貿易業者、生豆の買い手、卸売業者が、衣服を手洗いしたり移動手段が徒歩しかなかったり、給湯器もインターネット環境もなかったりという生産者の家族と同じ水準の生活に耐えられるかどうか疑わしい。では、完全な平等を望まないとしたら、もしそれが可能だとして、どの程度の平等なら適切なのだろう。これはできれば向き合いたくない問題であり、きちんと論じようとすれば別の本が必要になるだろう。

不信

生産者たちは、都市に暮らし、自分たちよりも物資的に豊かな国のパスポートを持っている私が代表を務める団体について、私自身の提示した額以上の金額を支払えるものと思い込んでいる。私は多くの生産者より物質的に豊かな暮らしをしていて、子どもの頃から多くの教育機会に恵まれてきたことはまちがいない。しかし、だからといって必ずしもより多くの個人収入を得ているわけではない。さらに収入の多寡は、生産者が私からチップをもらえると期待しているのでもないかぎり、彼らが提供する高品質のコーヒーの販売価格や負担しなければならないサプライチェーンコストとは何も関係がない。

ペイジ・ウェストは、輸出事務所や買い手の自宅を訪れるパプアニューギニアのコーヒー農家からも同様の思い違いが感じ取れると言う。彼女は、集約地であるゴロカのコーヒー産業の労働者は「何も仕事をしていないのに、私たちの仕事の恩恵を受けている」と主張する一般的な農家の発言を紹介している[642]。サプライチェーンややらなければならない仕事全体や、必要になると予想されるコストのことを理解せずに、買い手たちはチェーン上で「金を稼いでいる」というような思い込みが存在している。また、次のような思い込みもある。価格設定に際して生産者に対する品質関連のフィードバックは欺瞞的であり、自分たちは騙されているというのだ。サプライチェーンの取引相手は信用できない、という無条件の前提を護持する生産者を守る立場から言えば、サプライチェーンの仲介業者の多くは実際に危険であり、実情を知らされない生産者の仕事の超過利潤を利用してきた。サプライチェーンに対するこの不信感は、ときに正当なものだが、ほとんどの場合、輸出事業のささいな局面に生じる数多くのいざこざの原因になっているとしか思えない。

貧困とは何か

国連のミレニアム開発目標プログラムは、極度の貧困を一日あたりの収入が一・二五ドル未満と定義している。この米ドルの金額は購買力平価、つまり現地通貨で購入できるものとの比較に基づいている。国連によれば、現在八億人以上の人と三億人の労働者がこの極度の貧困の定義のなかで生活している。もちろん、国連は人々が貨幣を使ってあらゆる欲求を満たす貨幣化社会での現金収入を貧困の根拠にしている。より包括的だが曖昧な定義は、物質的な手段よりも生活の質に関係するものだろう。貧困は許容できる生活の質を欠いている。どこに線を引くべきかを述べられる人などいない。また、国連によれば、貧困は「経済的（働いて適切な収入を得る権利）、社会的（医療と教育へのアクセス）、政治的（思想、表現、結社の自由）、文化的（自分の文化的アイデンティティを維持し、コミュニティの文化的生活に参加する権利）人権を損なうと考えられている」。

個人にとって貧困を構成するものは何か、その生活の質はどこまで許容されるのか。それは人によって異なる。物質的リソースの乏しいコミュニティを評価する外部者は、このことを肝に銘じて行間を読み、冷笑を無視して人々の声に耳を傾けなければならない。まちがっても、自分たちの欲求が他人の生活との比較においてどれだけ満たされているかを検証することで他人の生活の質を判断すべきではない。

コーヒー生産者の家族やコミュニティの貧困は軽視されてはならない。コーヒー農家の貧困は現実だ。「もし私に何かできるなら、現在のコーヒー供給業者のビジネス方法にどれだけ問題があるかを消費者に伝え、消費者にコーヒー供給業者を質問攻めにしてもらいたい」とリック・ラインハートは言う。「あなたがた（コーヒー販売者の）解決策は私（消費者）にとって好都合だが（略）、（しかし）この都合のよさには代償があり、だれかがその代償を支払わなければならない。そしてその代償が、生産者の子どもたちの栄養や教育や家族の暮らしの貧しさという形で現れている」[643]

コーヒー生産者とその家族は季節による飢えや、土地や家を失うおそれのある高利貸の脅威に耐え、ときには賃金労働者として現代の奴隷制ともいえる情況に甘んじている。「（世界のコーヒーの多くが生産される）ラテンアメリカは、世界でもっとも激しい所得格差がある地域だ。この地域では富裕層のわずか一〇パーセントが、富の七一パーセントを所有している」[644]

貧困の原因は何か

この問いに答えるには少なくとももう一冊本を書かなければならない。表面的には、二つの極端な定義が理解のための補助線になるだろう。ここ数十年間に出版された論文の大半は、この二つの定義のあいだに含まれている。ペイジ・ウェストの解釈によれば、一方の極に位置するのがデュルケム派の次のような定義だ。「貧困は人々が犯した過ちであり、個人から生じた社会問題である。人々は十分に勤勉に働いていないゆえに貧しいのだ」[645]。ウェストは、もう一方の極にマルクス主義の定義を挙げている。「貧困は、失業と財産剝奪を引き起こす資本主義システムの結果である」[646]。ここから、議論はさまざまな方向に進む可能性がある。たとえば、教育機会の不平等が貧困を引き起こし、永続させるという論点だ。苦境に立たされているコーヒー農家の場合、「コーヒーによって生み出されるお金に依存している家族は、子どもたちを、とりわけ女の子たちを学校に行かせないようにしている」[647]。

生活収入《リビング・インカム》

では、どうすれば貧困を解決できるのだろう。ほとんどの貧困はおそらく構造的で組織的なものなので解消するのは困難だが、おそらく多くの政策立案者はすべての人に生活収入を支払うことを提案するだろう。何が生活収入と見なされるのかは、特にコミュニティの外部の人間がそれを判断するとしたら、非常に難しい問題だ。だれがどれだけ稼ぐべきかを議論する際に、部外者が他人の家庭の生活費について細々とあれこれ口出しするのはどう考えても具合が悪い。

富裕な世界の買い手が比較的恵まれた場所から、資源に恵まれず質的に最良とは言いがたい生活に耐えている生産者のライフスタイルを検討したり、どのレベルの収入が「彼らにとって十分」なのかを判断したりできるはずがない。しかし、経済的現実に鑑みれば、コーヒー農家の生活水準を、豊かな世界で焙煎業者やコーヒーショップのオーナーが享受している平均水準にまで引き上げるのは夢物語にすぎない。しかし、たとえ不可能だとしても、この問題がうやむやにされてよいわけがない。ともかく、意識的かどうかにかかわらず、コーヒーの「適正価格」を検討することで生産者の生活基準は明確になる。

一方で、農業での利益を豊かな世界での収入と比較し、小規模農園が自国で生活収入（たとえば年間四万ドルだとして）を得るには、消費者はこれまでコーヒー豆に支払っている金額の五倍を支払わなければならなくなり、だれもコーヒーを買おうとしなくなるので、すべては無駄なあがきになる。しかし、生産者は平均収入が低い国に住み、「そこではあらゆるものが安い」ため、多くの収入は必要ないと単純に考えることもできる。どちらもひどく単純化された分析だ。世界中のさまざまな場所の生活費に関する情報が多く公表されているが、それらのデータは検証されたものではない。いずれにせよ、最良の情報は、問題のコミュニティにもっとも近くで集められたものである。このような調査は、生産者の経済的幸福を確保することをめざすあらゆる人によっておこなわれるべきである。

農園労働

SCAによれば、コーヒー農園では何千万人もの労働者が働いており、その報酬がコーヒーの総生産コストの七〇パーセントを占めることもある。[648] 手作業で収穫がおこなわれるコーヒー栽培の世界の大部分では、労働力の不足によって全体の生産コストが上昇し、コーヒーのほとんどが歴史的な低価格で取引されるなか、品質と供給力だけでなく生産者の支払い能力までが脅かされている。農園労働を否定的にとらえる社会的な決めつけと、成長する都市部での経済発展に対する労働者の憧れは、農村部の労働者にコーヒー収穫に代わる魅力的な生き方を選択させ、その結果農家は、労働者を確保するための争奪戦を他産業とだけでなく、他国とも繰り広げなければならなくなっている。「コーヒー業界の将来は、農業労働を収益性が高く、長期的な職業の選択肢として実効性のあるものにすることで、労働者を採用し定着を恒久化しようとする創造的な取り組みにかかっている[649]」。

非正規雇用

大半のコーヒー関連の仕事は農村部でおこなわれており、たいていは雇用の手続きが雑か、法の支配が大きいかのいずれかだ。そのため、ほとんどの労働者は臨時（日雇いでさえ）で非正規に雇用され[650]、報酬を支払われているため、「法律で定められた社会的福利厚生の提供は限られている[651]」。正式に雇用されている農園労働者は、当局の監督下にある大規模な農場で雇用されていることが多いが、農場で必要な労働力の大部分を占めるのは収穫作業なので、一時的に雇用されているにすぎない[652]。

労働者の非正規性と、それによって生じる虐待の潜在性は深刻な問題だ。しかし、古くからの労働規制を遵守し、福利厚生を提供することで、農家の生産費用は一層増加し、多くの地域で非採算事業となっているコーヒー栽培経営の状況は悪化することになる。強制的な労働条件の改善は、果たして労働者の生活を改善するのだろうか、それとも人々を雇用している企業を潰し、雇用を喪失させるのだろうか。労働者の福利厚生や権利の厳格化によって非正規雇用が促進され、正規雇用が制限され、労働者が得るものは以前よりも少なくなるのではないだろうか。自分たちの利益を追求する賛成派と反対派が常に存在するために、この問いに答えることは不可能だ。

労働者の権利

確立された労働者の権利、雇用法、規制の施行は、国によって情況が大きく異なる。しかし、すべてのコーヒー生産国は国際労働機関（ＩＬＯ）が制定した一連の国際基準に批准しており、国際法ではそれを支持するよう定めている。こうしたＩＬＯ基準には、「結社と団体交渉の自由の保護、強制労働と人身売買、児童労働、平等と差別、賃金、労働時間、健康と安全の項目」が含まれている。[653] しかし、リソース、政治的意志、あるいはその両方が欠如しているため施行が完全ではない。[654]

グアテマラでは、最低賃金は基本的な生活のニーズの約四〇パーセントをカバーするにすぎないと言われるが、「二〇〇〇年におこなわれたグアテマラのプランテーション調査によれば、どのプランテーションでも国の最低賃金が支払われておらず、大多数は最低賃金の半額さえ支払われていないことが明らかになった」。[655]「雇用主に条件や報酬の改善を求める圧力をかけることができる組織を労働者が結成することは、国際法によって保障された権利である」。それにもかかわらず、メキシコ、コロンビア、ブラジル、グアテマラでは、労働者が組合を組織しようとする取り組みが暴力にさらされており、SCAによれば、これは「労働者の団結権に対する組織的な敵意と攻撃を示している[656]」。

現代の奴隷制

奴隷制度の現代的な兆候は、現在、世界中の多くの産業のなかに顕れており、コーヒーもその例外ではない。それは必ずしも過去数世紀の奴隷制度と類似しているというわけではなく、現在では労働者が虐待的状況に耐えることを強いられるさまざまな実行形態が含まれている。その一つに借金がある。「借金による束縛は、伝統的な奴隷制とほとんど見分けがつかない。なぜなら、借金が返済されるまで犠牲者は仕事や耕作している土地から離れることができないからだ。（略）小作制度は借り手を借金による束縛に誘導するための常套手段である[657]」。ブラジルの多国籍コーヒー企業がかかわっている現代の奴隷制度の実態は、グアテマラと同様にこの四年のあいだに暴かれている[658]。[659]

報酬制度

手作業で収穫をおこなっている地域では、収穫が労働需要の大部分を占めている。ほとんどの収穫労働者は、持ち込むチェリーの重さを基準にして支払いを受けとる。つまり、収穫労働者は生産的でなければやっていけないが、だからといって熟したチェリーだけを摘んだり、地面に落ちて害虫のつきやすくなったチェリーを拾ったりしてはならない。収穫量が少なかったり熟し方が均一でなかったりすると、収穫労働者は一日に必要な量になるまで、できるだけ多くの木からチェリーを収穫しなければならない。そのために熟し方の一貫性が損なわれることは避けられない。重さで金銭が支払われ、しかも農家が熟した実にこだわる場合には、労働者はそれに値するだけの支払いを受ける必要がある。さもなければ、要求の低い別の農場に移るだけのことだ。あるいは、農家は労働者に日当での支払いを約束することで、熟した実にこだわって収穫するよう指示することもできるが、そうすると、彼らは努力しようとはしなくなるだろう。

どちらの場合も、農家と収穫労働者の動機は食い違っている。ソレダートによれば、コロンビアとニカラグアでの現地調査に基づいて条件を改善し、農園の計画と管理に収穫労働者を参加させれば、より積極的に双方がかかわるようになり、よい結果が見込めるという。また、「労働力を維持するための効果的な戦略として、このほかにも農場の生産性の向上、賃金支払方法の多様化（変動、固定、混合、あるいは追加手当）、女性労働力の参加、能率向上のためのシステム調整、労働者の収穫計画への参加、などがある」と言う[660]。

仕事の一貫性

コーヒー生産地域では、収穫期に作業がなくなることがよくある。収穫や加工に必要な収穫物がない場合には広範囲にわたって職がなくなる[661]。収穫労働者の報酬は、たいていは国が定めた最低月給の日額相当額よりも高い。しかし、彼らの仕事は季節性労働であるため、年間を通じてこの金額を労働日ごとに受け取れるとはかぎらない。資源の乏しい家族は、収穫が終わってからも暮らしていくのに十分な仕事があるかどうかわからないという大きな不安とストレスがある。他の仕事や、まだ収穫の終わっていない場所を探して移動する人もいる。

児童労働

また、ILO基準で禁止されている児童労働を使っているコーヒー生産国が多くある。ケニアのコーヒー収穫労働者の三〇パーセントは十五歳未満だ。[662][663]別の情報源によれば、ケニアのコーヒー労働者の六〇パーセント、ホンジュラスのコーヒー労働者の四〇パーセントは子どもだという。[664]しかし、なぜ子どもを雇うのか。市民的および政治的権利に関する国際規約によれば、児童労働は一部の人々には望ましいとされている。理由は、「安価であり、子どもは本来大人より従順で訓練するのが容易であり、大人を怖がって不平を言えないからだ[665]」。この問題には白黒のはっきりしない部分がある。貧しい家庭では子どもや青年がコーヒーで家計を支えざるを得ない。生活費の不足を補おうとした子どもたちが犯罪に巻き込まれることがあり、ラテンアメリカの多くの国で痛ましい事件が起きている。つまり、子どもたちは組織犯罪の格好の餌食になってしまうのだ。コロンビアの農村の学校は普通、授業は半日しかない。これは、学校に全学年を全日教えるだけのリソースがなく、収穫期には学校は休校になるからだ。[666]さらに大人がコーヒー収穫で働いていて、子どもたちの世話をする大人がいない場合、子どもたちは親が働いているあいだ子どもだけで放置されているか、両親のそばで作業を見ているか、違法だが両親の手伝いをするかになる。

農場労働者、とりわけ収穫労働者がコーヒーの品質を左右している。手作業で収穫すればプレミアムの品質になる可能性が高い地域では、収穫労働者と加工労働者は品質への責任と品質からの報酬の両方を共有すべきだ。コーヒーの仕事を継続することを決めている若い農園主と同じように、農園の労働者たちも農村に残るつもりでいるなら、積極的に作業に参加し、充実した生活を送れるような労働環境を整えてもらうべきである。

ジェンダー問題

コーヒー生産地域によって程度の差はあれ、女性コーヒー生産者やコーヒー生産コミュニティの女性は軽んじられ、さまざまな仕方でコーヒー経済へ全面的に参加することを妨げられてきた。「コーヒー農園の二〇パーセントから三〇パーセントは女性によって経営されており、コーヒー生産にかかわる労働力の最大七〇パーセントは女性によるものだ[667]」

無償労働

NGOソレダードの調査によれば、「労働における女性の貢献は目に見えないか、認識されていないことが多い[668]」。たいてい女性は無償で働いていたり、夫の仕事を分担して夫の給料の一部で報酬を受けたりしている。たとえば、男性農園経営者の妻の多くは、無償で農場インフラ周辺の雑用をこなし、農園労働者のために食事を作ることを求められている[669]。オックスファムによれば、農家が労働者に賃金を支払う余裕がなくなると、女性が余分な仕事を担当してその差を埋め合わせるため、通常の仕事に加えて不足分を補わなくてはならなくなる[670]。同じ仕事をしても女性の賃金は男性よりも低いことが多く、ホンジュラスでは男性賃金の最大三〇パーセントほど低くなっている[671]。

二倍の仕事量

女性の世帯主は、農業活動と責任ある家事のバランスをとり、両方の仕事を引き受けなければならない。男性世帯主の農家に比べて責任が広範囲にわたり、「時間配分（略）が意欲減退のおもな原因だ」と指摘されてきた[672]。配偶者とともに農業を営む一家の女性は、男性とは異なる責任を背負っていることが多く、それもまた意欲減退を助長している。「世帯に属する女性は、男性に比べて不均衡なまでに栽培と収穫とに多くの時間を費やし、男性は比較的時間のかからない作物の保管や販売活動に重点を置いている。男性の世帯主は、コーヒーの販売にかかわっているためにコーヒー生産による収入を管理していることが多い[673]」

土地へのアクセス

コーヒー栽培業に携わっている地域の多くでは、男性と違って女性は親から土地を相続することがなく、地方の農業経済で自立することが難しい状態にあった。夫を亡くした女性は一家の経済的原動力さえ継承できず、子どもたちを養えなくなることすらある。法律が女性の土地所有を禁じているところもある[674]。「自分の土地を持ち、土地に関して決定を下す女性は、信用など他の金融資産にアクセスでき、生産者としての仕事が認められ、政治組織や意思決定の場への参加機会が増えるため、より大きな経済的自主性があり、ジェンダーに基づく暴力にさらされることがより少なくなる[675]」

利用できるサービスの欠如[676]

農家の経営や生活を改善するのに役立つ農業研修や農家向けのサービス、農業資材や金融サービスは、男性と比べて女性に利用できないものが多い[677]。ウガンダ、コロンビア、エクアドルでの調査によれば、これら三カ国の農家の女性世帯主は、平均すると、男性に比べて学校教育に恵まれていない[678]。女性農業事業者は仕事のほかに家事の責任を負っているため、研修[679]、生産者団体の会合、最高額を提示してくれる買い手への営業活動などに費やす時間が少ない。女性農業事業者は土地を持たず、貯蓄も少ないことが多く、協同組合などの農業団体に参加できず、「会合に出ても文化的な偏見のために嫌がらせされたり」することが多い。

低価格

女性が労働環境に恵まれず、付加労働も過重である場合、女性のコーヒー生産者が受け取る報酬は不当に低くなるのが普通だ。「世界銀行の国勢調査データによれば、エチオピアとウガンダでは、女性世帯主の世帯当たりのコーヒー販売による収入は、男性のそれと比べてエチオピアでは三九パーセント、ウガンダでは四四パーセント低いという[680]」

消費の傾向

女性と男性は原則的に同じ額の収入を得てしかるべきなのだが、国連の研究によれば、女性の収入が多いほうが家族やコミュニティにとってよい結果をもたらすという。SCAのクリス・フォーストンの言によれば、「女性は収入の最大九〇パーセントを家族の生活に再投資し、子どもたちが貧困から抜け出すのを助けている」という。[681] その一方で男性は「通常、収入の二五パーセント以上を消耗品の購入に充てている」。[682]

改善方法

本書で述べてきたすべての問題がそうだが、コーヒーは世界中のまったく異なる環境や共同体で栽培されているので、すべてに当てはまる解決策はありえず、無数の固有の状況があるだけだ。解決方法がわからないし、どこから手をつけていいのかわからない。だが、試す価値のあるアイデアはいくつかあるのだ。

東アフリカのコーヒー生産者協同組合との共同事業に関するテクノサーブの報告によると、このNGOは男性に対して、妻を生協の会合に連れて行ったり農業研修に参加させたりするように依頼したところ、女性に学習機会が与えられないという状況を改善することができた。それだけでなく、「妻が出席しているとき、男性に妻の参加を認めた理由を説明させるという取り組みをし、別の観点から農民グループの意識をさらに高めることができた」[683] と述べている。また、女性が特に関心を持つ問題に取り組むための効果的な方法として、女性団体への参加がある。「このような団体が最重要と考える問題は、女性に（相続法にかかわる）土地に関する権利がないこと、教育・技術習得機会が与えられていないこと、資本や貯蓄にかかわる役割を持っていないこと、コーヒー市場の開拓能力がないことなどだ[684]」

女性は同情されるべきだとか、不利な立場に置かれているといった理由から、コーヒーの費用として男性より女性に多く支払ったとしても、それは対症療法にすぎない。この種のリソース移転は人を見下すような依存システムを助長し、農業における男女不平等の文化を助長させるだけだ。買い手の同情や罪悪感を軽減するために支払われる価格プレミアムは、収支合わせに奮闘する女性農業事業者を助けられるかもしれないが、生産者の自尊心を傷つけたり、経済的に持続可能な発展の見込みを妨げたりするおそれがある。

その一方で、過去から現在にいたるまでずっと直面してきた構造的な不利や疎外のために、多くの女性が同じ努力をしても男性ほどの成果を上げられず、本来の能力を発揮できずにきている。過去の過ちは過去にさかのぼって正されなければならない。多くの人にとって、それは、女性の収入を増やすためにコーヒー報酬の基準を調整することで、少なくとも部分的には可能だ。

女性が目標を持ち、自己の可能性を実現することを妨げているシステムや文化的規範は、変革されなければならない。女性に見境なく資金を与えることは簡単だ。女性が直面する不利を助長するシステムを変えられなくとも、必要とされている救済と生活の改善に投資するためのリソースを提供できるかもしれない。女性がサプライチェーンにより積極的にかかわったり、参加したりできるようにするためのツールや機会を提供すれば、女性を疎外しているコーヒー業界の構造を多少なりとも風通しのよいものにすることに役立つだろう[685]。

また、コーヒーサプライチェーン関係者がジェンダーの平等を推進するためにコーヒー生産者コミュニティに直接介入するとき、外部の人間には気づかないような複雑な文化に対処しなければならない。コーヒー生産者の家族内では女性の存在が見えなくなることがあるというジェンダー特性は、家族の文化の一部であることが多い。もちろん、虐待的な家族関係が存在しないわけではない。しかし、とりわけ他国から来たよそものにとって、家族関係の正当性や美徳を評価することは不適切かつ無責任きわまりない行為だ。さらに、夫に服従する立場にある女性は、だれもが自立を望んでいるわけではないだろう。ジェンダーの平等はそれを望んでいる社会ではほぼ満場一致で希求されているが、その一方で、多くのコミュニティではまだ一般的ではなく、ホンジュラスの農村部の女性の望むことがロンドン西部の女性のそれと同じだと考えるのはおかしなことだ。だからと言ってジェンダーの平等という問題を無視してよいというわけではないが、このことはしっかりと考慮すべきだ。表面的な分析を根拠に直接介入した挙げ句、その家族関係を破壊するようなことになれば、女性の困難な状態を改善するどころか大きく悪化させてしまいかねない。

アンドレア・ジョンソンによれば、「(コーヒー業界の関係者にできる) 最も透明性の高い支援方法は、コーヒーにかかわる女性の生活を改善するために現場で活動する団体を支援することだ[686]」。二十六カ国で活動するＩＷＣＡはその好例といえる。この団体の指導者フィリス・ジョンソンは、

「家庭内でのジェンダーの役割、責任、立場をめぐる人々の考え方を変えようとするのは、その人の宗教を変えようとするのと同じだ。そう簡単には変えられないのだ。女性の権利拡大には、女性と同じだけ男性も関係している[687]」。

遠い世界にいる焙煎業者やコーヒーショップのオーナーにとって、不平等を永続させようとする根深いシステムを正常に戻すためにできることは、小切手を書く以外にあまりないかもしれないが、ジェンダーの状況を改善するリソースは必要だ。多くのNGOやその他の組織はこの問題に真剣に取り組んでいて、資金に恵まれればさらに多くの活動ができるだろう。また、女性が栽培したコーヒーにジェンダープレミアムを支払うのではなく、女性がその一部を受け取れるようにして、ジェンダー平等に向けて現場で熱心に活動する団体のひとつに寄付することも重要だ。ジェンダー平等に向けて状況を改善したり、女性農業従事者の権限を広げる対策を講じたりしている農業団体やサプライチェーンを支援する活動をしていけば、そのような方針を採用する経済的動機が生まれる土壌を育むことになるだろう。

コーヒーサプライチェーンのそれぞれの関係者が何をするべきかは、最終的には個人の価値観に依る。こういったことは、この問題に対する私たち自身の考えを刺激し、私たちがもっとも素晴らしく効果的と考える方法であり、コーヒー生産の現場でのジェンダー平等を支援するやり方のほんのわずかな例に過ぎない。

環境

持続可能な農地使用

農村の住民をコーヒー生産から追い出そうとする市場の兆候があり、それについてはだれもが懸念すべきだと考える理由のひとつに、暗黙のうちに進む環境の悪化がある。コーヒー農園内に存在する生物多様性の規模がどれほどのものかにかかわらず、それが牛の放牧のための牧草地に転換されて破壊されると、経済的に利益がもたらされることが多い[688]。この変化は今まさに進行中であって、「ラテンアメリカのすべての森林と農地の二〇パーセントはすでに劣化が進んでいる」[689]。また、気候変動によるコーヒー栽培から放牧への転業とコーヒー栽培を継続しようとする人々が高地へ移動していることも、これまで自生種や移住性の野生生物と多様性の聖域だった未開の土地にとって大きな脅威になっている。「コーヒー栽培地域の多くは、地上でもっとも精緻な生態系を形成しており、コーヒー栽培が拡大するにつれて、とくに生物多様性価値の高い動物生息環境が失われていく傾向にある[690]」

小規模農園は、生物多様性と作物多様性については大規模農場より親和性が高い傾向にある。小規模農園は、たとえコーヒーの収穫量を犠牲にしても、家族の食料を確保し生産性を脅かすものを拒むことを優先させる。ベーコンがグリースマンの主張を引いて「小規模な伝統的なコーヒー農園は、農薬に依存して徹底管理されている大規模コーヒー農園よりも環境保護能力が高い」と言うのはそのためだ[691]。彼はまた、カロとワイズの主張を引いて、「多くの小規模コーヒー農家は、地上のほかの土地のために環境に対する大きな支援を無償でおこなっていると言っても過言ではない」と述べている[692]。この貢献が報われるべきであることについては後述する。

集中的農業

輸出志向の農業経営の拡大のせいで耕作可能な土地を利用できない人々が増えている。これが小規模農園を絶望の淵に追いやっている。この絶望と、少ない土地で多く収穫を得なければならない制約が、持続不可能な集約栽培、化学肥料の使用増加、そして辺境の森林伐採などの環境破壊をもたらしてきた。また、このような農地開拓から原生林は減少しているし、気候変動のためにコーヒー生産地は今のところはまだ未開のままの高地へと移動していく傾向が続くだろう。

メリッサ・マーフィーは、世界自然保護連合と『フューチャー・ハーベスト』〔*Future Harvest* ジム・ベンダー著〕が言うとおり、「農業の拡大は地球規模の生物多様性に対する最大の脅威だ」と指摘している[693]。現在のコーヒーの一ヘクタール当たりの収穫量が改善されずにいると、二〇二〇年までのコーヒー需要予測（二〇一四年に算出）を満たすには、現存する非常に精緻な生物多様性が保たれている動植物相の生息環境である一千万ヘクタールの土地をコーヒー農園に転換しなければならない。現在の傾向に基づけば、その大半は生物多様性を阻害する集約的な単作システムになる可能性が

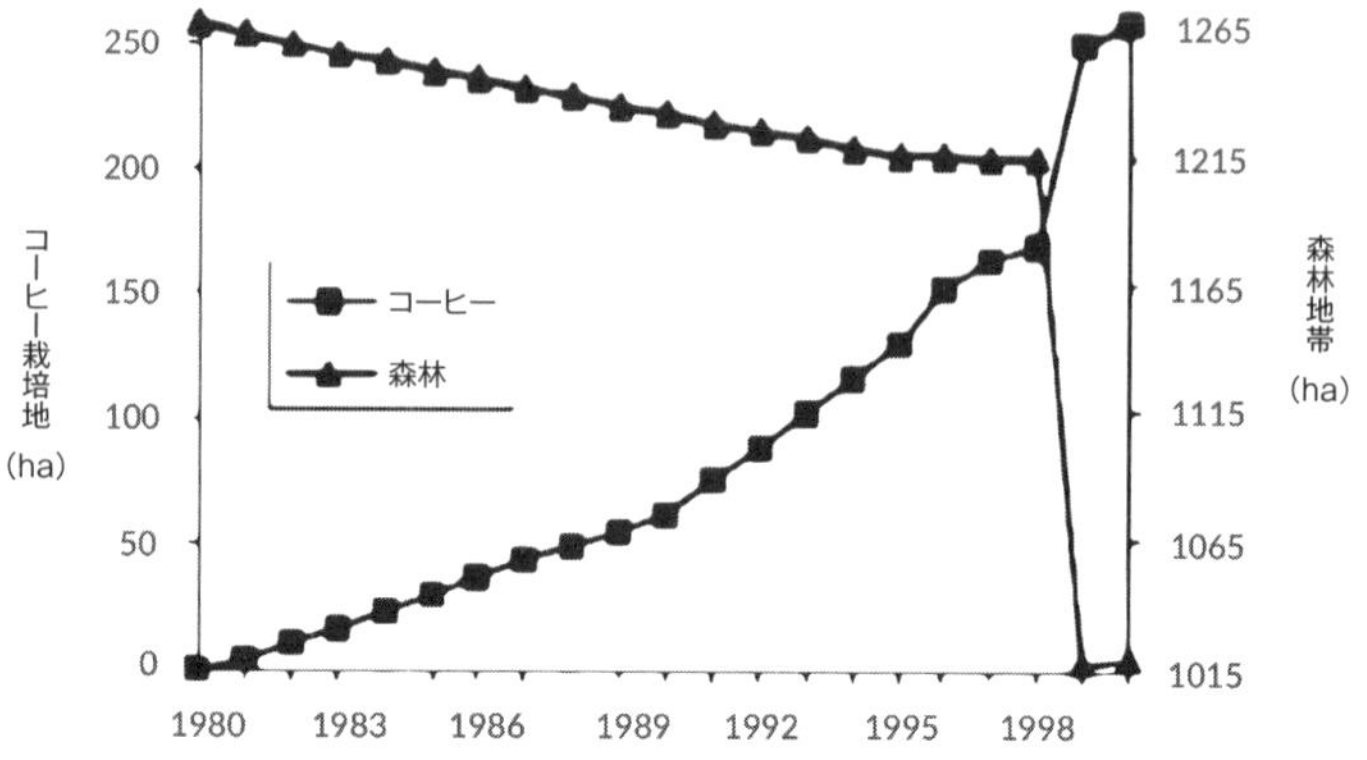

D・クレランド（2010）「コーヒー生産が地元の生産者に及ぼす影響」カリフォルニア州立工科大学教養学部

図4-2　コーヒー栽培地の拡大と森林の減少（ベトナムのダクラク）

もっとも高い。[694]ベトナムでは、換金作物としてのコーヒーが出現したせいで、一部の山岳民族がコーヒー栽培用の土地を外部の投資家に売却し、原生林へ移住してしまった。コーヒー生産者として、山岳民族がその原生林をコーヒーの単作農園に変えたのは当然のことである[695]（図4-2参照）。

多くのコーヒー栽培地域では、見渡すかぎり作物が整然と並ぶ単作方式と農薬「技術」が成功と発展の同義語であり、化学物質を使用しない生物多様性に配慮されたコーヒー農園は後進性と無秩序の同義語であるという不幸な偏見が根強くある。「農家は、それが国際市場で自分を守るための手段であるという考えに慣らされており、多くの政府が生産者に農園の技術化を奨励している」[696]。しかし、物質的な長所と短所は別にして、有機認証は工業化ではなく自然な手作業を選択した農家を認めるものだ。認証によって収穫量が向上することもある。それはおそらく、有機農家が仕事のなかに新たなプライドを見出したためだ。[697] 著者は、コロンビアの農家が自生する日よけの木を雑草と呼んでいるのを聞いたことさえあるが、「多様で豊かな日よけの木の林冠は、生態系への影響が小さいため、環境に配慮しているコーヒー農園を支える土台と言われている」[698]。環境に対する責任はやっかいだとする捕らえ方が蔓延していて、問題をこじらせている。

コーヒーの光と陰――気がかりの理由

一九七〇年代頃までは、コーヒーは日陰で栽培されていたが、それは議題になってはいなかった。[699] デラウェア大学の研究によれば、その後アメリカ大陸では、渡り鳥の越冬に適した五〇〇万ヘクタールの土地が集約コーヒー農地に転換された。[700] 稠密に重層する在来種を含む豊かな森林農業システムに支えられたコーヒー栽培地は、ほかの商業的に利用される農地よりも手つかずの森林によく似ている。[701] 集約的な日なたでおこなわれる単作システムは、自然生態系のほぼ完全な破壊を意味する。原生林は皆伐採されてどこもかしこもコーヒーの木に置き換えられ、「鳥も昆虫もほとんど生息する余地のない」「生態学的砂漠」に変わってしまう。[702] 人間の肥大する経済的欲望のために農業経営をどうしても止めることができないにもかかわらず、農業を営みながらお生物多様性を守りたいというのであれば、森林環境を完全に保護することと、そこで集約的に農業をおこなうこととのあいだのどこかで妥協点を見出さざるを得ない。[703] 悲しいことだが、伝統的な日陰栽培のコーヒーシステムはコーヒー栽培地全体の二四パーセントを占めるにすぎない（二〇一〇年時点による）。

日陰の効用

食料安全保障と収入の多様化

コーヒーは、柑橘類やアボカド、バナナといった食料になる樹木作物との間作ができる。そういった作物は、農家の生活費を節約できる食料源を提供し、コーヒーの利益が赤字となった場合のセーフティネットや代替収入源ともなり得る。[704]「伝統的な農業システムでは、コーヒーは日陰や材木を提供する自生樹種を含む森林農業システムの一部だ。それはトウモロコシやバナナなどの食用作物とも間作される。このシステムはコーヒー生産量の長期的な持続可能性を支援し、水、土壌、生物多様性を保護している」[705]

コーヒー以外の作物は、コーヒーの価格が安いときに自作農家にとっての食料と収入の緩衝材として機能する。[706]木材は、木が成長し伐採され置換される準備ができたときに販売できる。[707]樹木は燃料として使用されると炭素を排出するが、それを燃焼させる人がそれまではほかの再生不可能で炭素を生成する資源を使用していたとすれば、環境にとっては改善といえる。材木が建物になってそのままの状態にある場合、おそらく十年か百年後に最終的に解体されるまでそれが炭素を排出することはない。

鳥類の生物多様性

「鳥類の生物多様性の半減」が起きているのは、生物多様性に富む日陰ではなく、日なたの環境なのだ。[708]「素朴な」コーヒー栽培――コーヒーの木々が自生の自然林、自然種と共存し、そこには森林のあらゆる層を自然なかたちで見ることができる――は、生物多様性にとって最高の環境だが、[709]生産性は最低だ。意図的な広葉樹の木陰を備え、高密度に植えられたコーヒー畑は、生物多様性にとって次善の環境であり、生産性も期待できる。生物多様性にとって最悪の環境は、極限まで農薬を使用し、極限まで生産量を追求する日なたでの完全な単作コーヒー栽培である。[710]

まず注意すべきは、コーヒー畑の生態系の維持と回復に有効なのが自生する樹木と植物種だけだということだ。外来の樹種は在来の鳥や昆虫には何の役にも立たないに等しい。[711]したがって、たとえコーヒー畑にいっしょに植えられているチークやバナナ、ユーカリなどの木々が追加収入源となり、生産的なコーヒーシステムに役立つとしても、生態学的観点から見れば何の役にも立たない。

歴史的に非常に豊かな生物多様性に恵まれたコロンビアとメキシコでは、鳥類の生物多様性の九四から九七パーセントが森林伐採によって失われた。[712]自生の日陰のあるコーヒー畑は、分断された自生林地域の鳥類や哺乳類など、野生動物種が移動・移住のための回廊として利用している。

健全で肥沃な土壌

樹木の落葉は自然の根覆いによって土壌の肥沃度を維持し、コーヒーの木が吸収する栄養素を補充するので、土壌改良剤の使用量と費用を削減できる。[713] 日なたの畑では、土壌栄養素の自然からの補充は最小限しか期待できない。[714] 土壌改良剤の経費削減によってヘクタールあたりの全体的な生産費用が減少し、その効果は製品一キロあたりの生産費用に表れてくる。市場価格が高い状況では農薬を多用し、日なたに高密度で植えられた高収量のコーヒー畑のほうが収益は上がるが、[715] 生産費用が高くなるにつれ、農家は価格の下落に対して立ち向かえなくなる。外部から調達される土壌改良剤の使用量が減れば、供給業者への依存度も弱まり、そうした合成資材の多くは輸入製品であるために為替リスクの影響を受けにくくなる。

人口密度が低い地域の多くでは、再施肥をおこなわない集約型の日なた単作栽培の生産サイクルを約十五年続け、その後痩せた土地は放棄され、新たに自然のままの肥沃な土地が栽培のために選ばれる。このときたいてい、新たな森林伐採や未開拓地への侵入がおこなわれることになる。[716] このような場合、コーヒー栽培のために奪われた土壌栄養分を補充するより、土地を捨てて最初からやり直すほうが安価なのだ。

多様性の配当

多品種栽培における生物多様性にはいくつかの利点がある。多様な植物物質によって微量栄養素がもたらされることや、複数の種で構成される統合的な多品種栽培には、疫病に対する耐性を高める力があることなどだ。しかし、いずれもあまり明白な証拠はなく、数値で表すのは難しい。蜜蜂がやってくるのは、生育原生林のそばにあるコーヒー畑か、あるいはコーヒー畑の中に生育原生林がある場合が多い。蜜蜂が来なければ、コーヒーの収穫量は一五から五〇パーセント減少すると言われている。[717] 二〇〇四年のコスタリカでの研究によれば、野生生物による受粉の増加によって木一本あたりのチェリーの収穫量が二〇パーセント増加したという。この配当は、植栽密度の低下や光合成作用の鈍化による収穫量の減少をはるかに上回る。さらに、日陰の畑ではコーヒーの木の生産寿命が長くなる。[718] そのために、コーヒーの木の植え替えの頻度が少なくて済み、それに伴う費用も抑えられ、生産が中断されることも少なくなる。また、収穫サイクルの長期化と生産量の増加のおかげで多額の投資も可能になる。

労働

コーヒー畑に木々があれば外来の下生えや雑草が育ちにくくなって、雑草防除にかかる費用が削減できる。[719] 土壌改良剤や肥料の使用量が減少し、害虫駆除の仕事を減らせる可能性もあり、生産活動の各局面ごとに必要な労働量も削減できる。[720] 日陰の畑は、収穫労働者やその他の労働者にとって、一日中照りつける太陽に耐えるのに比べれば、かなり快適な労働環境と言える。にもかかわらず、ある研究によれば日陰のコーヒー栽培システムでは収穫労働のコストの平均が増加している。これはコーヒーの木の密度が低いことが原因であるという。[721]

植物のストレス

日陰のコーヒー畑は温度の変動の影響を受けにくく、風害からも守られている。[722] 相対湿度が高いために土壌水分も豊かだ。日陰は、外来の下生えや雑草の増殖も抑制する。[723]

一貫性と品質

経験豊富な関係者の多くは、コーヒー畑の生物多様性と日陰がコーヒーを淹れたときの品質の高さに深くかかわっていると言うが、その品質向上の度合をデータによって定量化する客観的な研究は見あたらないようだ。しかし、日陰の畑では収穫ごとの収穫量がより均等化され、収入の予測がしやすくなる。また、「果実にかかる負荷の軽減、よりバランスのとれた凝縮と均一化、そして長い熟成期間のために」豆が大きくなり、密度が高くなる傾向にある。[724]

日陰の量

理想的な日陰の量は、栽培地ごと、農場の固有の条件ごとに異なるが、提供される日照時間に応じて適切な放熱と光合成をおこなうには、一般的に四〇から七〇パーセントの日陰（太陽光の遮断）が理想的と考えられている。最適な光合成速度を維持するには、葉の温度が摂氏二五度を超えてはならないが、日なたでは摂氏四〇度を超えることもある。この方程式は品種によっても違ってくるが、ロブスタ起源の多くのハイブリッド種は日なたの環境でも耐性があり、場合によっては日なたのほうが生産性が高くなる。生物多様性を最大化し、単位あたりの生産コストを最小化し、面積あたりの固定費に対する収穫量を最大化するには、慎重な計算が必要になる。ある研究によれば、日陰が全体面積の五〇パーセント以下の場合、コーヒーの収穫量に影響が出ないという。[725] しかし、収穫量が多少低下してもかまわないと思える利点が日陰栽培にはたくさんある。

害虫と疫病

日陰と日なたで害虫の影響がどれほど違うかについての賛否両論、意見の相違や研究結果を見てみよう。湿度が高いとコーヒー葉のさび病や線虫が増加すると言われる。しかし、植物へのストレスが軽減されると、このような侵入者に対する耐性が強まる。[726]「適度な日陰は風除けの役割を果たし、コーヒーの葉さび病の胞子が広がるのを遅らせ、真菌病を防ぐことができる[727]」。また、鳥は、毎年五億米ドルを超える損失を発生させるコーヒーノミキクイムシなどの昆虫を捕食してくれる。[728][729]

　ある研究によれば、鳥がコーヒーノミキクイムシを捕食してくれるおかげで、日陰栽培と鳥の組み合わせによって豆の損失を一ヘクタールあたり最大で六五ポンド減らせることがわかっている。[730] アリとクモもコーヒーノミキクイムシの駆除に役立つ。[731] 生物多様性を高めれば、新たに侵入した一種類の生物が優勢になるのを防げるのだ（つまり、柵で囲まれた裏庭に二匹の猫を放っておくと、すぐに四〇匹に増える。森の中に二匹の猫を放っておくと、すぐに猫は〇匹になる）。高密度の単一作物栽培地は、植物を絶滅させるために生きている病原菌には楽園に等しい。「一般に、単一栽培は生産性の向上を意味したが、同時に植物病原菌がラテンアメリカとカリブ海地域に広がるにつれ、それが生態系の脆弱性の代償であることがわかった[732]」

侵食[733]

広葉樹の深い根が存在しない傾斜地にある日なたのコーヒー畑は、広葉樹のある森林や農園よりも地滑りが起きやすくなる。[734] 木葉で隙間なく地面が覆われていないと、日なたのコーヒー畑は表土流出を起こしやすくなる。さらには費用のかかる合成農薬を大量に使用しなければならなくなる。[735] 肥料の流出は、地下水汚染の大きな原因のひとつだ。[736]

雨水の使用

十分な雨が降らないときには、広葉樹の根が土壌中の水を保持して、水がすぐに川に流れていくのを防ぐ。日陰は、コーヒーの木からの水分の蒸発と表土の乾燥を防ぐ。民間の言い伝えでは、畑のコーヒー以外の植物はコーヒーの木から水を奪うと言われているようだが、実はほかの植物は土壌に水を蓄え、コーヒーの木がそれをより長く利用できるようにしてくれる。睡眠をとるのは仕事の生産性を奪うという話は、確かに一面では事実だが、本当に三日も眠らずに働き続ければ、全体的な生産性は大幅に低下する。ヘンリー・フォードは、工場での労働時間を週六日から五日に減らしたとき、このことを理解した（必ずしも彼が善人だったからではない）。深い根系を持つ日陰の木々は、コーヒーの木と直接競合するものではない。[737] また、大量の雨が降るときには、深い木の根は地面の緩みを防ぎ、地滑りを防ぎ、浅い地層を覆う根は表土の損失を防ぐ。

炭素の隔離〔温暖化対策として二酸化炭素を排気などから分離吸着し地中・海底に貯蔵したり再利用したりすること〕

「日なた単作生産が増加することで植林が減少すると、全体としての炭素隔離も減少する。『豊かな日陰』システムから『単作日陰』システムへ移行すれば、ラテンアメリカでは炭素隔離が三〇から五〇パーセント減少したと推定されている」[738]。植物は成長するときに炭素を隔離する。大きな植物が減少すれば、排出される炭素が隔離される量も減る。当然ながら、森林伐採と並んで二酸化炭素排出量が増加すれば、問題は二倍になる。コーヒーは便利な作物だ。固有の性質を損なわずに土地を森林からコーヒー農園に転換できる。「大気中の二酸化炭素濃度に対する日陰栽培システムの最大の貢献は、農業の最前線にいる農民に、焼き畑式栽培による一年生作物栽培に代わる持続可能な換金作物を提供して、残された森林を保護することにある」[739]。日陰コーヒー栽培は炭素捕捉に関して費用対効果に優れている[740]。

もし炭素隔離が売れるのであれば、それが農家の新たな収入源になるかもしれない。コスタリカでの研究によると、自生広葉樹をコーヒー畑に再植林したために収穫量が減少して生じた機会費用は、炭素隔離が公開市場で売れたとしたら、その価格を上回ることになるという[741]。「再植林は最大の自然な（炭素隔離のための）対策であり、低コストの緩和機会を検討する際にもっと注目されていいはずだ（略）。再植林には生物多様性を備えた生息環境、水や空気の浄化、治水、土壌の肥沃度向上など、実証済みのさまざまな利益が付帯している」[742]

その一方、コーヒーの生産と加工が温室効果ガスを排出していることは明白だ。「コーヒー生産そのものが、森林伐採や有機物の分解、農薬の不適切な使用や過度な使用によって温室効果ガ

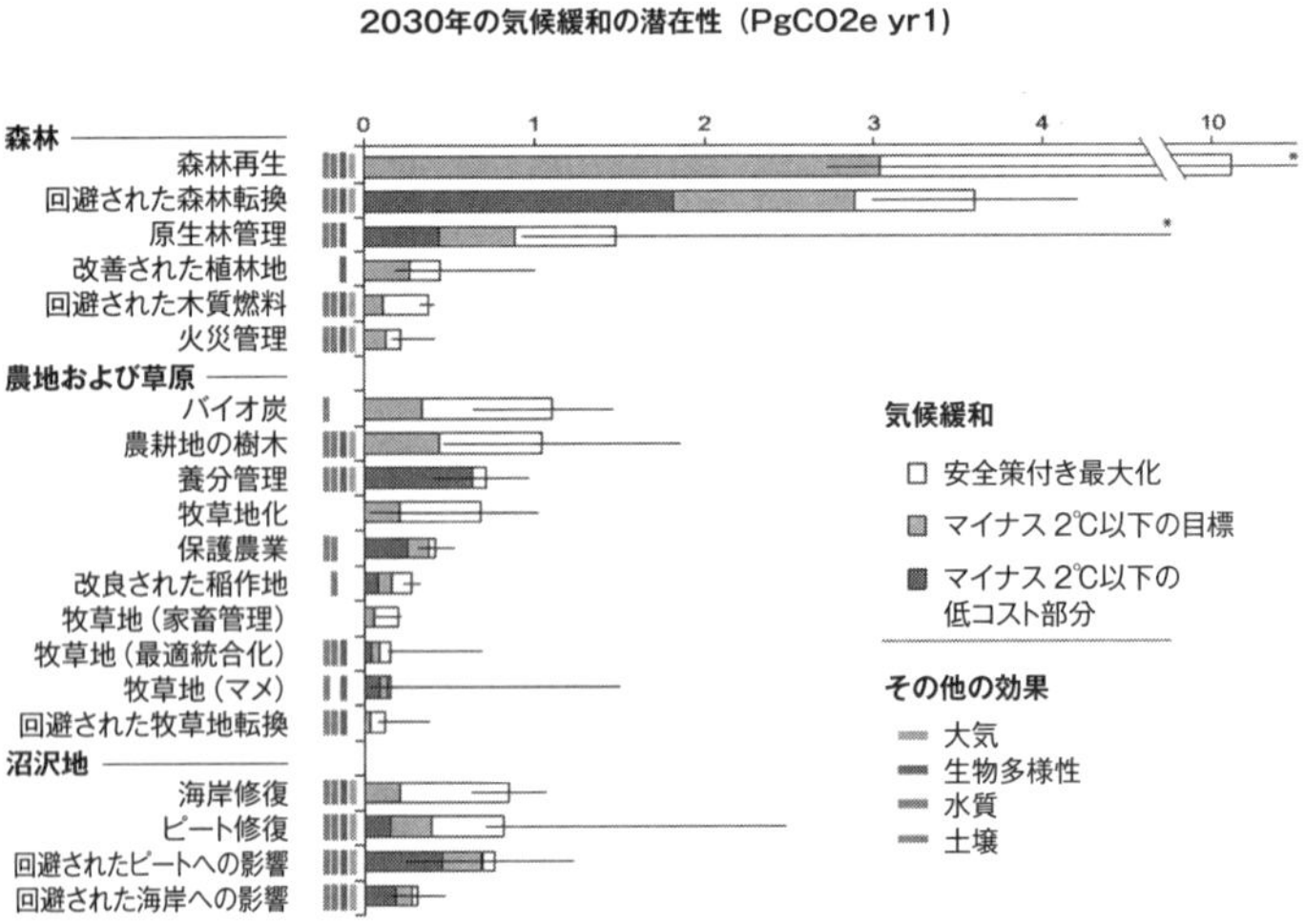

B・ブロンソン、J・アダムス、P・エリス、R・ホートン、G・ロマックス、D・ミティーヴァ、W・シュレジンガー、D・ジューハ、P・ピーター、C・アレン、J・リチャード、C・デルガド、P・トリーシャ、M・ハムシカ、M・ヒレロ、J・キースケラ、E・ランディス、L・レスタディウス、S・ミネメイール、S・ポラスキー、P・ポタポヴ、P・プッツ、J・サンダーマン、M・シルヴィウス、E・ウォレンバーグス、J・ファジオン（2017）「自然気候解決策」アメリカ合衆国国立科学アカデミー議事録、114（44）11645-11650

図4-3　自然気候ソリューション

スを生じさせ、それが気候変動に加担している」[743]。コーヒー生産では大量の果実が作られ、それは洗浄過程で堆肥化されるか、自然の過程で殻を取り除かれるか、あるいはカスカラティーを作るために水に漬けられるかして、やがては腐敗していく。果実は腐敗し、メタンなどの温室効果ガスが発生する。緩和方法の一つは、コーヒーチェリーの分解から生じるメタンをバイオダイジェスターバルーンに封じ込めて燃焼することだ。捕捉したメタンを燃焼することは、化石燃料を使用する代わりになるだけでなく、強力な温室効果ガスであるメタンを、それと比較すればかなり微弱な二酸化炭素に変換することでもある[744]（図４・３参照）。

なぜ伐採するのか

広葉樹の自然な木陰を備えたコーヒー農園は、完全な日なた栽培の農園よりもパフォーマンスが良く、回復力があり、維持費用が低く、そのうえ、自然環境を守り、再生さえすることを示す証拠がたくさんある。それにもかかわらず、なぜ人々はコーヒーを植えるために日陰をなくしたり伐採したりするのだろうか。

生産の視野狭窄

まず、開墾された一ヘクタールの土地に、一本でも多くのコーヒーの木を植えて、日陰で栽培するよりも多くのコーヒーを生産しようとする場合を考えてみよう（それが、完全な日差しに耐えられ、高地で高収量が得られるハイブリッド種だと仮定しよう）。このシステムでは、数回収穫したあとはずっと合成殺虫剤と合成肥料を使い続ける必要がある[745]。好ましい気候条件での日陰では、木一本あたりの一ヘクタールの収穫量は減少することがあるものの、これは木の寿命が長くなることで補われて、植林や改修のコストが削減できる[746]。一方、コーヒー栽培がおこなわれている大半の土壌にとって、コーヒーは自生植物ではなく、世界中のどこであっても、持続可能な単作栽培で一ヘクタールあたり七〇〇〇本のコーヒーの木を維持することは難しい。それで土壌の劣化が避けられなくなると、初期の豊作時の生産量を維持するために多くの農薬を使わなければならなくなる[747]。

「日なた栽培システムではより高い収穫量が得られるが、小規模の日陰システムのほうが収益性と費用効率に優れている[748]」。したがって、完全な日なたの単一栽培コーヒーシステムを促進する政策は、財務上のセーフティネットを持ち、輸出税増収や外貨獲得源として、生産の最大化によって産業や国家の利益に資する大規模生産者だけを優遇することになる。「集約化のせいで、より高い収穫量を得るために日陰が取り払われ、完全な日なたでのコーヒー単一栽培がおこなわれ、農薬を大量に使用することで収穫量が増大する、成長の早いハイブリッド種が植えられるようになった[749]」。東アフリカの報告書によれば、伐採と植林をした後で、五年から七年かけて集約型の日なた栽培をおこなうと、生産性を維持するために必要な農薬を購入するより、その畑を放棄して別の場所を伐採して新しい畑に変えるほうが経済的に理に適うという。もちろん、この計算は、再植林のための土地と労働力のコストに左右される[750][751]。

一世代以上のあいだ、日なたでの単作コーヒー栽培が標準的だった地域では、経験に基づいて、日陰での栽培では収穫量が減り、収穫量が減ると収入が減り、収入が減ると貧乏になると考えられてきた。コーヒー栽培の生産性を大幅に低下させる日差しの限界値はあるが、この議論は第一に、日陰栽培でコーヒーを生産する作業ごとのコストは、日光のもとでおこなわれるコーヒー栽培よりも安くてすむし、第二に、日陰栽培ではコーヒーの木に当たる日差しを減少できることの効果を少しも考慮していない。二〇一八年の調査では、日陰レベルが五〇パーセントを超えると生産性が低下する一方、五〇パーセント未満のレベルでは木一本あたりの収穫量に影響がないらしいと結論されている。[752] さらに、日陰が五〇パーセント未満のコーヒー畑の収穫量は平均すると変わらず、日陰栽培の場合、年ごとの量的変動幅が小さくなるという。[753]

小規模農園の絶望

自分の土地から生産で生計を立てることが事実上不可能な小規模農園は、同じ土地からより多くのコーヒーを搾り出すための技術を導入し、集約栽培をおこなおうとするかもしれない。[754] このことは、リソースの乏しい多くの小規模農園が考える現代化、洗練、繁栄への道のりであり、政府や銀行家、営業的指揮を取るホワイトカラーなど多くの指導者や政策立案者は、自分たちの経済的利益にうってつけのこうした考え方をためらいなく支持する。これは、ヘクタールあたりのコーヒーの密度を増すために、コーヒー以外の作物を排除し、日陰の木々を伐採することを意味する。生産者は、労働あたりの生産コストを増やすと、価格が下落したときに生産コストを下回るリスクが大幅に増えることを必ずしも理解しているわけではない。多くの生産者は流動性を欠き、長期的な土壌の健康状態や土壌改良剤の有効性より、短期的な要求や負債のほうを気にする傾向がある。このような絶望的な短期的要求を抑えるには、短期的な高収入を優先させる必要があるかもしれない。森林農業や日陰栽培システムなどの導入には初期費用がかかることを考えれば、この移行をおこなうことに、利益が無数にあるとしても、そのための短期支援が受けられなければ、多くの自作小規模農園にとって手の届かないもので終わるだろう。[755]

インセンティブのミスマッチ

NGO、多国間機関、各国政府は、生産量を増やすために税制優遇や補助金支給などをおこなっており、これはことに中米にある国でよく知られている。[756] このためにコーヒー畑の森林伐採と、日差しに耐え、また日差しを必要とする高収量品種の伝播が暗黙裏に、あるいははっきりと必要とされてきた。ラテンアメリカ北部では、米国国務省の一機関である米国国際開発庁（USAID）が、一九七八年から一九九七年にかけてコーヒー栽培の技術化を支援するために八一〇〇万ドル近くを費やした。[757]

コロンビアでは、政府とコロンビア全国コーヒー生産者連盟（FNC）が、コーヒーの木をカスティージョ種に変えることで農園を「刷新」しようとする農家に対し、農業銀行からの融資を保証した。驚くべきことに、このおかげで葉さび病による生産量への影響は最小限に抑えられた。しかし、話はこれだけで終わらない。この融資には、一般的な「現代化」を一括して推進する、という付帯条件があった。そこにはコーヒーの稠密な植林、集中的な施肥と害虫駆除などの条件が含まれていた。そしてカスティージョ種の大半が最高収穫量を得るためには、百パーセントアラビカ種よりも多く日差しを必要とするロブスタハイブリット種であることを考慮すれば、豊作の妨げとなる日陰の木は伐採しなければならなかった[758][759][760]。

国連は、過去三〇年間のラテンアメリカの公共政策が、経済成長を促進するために生産性の向上に焦点を当ててきたことを認めている。この政策により広範にわたる森林が伐採され、生物多様性が損なわれた。ラテンアメリカでは一般に、一九七〇年から一九九〇年にかけて、「日陰システムの五〇パーセントが低木日陰システムに変換された[761]」。二〇〇〇年には完全日なたコーヒー栽培システムが、メキシコのコーヒー栽培面積の一七パーセント、コスタリカでは四〇パーセント、コロンビアでは六九パーセントを占めるに至った[762][763][764]。一般的にコーヒーの森林農業化が依然として積極的に進められている中央アメリカでは、「残されている森林は（略）二〇パーセント未満」だという[765]。二〇一七年の時点で、世界のコーヒーの二五パーセントは多様性を維持する日陰で、三五パーセントが部分的日陰で栽培されている[766]。そして二〇一八年の時点では、「重層的な多様性を維持する日陰で栽培をおこなうコーヒー農園は全体の四分の一未満だ[767]」という。

森林伐採が原因で環境破壊が起きることは現在では知れ渡っているが、これには中期的な経済的利点すらない。しかし、コーヒーを生産する多くの地域はすでに多大な損害を被ってきた。今日、日なたコーヒー栽培地域の多くでは、多様性を維持するために広葉樹を再植林するという発想がまったく受け入れられず、抵抗と不信が渦巻いている。集約的な完全日なた単作システムと日陰栽培システムのどちらを使用するか、という判断を純粋に財務分析的な観点から検討した最近の経済調査によれば、五ヘクタールの農場が作付面積の八五パーセントを日陰栽培システム専用にするには、コーヒー一ポンドあたり〇・五〇米ドルのプレミアム価格が必要になる。[768]そうなると、広範に及ぶ日陰栽培コーヒーの利点を消費者に伝えるのは、サプライチェーンの仕事となり、それに上乗せされる五〇セントの価値があるかどうかを判断するのは消費者である。

気候変動と森林伐採

気候はこの三〇年ほどで変化し、現在も変化し続けている。これは紛れもない事実だ。多くの地域では、その変化とは平均気温の上昇となって現れている。これもまた事実だ。大地が温暖化すると、以前は栽培できたものができなくなることがある。現在コーヒー栽培を専門にしている土地の多くは、この先栽培ができなくなるだろう。ウガンダとブラジルでコーヒー栽培をしている土地の六〇パーセントが、コロンビアとエチオピアでも三〇パーセントが、二〇五〇年までにコーヒー栽培に適さなくなると予測されている。これは莫大な損失だ。[769]

二〇五〇年でもコーヒー栽培に適しているはずの土地の大半[770]（六〇パーセント）では、いま現在、原生森林の生態系が生きている。さらに、現在正式に保護されているのは、その土地のほんの二〇パーセントにすぎない。[771]「コーヒー栽培地域の多くには世界でもっとも繊細な生態系が残存していることを考えれば、コーヒー栽培が広がっていくことは、生物多様性においてとりわけ価値の高い貴重な生息環境を脅威にさらし、生態系の機能に致命的な損害を与える可能性がある[772]」

環境の悪化を防ぐには未開地の保護が絶対に必要であり、私たちのほんの一マイル先で起こっていく社会的、経済的、環境的な破局を食い止めるためには、自然の木陰での環境にやさしいコーヒー栽培といった、より回復力のある農業形態が求められる。[773] 幸いなことに、ブラジルの場合、そしてその他の地域でもおおむね同じだが、二〇五〇年までにコーヒー栽培に適さなくなっていく土地の七五パーセントは、森林農業システムの導入、すなわち日陰となる樹を植えることで持続可能性を維持できる。[774]

水の利用

ウォッシュトプロセスで使われた水には、コーヒーチェリーの果肉に含まれる天然の糖と酸が混じっており、これを廃棄する前に処理しなければならない。この廃水の生物学的酸素要求量は一五〇グラム／リットルで、[775] 河川の酸素レベルを大幅に低下させ、海洋生物が脅かされる結果になる。[776]「コーヒーの加工から出る廃水は、平均的な都市の下水道の排水に比べて最大四〇倍も汚染されている」[777]。水はコーヒーにとって非常に重要で、ウォッシュトプロセスの加工時に大量の水が使われることが問題視されてきた。しかし、水を「使う」とは、現実にはどこかから取水してどこかへ流すことだ。水を蓄えたり、壊したりするのではない。

処理に使用する水のほとんどが農場近辺の湧水から取られ、そのまま下流に流されるとしたらどうだろう。果肉除去装置や発酵タンクなどの設備があっても、排水前に本当にそれが使われているだろうか。あるだけで使われていなかったりしないだろうか。それについては排水後の河川の状況を見れば確かめられる。多量の農薬や酸性の果肉が含まれているだろうか、それとも中性の完全に発酵した有機物質が含まれた、不純物のない状態だろうか。問題は、コーヒーの汚染水が廃棄される前にどのように処理され、洗浄されるのかということなのだ。

環境の裁定取引

国際コーヒー供給市場全体で、環境（および社会）規制の実施と強制が正しくおこなわれていないために、一部の地域では公共財の使用を「外部化」することがまかりとおっている[778]。言い換えれば、ある地域では、環境を破壊し、人々を貧窮させることでほかの地域より安くコーヒーを生産することがおこなわれている。これがグローバル化した取引の本当の姿だ。

「ブラジルが競争で優位に立った要因のひとつは、肥沃で水の豊富な土地が安く手に入ったからだ。こうした状況が生まれたのは、特に農園主や政府当局が破壊的な技術による現在の機会費用や、将来世代が負担する減価償却費を無視したからにほかならない。まさに現実的な意味で、ブラジルのコーヒーブームを支えた資金は、農園主の将来の子孫の遺産を食い潰し、多様な動植物の生息地を破壊することでもたらされた[779]」。環境の外部性とは、一部の個人が金儲けのために無償の原材料を破壊することだ。この過程から利益を得られなかった人々が、彼らの破壊のツケを払うことになる。

「ブラジルのコーヒー農家は、高収量に繋がるとして日なた栽培でのコーヒー生産を奨励されてきた[780]」。実際、二〇〇八年の時点で、ブラジルのミナスジェライス州の少なくとも一つの自治体は確実に、そして多くの自治体も、コーヒーを専門的に生産する農家だけを対象として融資や援助をおこなった。一九九六年から二〇一〇年にかけて、ブラジルではコーヒー生産専用地の総面積が一二パーセント増加した。同じ期間に、農業強化政策によってコーヒーの総生産量は一一二パーセント増加し、一ヘクタールあたりの収穫量は八九パーセント増加した。[781]

災害のための処方箋

ダンドンは、この先起きる大きな変化を予測した。「コーヒーはとても高価になる。おそらく一杯七ドルになるだろう」と。「品不足が起こり、価格は高騰し、カフェは商売にならなくなるだろう」と彼は言う。彼の予測するこの大変動で業界は変わるに違いない。「七ドルのコーヒーが衝撃的な変化を生むだろう」と彼は続ける。「コーヒーを飲むのは一日二、三杯ではなく、週二杯になる。家でコーヒーを淹れるようになる。それでも社交や息ぬきのためにカフェに行く人はいるだろうが、そこでは三、四人のバリスタの代わりにマシンがコーヒーを淹れるはずだ[782]」

コーヒーが入手可能であることで利益を得ている人と企業のすべては、将来のコーヒーの入手可能性に責任をもつ必要がある。責任を果たすにあたって、以下の前提が遵守されなければならない。このための行動が、それを実現しようとするすべての人の日常生活の範囲で無理なく実行できるものであること。そしてその目標を達成する基盤となる大地と生態系が、修復されず使い捨てにされようとする場合、きっぱりとその特権を放棄することだ。

消費者の関心を惹きつけ、自社製品の需要を高めることに長けたブランドは、持続可能性の推進を全面に掲げるコーヒーに対する需要を作り出すために、消費者教育にそのブランド力を利用するだろう。ブランドはそれが影響を与える個人の幸福を支援するサプライチェーンを通じて消費者にもたらされる。ブランドが持続可能あるいは再生可能な生産に対して積極的に投資するインセンティブは、需要以外にはありえない。なぜなら、あらゆる努力の結果は、ただ乗りの人を含めたすべての人が分かち合うことになるからだ。ただし、需要の有無にかかわらず、身銭を切って持続可能性への取り組みに資源を投じる人はいる。

ブランドが消費者に示さなければならないことは、責任と持続可能性に対して市場のインセンティブを生み出すには、コーヒー栽培地における持続可能性を保護し、環境的な持続可能性を再生させることが重要だ、という点だ。[783] 消費者の心理と欲求に影響を与える大手ブランドの力に注目し、ＥＳＧは水出しコーヒーの流行に言及している。彼らは、「スターバックス、ホールフーズ、ダンキン、ピーツコーヒーによる『水出し』コーヒーのプレミアム品質から得た経験を生かして営業活動をしたために、アメリカでは二〇一〇年から二〇一五年にかけてこの新しい市場の成長は三三九パーセントに達した」と述べている。[784] このようなマーケティング力が再生農業やフェアトレード認証のコンセプトを背後から支えていたらよりよかったと思う。

持続可能性と偽善的環境保護

コーヒー会社は、本当に持続可能性のために投資しているのか、それともただ持続可能性に取り組んでいる印象を作り出しているだけなのか、ということを自問する必要がある。両方ともに効果はあるが、片方だけおこなうほうが安価だ。「『道徳的貿易』としても知られる、コーヒー業界内のさまざまな持続可能性への取り組みは、コーヒー豆の世界輸出量の八パーセントを占めると言われ、先進国市場でもっとも急速に成長している市場部門となっている」[785]。買い物で自身の価値観を表すのはなにも消費者だけではない。「二〇一〇年、環境パフォーマンスを主要な要素として社会的責任投資戦略を用いて専門的に運用された資産は、アメリカでは三兆七〇〇〇億ドルに達し、一九九五年の六三九〇億ドルから一挙に三八〇パーセント以上増加した」[786]

しかし、分散させられた利害関係者による、長く不透明な多国籍のバリューチェーンについて考えれば、持続可能性を実現しようとする際に必要な費用を負担せずにその有利な点だけを利用したいと考える企業には、この市場の潜在力は魅力的だろう。「二〇〇八から二〇〇九年にテラチョイスが調査した製品の九五パーセント以上が、彼らの名付ける『偽善的環境保護の七つの大罪』のうち少なくともひとつを犯していた[787]」

このように処罰されないごまかしが蔓延しているせいで、彼らの主張を信じることも、嘘と真実の違いを知ることも困難になっている。「消費者にいつまでも探偵の役を演じてもらわなければならいのは不幸なことだ。この物語はあまりにも陳腐だ。だからこそ私たちは別のことに着手して、生産者やサプライチェーン全体に対して存在感を示さなければならない[788]」

持続可能性をめぐる正当な論点や配慮がないため、そのような主張は粉飾され、結論が存在しない。「ほとんどの発展途上国を含む国々では、環境に関する主張に規制がない[789]」。そうした場合の環境責任に基づく商売とはブランドイメージにほかならない。

利益を得るのはだれか

コミュニティプロジェクトは長期間にわたり対象者に本当に役立つように設計され、それが目的となっているだろうか。それとも、主催者や出資者の広報活動のためにおこなっているのだろうか。もちろん、両方の目的を果たすことはできるし、それを実現しているところも多い。そうしたプロジェクトは、人道主義者を自称する人たちの手で実行に移されるのだろうか、それとも写真撮影が終わるとすぐにばらばらになるのだろうか。コーヒーを調達する地域のコミュニティプロジェクトに多大なリソースを投入しているグラウンドワークコーヒーのジェフ・チェーンは、プロジェクトの規模が粉飾される事案について述べている。「ほかの人々や小さなコーヒー焙煎業者の話を聞いて疑問に思うのは、二袋や十袋が売れるだけで、どうして経済的に目標を達成できるのかということだ[790]」

実際の影響を粉飾したり実行に移したりできるような自身に都合のよいプロジェクトは、偽善的環境保護の形だと考えられている。プロジェクトを実際に実行するよりも企画を立てるほうにより多くの資金が使われているとしたら、それは危険な徴候だ。しかし、企業の社会的・環境的責任が消費者と共有されず、商品を購入することが会社への支持となる価値提案が提示されなかった場合、世界をよくするためにリソースを投入する責任ある企業は、同じ金額を広告につぎ込む競合他社よりも不利な立場に置かれることになるかもしれない。コーヒー販売会社にまつわるある研究で、公表されている持続可能性の実践状況と、企業が消費者に向き合い、ソーシャルメディアで積極的に活動している状況とのあいだにはっきりとした相関関係があることが明らかになったとしても、少しも驚くにはあたらない〔79〕。

企業が敬意と責任を持って取引するうえでも有益である広報活動は、企業の社会的責任とも言われている。これはサプライチェーンに働く複雑な力によって趣旨が歪められることがよくある。責任ある行動というのは気づかれないままであることのほうが多い。撮影スタッフのいない場所でおこなわれていたり、あるいは記録するような思いやり深い抱擁がなかったりすると気づかれにくいからだ。だれがなにをしているのかを知ることが大事だ。企業の調達戦略や価格決定に対する構造的変化によって、より平等主義的な地域にテコ入れをすることができるが、消費者にとっては小学校を建設したり奨学金制度を作ったりするほうがはるかに意義深く思われるし、わかりやすく感じられる。いつも本業に大きな調整を加えている大企業にしてみたら、この種の話題作りは安上がりになるかもしれない。

実際、コーヒー販売会社の持続可能性戦略に関する二〇二〇年の調査によれば、もっとも多くおこなわれているのが寄付で、その次に生産者に（最低市場価格を上回る）プレミアムを支払うという方法が続いたが、あらゆる製品に対してこうしたやり方をしている企業は二パーセントだけだった。[792] 評価対象となった企業のうち、コーヒー生豆の供給業者にプレミアムを支払ったのは二・五パーセント、また一部の製品については支払い、ほかの製品については支払わなかったのは六・五パーセントだった。おそらくこうしたやり方をして、好印象を与えようとしているのだろう。生産者がこれらのサプライチェーンにコーヒーを販売することで食うに困らないだけの金を得られていたら、末端消費者のほうしか見ないブランドのこんな侮蔑的な慈善行為を受け取りはしなかったはずだ。消費者がどのコーヒーを買うかを決めるのに何日もかけて調査や監査をおこなうことはないので、マーケティング担当者にとって、持続可能性についての話題作りや、慈善行為のおかげで生じた会社全体の取り組みや、製品ラインナップについての誤解を放置しておくことは魅力的なことだろう。偽善的環境保護企業は、広報活動を自社に優位に展開するうえで事例を提示するやり方をして、責任ある行動をとる競合他社を効果的に不利な立場に追いやることができる。コストのかからない事例を紹介するほうが一般的な責任ある行動をとるよりも効果的だ。

フィリス・ジョンソンは単刀直入に言う。「こうした問題に取り組むためにあなたが二億ドルを寄付したという大見出しは必要ない。契約価格を引き上げてほしいだけだ。（略）それを長期的に持続できれば、問題は解決する。なぜなら、今あなたがやっていることは、あなたが自分で作り出して今後も作り続けようとしていた問題を自分で解決するために金を出そう、と約束しているのだから」[793]。巨大な風船がはじけ、顔を覆いたくなる真実が紙吹雪のように飛び散るのを目の当たりにできるだろう。

持続可能性による疲労[794]

人というのは一般に善良であり、都合のいいときには他人に手を貸したいと考え、弱い立場にある人たちに危害を加えようとはしない。株主の利益を最大化するために何世紀にもわたって進化してきた複雑な地球規模のシステムは、邪悪というよりは無関心から、ゆっくりと社会的かつ環境的不善を長引かせるようになった。こうした問題を解決するには、多数のサプライチェーンの当事者が関与する複雑で微妙で地域的かつ地球規模の解決策がなければならない。そこでは白と黒、英雄と悪漢、コーヒーと紅茶のような二元論は通用しない。消費者は解決策が必要であることを受け入れ、それを認めたうえで購入しなければならない。

しかし、世界のコーヒーサプライチェーンにおける持続可能性の複雑さと、多くの消費者の日常生活における一杯のコーヒーの重要性のあいだにはあまりにも大きな非対称性がある。それゆえに消費者は、ひどく単純化された問題分析や純粋に象徴的な解決策に惑わされてしまう。問題をわかりやすくするために消費者に取り組みを徹底的に説明しようとしても、「持続可能性」疲れを引き出すだけだ。この業界で働く人々の寛容さは特筆に値するが、これらの問題だけを集中的に研究している私たちほど寛容というわけではない。解決策を理解してもらうためには、消費者にも参加してもらってサプライチェーン内の現実や問題についての意識を変革することが必要である。

エヴァー・マイスターは、消費者向けのコーヒーブランドによる倫理的主張について「末端の消費者にとって、この種のメッセージにどんな価値があるのか」と疑問を呈している。[795] そして「私たちは、少なくとも最低限のことはしたのだから顧客から報酬がもらえると期待しているが（略）、正直に言えば、私が消費者としてかかわる製品の中で、コーヒーが持っているほど高いメッセージ性を、倫理的な告知を、罪責コンプレックスを伝える製品をほかに知らない[796]」と言っている。彼女は、望まれない責任が消費者に転嫁されていると感じており、ほとんどの消費者は「特別な方法でサプライチェーンの倫理性とかかわるつもりはなく」、「私たちのカフェに入ってきたとき、今日家で飲むコーヒー豆を探しているだけだ」と感じている。[797]

影響の誤り

偽善的環境保護とよく似たものに、イメージと戦略によって創り出された社会的な影響を仄めかすやり方がある。これによって消費者は何が倫理的で何が健全であるかを明確に示されないまま、ブランドを倫理的で健全であると見なすようになる。たとえば汚れてボロボロの服を身につけた人の写真は、貧困の緩和や疎外された人々の支援を目的とした企画や取り組みと結びつけられることになる。写真の説明がきちんとなされていないにもかかわらず、意図的にか無作為にか、それを見た人々はそれが企業の倫理的なビジネスの実践を示していると考えたり、写真の掲載者についてそういった評価を述べたりするかもしれない。貧困を緩和することもなく、何らかの方法で写真の被写体になった人々を支援したりする取り組みなどしていないとしても、写真の掲載者はそれについて何も主張もしていないので不誠実とは言えず、ただ、人々が写真からその会社について自分なりの結論を引き出すのに任せたにすぎない。

多くの消費者は、ある種の物事がなんらかの「影響」を示している、なにかを意味している、と考えがちだ．しかし、よく考えてみてほしい。子どもたちの写真、ことに生産国の少数民族の子どもたちの写真。貧しい国の人々から物を買うという考え。生産地や生産者についての話題。そして社会的責任や倫理一般に関連する追跡可能性《トレーサビリティ》。これらの象徴はどれも、企業とその従業員が倫理的な方法で行動しているかどうかを判断するために提供された情報ではない。

エヴァー・マイスターは、「私たち（コーヒー業界）は、トレーサビリティを品質と同一視しており、好感度の高い倫理的なサプライチェーンの証としてトレーサビリティをよく使用する」が、それは「必ずしもコーヒー業界の倫理性や公平性を改善するわけではない」と言う[798]。彼女はこれをさらに一歩進めて、トレーサビリティに関して、コーヒー農家に関する個人情報や彼らの写真を追加した。「それらの情報はコーヒーと同様に製品だ。買うことができる[799]」。この情報に基づいて製品に付加された価値は、販売者によって確保されているが、通常は生産者の同意や認識なしに生産者から得られたものなのだ。生産者はたいてい、自分たちの写真や個人情報に含まれる象徴的付加価値の報酬を得ていない。

消費者に提供されるこうした「原産地」との象徴的な繋がりは、たいていは表面的なものであり、農家の現実の姿を一方的に発信することは貧困ポルノと大差がない。このような痛ましい話や、こうした人々により多くのお金を払ったことによる自己陶酔感は、「月五ドルで子どもを養育する」という慈善ペンパル制度で使われる台詞と奇妙なほどよく似ている。生産者がどれだけの利益を得たかというような財務上の透明性が確保できない場合、生産者にとって自身の写真や生活をウェブサイトやコーヒーバッグやポスターに載せることは何かの役に立つのか。「『カップの中の品質』に関するサードウェーブの懸念は、生産状況についての社会正義へのアピールに暗い影を落としている。つまり、そのような社会正義への熱中が醒めたあと、倫理的に職人が手作りする本物のコーヒーは、どんなに高価になるだろうと想像するだけで終わってしまうことになる〔800〕」。影響の幻影を資本化する典型的な例は、貧しい生産者の写真を使用して、現地からコーヒーを調達さえせずに、有無を言わさず「これは本物だ」という印象を作り出すことだ。むしろ、コーヒーはより実用品的で、あまり困窮しているようには見えない原産地からのものかもしれない。「スターバックスはマーケティング戦略として村のコーヒーのイメージを使用しているが、実際は大農場から購入している。彼らのコーヒーは村とは無縁であり、認証されたものかもしれない。しかし、大農場主は大きな利益をあげている。彼は貧しい村人などではない。認証は嘘っぱちだ〔801〕」

非倫理的行動の償いと正当化

倫理的にきちんと活動している企業を支援することで人々は、日々の仕事から離れることなく、小さな形でなんらかの貢献ができるようになる。なんらかの形で世界を改善していると思える企画を立てている企業から商品を買うことで人々は、一定の満足感や正義感を得ることができる。これは必ずしも悪いことではないが、消費者は、ほかの非倫理的な行動を精神的に正当化したりそれを糊塗したりするために、自らの影響や倫理を粉飾する企業から商品を買うこともあり得る。

消費者のその日の善行としてのコーヒー

有機栽培のラテを買うのはいいことだが、それで自分の庭の化学肥料、毎週消費する二キロの牛肉、郊外から通勤に使う車の二酸化炭素排出量を正当化することはできない。ギャヴィン・フリデルによれば、倫理的な（「公正な」）コーヒーを購入したいという消費者の望みは、「『公正でない』コモディティを消費することを相殺するものであり、そうすることで自己を正当化していると考えられる」という。そして彼は続けて、フェアトレード（という「倫理的であること」の代用）製品を消費することで人々は、「自分の無力感をなだめ、自分が『倫理的』な人間であることを証明しようと」していると説明している[802]。「ストーリーコーヒー」[803]（販売するとき、コーヒーがどこから来たのかが語られる）の人気が高まると、良心の浄化作用からそれが新しい商品だと見なされるかもしれない。生産者の物語が悲惨であればあるほど、一杯のコーヒーに含まれる良心の浄化作用は強くなる。皮肉なことに、トロント大学の研究によれば、「グリーン」製品の消費と「利己的で非倫理的な行動」とのあいだに何らかの関係があることが認められるという[804]。

コーヒーを買って貧困をなくす

貧困を解決するのはよいことだ、指もほとんど動かさずにそれができるならさらによい。そうだろうか。気がかりなのは、資源の分配があまりにも不平等なために富裕国の消費者がすべきことが、貧困を緩和して何世代にもわたる不平等と社会的疎外を軽減するためにコーヒーを買うことだ、という点なのだ。しかも、それは高価ですらない。さらに気がかりなのは、富裕国の中産階級の消費者が食費に数ドルを上乗せするだけで、いつも買うコンブチャ（紅茶きのこ）の瓶より安い金額でコーヒー農家の貧困生活を根本的に変えることができると考えている点なのだ。これは、あなたが食べ残した手羽先やポテトを喜んで受け取ろうとレストランの外で待ち構えているホームレスと遭遇するのに似て、自分に力があることや優越感を否応なく味わえる体験だ。

これとは逆に、生産者側から見れば、富裕国の消費者の購買力は非常に大きくて、彼らがわずかな金額を費やせば自分たちの生活が大きく改善されるという考えは、自身の劣った立場を自ら肯定することであり、文明世界の富裕層への依存意識を生み出す。ペイジ・ウェストは、この種の慈善消費マーケティングは「第三世界の生産者と第一世界の消費者とのあいだの政治的・経済的格差を再構成」し、「富の格差を否定するのではなく固定することでそれを正当化している」とはっきりと述べている。[805]

自己満足の結果

おいしいコーヒーがなくなる

実質的にコーヒーの価格が世界的に低くなる（ほとんどの生産者の生産費用に近いかそれ以下）ことはしばしば起きるが、そうなるとブラジルとベトナムしかその状況に耐えられない。直観的には、この状況が続くと、ブラジルとベトナムだけがコーヒー栽培を続けられる原産地となり、そこで栽培されるコーヒーが、世界中の消費者に提供される全コーヒーになるだろう。「その大きな原因は、過去三〇年間に顕著な生産の統合だろう。この傾向は明白で深刻である。一九九一年の総生産量に占める上位五生産国の総生産量は約六〇パーセントだった。ところが今年は約七五パーセントに達している。[806]二〇一八年、ブラジルとベトナムの二カ国は合わせて九〇〇〇万袋のコーヒーを生産した。（略）このままいけば、二〇三〇年までに世界の総生産量の八〇パーセント以上を二カ国が生産することになるだろう[807]」。リック・ラインハートの分析で明らかになったことは、「将来、ブラジルとベトナムが世界でもっとも効率的な生産国であり続ければ、世界のコーヒーの八〇パーセント以上がナチュラルアラビカとロブスタになる、つまり、粗悪なコーヒーになると言い換えてよいだろう」ということだ。[808]ロブスタとハードアラビカの取引価格に基づいて、スパークリングウォッシュのマイクロロットを買い続ければ、最終的にはロブスタとハードアラビカだけを飲むことになる。「それが市場の仕組みだ」とよく言われる。しかし、そうなるように市場の仕組みをだれかが決めたからだ。そうならざるを得なかったわけではない。

社会的側面

手作業で収穫するアラビカ豆を作っても生活が成り立たないことがはっきりすれば、その社会的意味の大きさは計り知れない。マイルドアラビカを生産する無数の小規模農園が栽培から撤退していけば、文化的、環境的、人道的側面から見てその過程は激しい痛みをともなうことになるだろう。経済的に立ち行かなくなったマイルドアラビカの生産者について、次のような予測をする人がいる。「彼らはひとたまりもないだろう。彼らは現実の人間であり、現実に生きて、現実に家族がいて、子どもたちがいる。人並みの暮らしをする権利と希望があるのに。それは表面的に見れば無惨なもので、さらなる無惨な状況を生むことになる。長期にわたる機会の喪失は人を暴力へと駆り立てる。このことは間違いない事実だ[809]」

発展途上国の都市の未来は、仕事を見つけるためのスキルのない、居場所をなくした大勢のコーヒー農家の人々であふれていて、少しもバラ色ではない。ほとんどのコーヒー原産国では製造業の雇用は伸びておらず、大規模な労働者の流入を受け入れるほどの速さで成長していないことは明らかだ。経済的絶望は犯罪や文化の喪失に繋がる。農村地域の人口減少は、治安の悪化、土地所有の寡占化、社会階級間にさらなる新封建主義的分断をもたらす。

環境的側面

大規模な農場での労働集約度の低い作業は、機械化と集約化が進むことだろう。工業化された原料集約的な生産が引き起こすものは、（日なたでの）浸食、（肥料流出による）水質汚染、（過密植林による）土壌劣化、森林破壊、生物多様性の損失などだ。「ほかの農産物の生産と比較して、コーヒーは環境の観点から見て非常に好ましいものである。炭素隔離に関して効果的な作用をする。生物多様性を促進する。うまく栽培されればたいていは日陰で成長し、それによって生物多様性はさらに促進される。「コーヒーは、比較的環境負荷の少ない作物だ。（略）環境への配慮という点なら、ほかのどの農産物もコーヒーに及ばない」[810]。コーヒーが栽培できなくなり、それに労働力不足が続くと、しばしばその代替として牛の放牧がおこなわれることになるが、それは環境を急速に悪化させることになる。

第5章

解決策——運まかせか否か

THE SOLUTIONS: HITS AND MISSES

世界中で軽んじられているコーヒー農家を取り巻く状況や、バリューチェーンに頼りきっている生産者に悪い影響を与えるバリューチェーンのごまかしについて議論しても、この業界の大半は、革新的な考え方を夢想にすぎないとして取り合わず、コーヒー業界の現在の構造を「当然のなりゆき」だと言って、なんの行動も起こそうとしない。こうした無力な言葉を聞いたら、私たちは自問すべきなのだ、そう言うだけでいいのか、と。どうしてそんなことになってしまっているのか。私たちが小規模農園のコーヒーを小売店で定価で買っているにもかかわらず、その小規模農園の家族が価格変動のせいで貧困から抜け出せないことを「当然のなりゆき」で済ませてしまってよいものだろうか。おそらくサプライチェーンと市場構造の諸局面が不活性状態にあって、それを変更することができないでいる。ここで指摘する問題のほとんどは、今年中に世界規模で修正できる類のものではないが、だからといって、与えられた時間の中でできるかぎりのことをするべきだという私たちの責任がそれで免除されるわけではない。

コーヒー企業の経営者としては、気に入っている豆の生産者に向かって、豆の栽培を諦めてアボカドやマカダミアナッツや牛の放牧に鞍替えしたほうがいいと忠告するのは辛いものがある。しかし、現実の目標を見失うことなく、農村の開発が進められるように全体的な方針をとらなければならない。優先されるべきは、おいしいコーヒーではなく、豊かな農村なのだ。

私たちの結論は、さまざまな原因から小規模農園を貧困状態に追いやっているコーヒー豆の価格は自由市場の動きから、そして生産されるコーヒー豆の量と消費されるコーヒー飲料の量から決まる、というものであった。これらの原因を変えていくのは容易ではなく、世界中の（反自由市場の）協力がなければ大きな影響を及ぼすのは無理であって、またそんなことが起きるとは考えられない。

したがってその代替案となりそうなのは、焙煎業者が自分たちの利益、すなわち競争力を犠牲にしてでも、コーヒー豆に対して市場が定める価格より高い値段を自発的に支払うことだ。製品に追加される付加価値（環境の持続可能性、コーヒーを淹れたときの品質の高さ）がなければ、これもまた持続不可能であり実現不可能だ。私たちはもっと賢くならなければならない。

コーヒー栽培で利益を上げる方法

無理ならやめる

費用を理解する

家族経営の小規模コーヒー農園が大農場より効率的であることはわかっている。それならなぜ、小規模農園が大農場主より苦労しているように見えるのか。ウサギの巣穴の奥深くまで入りこまないかぎり、多くの小規模農園は自分たちの費用の構造が完全には理解できず、そのために全体的な収益と長期的な安定を優先する決断ができないでいる。彼らは代理人に頼ったり、噂話を参考にしたり、彼らに奉仕してくれるとはかぎらない他者の助言を受け入れたりする。たとえば、乾燥するまで一週間待ちさえすればもっと高値で売れ、輸送費も安くなるのに、ウェットパーチメントを大幅に値引きして売る小規模農園がたくさんある。何も知らない生産者は、いつでも乾燥できるように一週間保管するための貯蓄を作ったり、改修やインフラに投資したりすることの大切さを知るべきなのだ。

生産費用の削減

貧しい農家は、生産のやり方が悪くて貧しいわけではない。一ヘクタールあたりの生産費用が低いシステムは、集約的なシステムより収穫量が少ないが、損益分岐点が低くなり、経済的な回復力は優れている。わずかな投資と労働力で生産することができるし、コーヒー以外の生産物、たとえば魚の養殖などからも収入を得られる。そのほかの品物はほかの農家から買えばいい。農園と畑から得られるものはリサイクルができ、それを別のものとして利用できる。たとえば、コンポストを使って有機肥料を作れば生物力学の実践にもなる。

生活費の削減

経済的に逼迫している農家は、収穫期と次の収穫期までのギャップを埋めて、できるかぎり支出を抑え、苦境を乗り越えることができる。そういった農家は自分たちの食糧の一部を栽培し、コーヒー価格が予想よりも低いときにコーヒー売買への依存度を下げられるよう努力する。魚の養殖といった副業をすれば家計の支出を減らしたり、コーヒー栽培用の合成肥料の代わりになる副産物もできたりするのでいちばん効果的だ。バイオダイジェスターは優れた例で、コーヒーチェリーや動物の排泄物を分解する際に放出されるメタンを収集し、家計費から調理用ガス代を削減したり、薪用に伐採する樹木の量を減らしたりできる。

収入源の多様化

どの投資もみな同じだが、コーヒー生産事業にもリスクがともなう。不作や収穫時の価格下落のリスクは、コーヒーに百パーセント投資し、それに依存している農家を破滅させることになりかねない。これは、投資ファンドマネージャーが全資金を起業したばかりのテックスタートアップに投資するようなものだ。失敗しない可能性もあるにはあるが、失敗する可能性がかなりある。破産したくなければ、その投資家は同じ変数の影響を受けにくい多様な分野に投資をする。そうすれば、ひとつが失敗しても他の分野はおそらく生き残るだろう。理想を言えば、相反する事象から恩恵を受けるようなビジネスの企業を選ぶべきだ。たとえば、イタリアのトマトソース会社に投資したら、干ばつの可能性とその結果、つまりトマトの不作と売り上げの減少について検討するだろう。その後で、イタリアの生産量が減少して価格が上昇しても、メキシコの生産量は影響を受けないということを知れば、メキシコのトマトソース会社にも投資するかもしれない。あるいは、干ばつでトマトは不作になるがオリーブは豊作になることを知れば、イタリアのオリーブオイル会社に投資するかもしれない。一方の投資の収益が少ない場合には、もう一方の投資先での収益が多くなる。

コーヒーは米ドルで取引される非主要輸出作物だ。そのため、ある種の気象条件、使用通貨とドルの為替レート、世界のコーヒー市場の影響を受けやすい。コーヒーは日常生活での必需品ではないため、市場は世界の他の地域の生産水準に依存し、ある種の地域では消費市場の景気低迷の影響を受けやすい。高価なコーヒーは、景気が悪化するとたちまち消費者の買い物リストから外されるのでさらに影響を受けやすい。

生産者の投資ポートフォリオを多様化するのに理想的な作物とは、コーヒーに悪影響を与える気象条件下でも強い作物だ。つまり、農村部で消費され、生産者が使用する通貨で購入される作物、あるいはコーヒーと関係のない世界の別の地域で消費される商品だ。例を挙げるなら、柑橘類、プランテン、ユカ／キャッサバ／マニオックといった地元で消費される丈夫な食用作物、育てるのに手間がかからない家畜、農家が好んで食べる食品などで、これが家計を助け、おのずから回避となり、換金作物による貨幣所得への依存度が低減される。「コーヒー生産者が市場の変動に対抗する方法としてこのほかに、国内外の市場の要求を満たすことが挙げられる。たとえば、大西洋世界の市場とインド洋世界の市場とは根本的に異なる。ラテンアメリカのコーヒーは主に欧米の消費者向けに輸出されているが、インド洋近辺のコーヒーはその近隣の国々に輸出され、同時に地元でも消費される。これは市場変動に対抗する保険となるだけでなく、コーヒー貿易をどのように捉えるかという意味でも私たちには興味深い[811]」。農家は、輸出用に他の換金作物を作って多様化を進めることもできるが、それが有効となるのは、それらの生産物の市場や用途が異なっているときだけだ。しかし、そうした生産物はやはり地元の作物よりリスクが高く、潜在的な利益が大きいと言える。

さまざまな投資にリスクを分散することに加え、作物を組み合わせる選択は相乗効果が期待できる。たとえば、ある経済活動の副産物が別の経済活動を支援したり、購入していた原料の代用品になったりするかもしれない。堆肥化されたコーヒーチェリーの果肉はプランテンの木の肥料として使えるし、家畜の糞尿はコーヒー畑の土壌改良の肥料に使え、どちらもバイオダイジェスターの燃料にすれば無料の調理用ガスを作り出し、温室効果ガスの排出を軽減できる。コーヒーと一緒に豆を栽培すると、豆の茎が土壌に窒素を固定化するため、合成化学物質を使用する必要がないことが最近の研究でわかっている。ウガンダにおけるコーヒーとバナナの間作に関する研究によれば、コーヒーの収穫量は実質的にバナナの木があることに影響されないため[812]、コーヒー生産に関して何の危険もなく、許容範囲の費用で追加収入を得ることができる。コーヒー以外の作物や商業活動へも多様化を進めていくための鍵となるのは、マーケティングのチャネルが利用できることと、実際の物流が確保できていることだ。生産者が会員として組織に参加できるような恵まれた地域では、生協などのコーヒー生産者団体がこうした変化の助けになるだろう[813]。

輸出市場の多様化

コーヒーの輸出市場の多様化は、マクロ経済的ショックから売り手を守るのにも有効だ。通貨や経済状態の異なるさまざまな国に販売することで、同時に複数の急激な景気後退の影響を受けにくくなる。たとえば、チリにコーヒーを販売することは魅力的な商業機会になるだろう。しかし、経済と通貨価値が生産物の輸出に大きく依存しているため[814]、世界的な商品価格が下落すれば、チリの企業や消費者が別の通貨で値付けされた高価なコーヒーを買い続けることはかなり難しくなる。生産者はチリ企業にのみ販売する弱い位置に置かれてしまう。「ラテンアメリカのコーヒー輸出量の約八〇パーセントは北米とヨーロッパ向けだ（タルボット二〇〇四、四三ページ）。アジアの生産者の場合、この数字は約六〇パーセントになる。輸出先が多様であれば、外因性の経済的ショックが緩和され、世界市場全体にリスクを分散することができる[815]」

ほかのものを植える

もちろん、コーヒー業界は、コーヒーがすでに生産者にとって生計のよい手段になることを望んでいる。しかし、もし業界が本当に農村の家族の幸福を考えているのであれば、コーヒーが一部の農家にとっては持続可能な繁栄の手段ではない、ということを受け入れなければならない。実質価格が下落傾向にあり、コーヒーを生産する多くの地域で生産費用が上がるなか、より多くの利益を生むほかの作物もある。低コストの生産者、特にブラジルとベトナムの生産者は、商用グレードのコーヒーの大部分で優位に立ち、世界の生産量の大部分を長らく占めている。彼らがどこよりも安く生産できれば、ほかの生産者たちは運に見放される。「コーヒー価格が低い水準のまま留まれば、収益性の低い地域からより収益性の高い地域へと生産地が変化していくことになる[816]」。コーヒー栽培が天候や害虫の影響を受けやすい少数の地域に集中すると、コーヒーがさまざまな地域で生産されている現在に比べて、供給ショックが拡大しやすくなるだろう。[817]

価格統制

価格は変化することがある。それは厄介なことだ。農家にとっては災いであり、家族にとっては苦しみだ。値段がたいして変わらなければいいのに、と思うだろう。しかし、本書をここまで読み進めてきた人なら、価格は思うようにならないことがわかっているはずだ。価格の安定は、実際のコーヒーを取引している全員にとって好ましいことだ。しかし、デリバティブ投資家やデリバティブ取引で手数料を得ている人々にとっては、変動性はビジネスの燃料にほかならない。

国際コーヒー協定

価格が変化しなければならないのは需要と供給を一致させるためなので、需要と供給を統制することで価格が統制できる。実に簡単だ、と思うだろうか。ところが残念なことに、非常に難しいことなのだ。国際コーヒー協定（ＩＣＡ）のやり方は、一時期はかなり有効だった。ＩＣＡは、価格水準を維持するために需要と供給を一致させる国際的な取り組みだった。規制で価格を統制するのではなく、需要に基づいて供給を統制し、そうすることで価格に影響を与えようとした。生産国と消費国のほとんどが、許容可能な変動範囲内で価格を安定させるために、コーヒー豆の輸出量を、需要に見合う量に制限する割当制度に合意した。[818] 最初のICAは一九六二年に調印され、何度かの変更を経て現在まで続いてはいるが、一九八九年に事実上、機能しなくなった。

問題と破綻

この協定には大多数の国や生産国が加盟していたが、ただ乗りしていた国々に蝕まれてしまった。輸出制限に同意せずに安定性から利益を得ようとした国があったのだ。それでも、協定は概ね機能したと言えよう。ICAが生産諸国の政府や他のさまざまな官僚機構によって施行されていることを考えれば、協定によって安定化された価格が実際の生産者にまで浸透しえるという保証はなかった。ロバート・ベイツはアフリカ農業政策に関する研究の中で、FOB価格は都市部のエリートたちが決定していた、と述べている。[819] その後、一九八九年、米国は冷戦政治を優先事案とするようになり、ブラジルはもはや共産主義の「脅威」下にあるとは見なされなくなり、新自由主義的な開かれた市場に関する条項に合意しない中米諸国を処罰する協定には参加しないということになった。[820] スティーブン・トピックによれば、「ベルリンの壁が崩壊した一九八九年、政治的理由から、ロンドンに本拠を置く国際コーヒー機関も事実上崩壊した。第一次ブッシュ政権はもはや社会主義グループへのソ連の支援を恐れず、イデオロギー的に新自由主義的自由貿易へと舵を切り、米国はICO（ICAの協定を運営・管理する国際コーヒー機関）から撤退する」[821]。国連によれば、ICAは「市場シェアを取ろうとした輸出業者によって引き起こされた競争的需要の圧力から崩壊した」という。[822] また、この協定の破綻には、規制水準を下回る価格で追加分のコーヒーを入手しようとした貿易業者のロビー活動が大きく関係している、とも言われている。[823]

余波

こうしてパーティーは終わった。価格は急落し、各国のコーヒー仲介業者は倒産し、崩壊前の五年間には一ポンドの平均価格一・三四ドルだったものが、一九九〇年から二〇〇三年までのあいだには〇・六二ドルになった。[824]栽培と加工の技術が進み、新たな栽培地、とりわけベトナムが台頭してきたことも価格の下落に大きな影響を与えた。割当量のためにコーヒー産業が抑圧されていた国々が主要生産国へと成長し、コーヒー市場が氾濫した。ウェストによれば、過剰生産による価格下落と取引の規制撤廃が同時期となり、世界市場が多国籍貿易業者によってより厳しく管理され、小規模輸入業者や焙煎業者が市場に引き入れられた。[825]

ＩＣＡが機能していたとき、世界中の多くの生産者に経済的安定がもたらされていたが、すべての人の利益を保証するように機能したわけではなかった。シェーン・Ｊ・バーターは、ＩＣＡを「ラテンアメリカのカルテル」と呼び、ＩＣＡがアジアの生産国を市場から追い出し、生産量が歴史的に低かった時期にアジアの生産割当を設定し、コーヒー産業をＩＣＡ以前の状態にまで回復させるのを阻害した、と主張している。バーターはＩＣＡの終焉を「以前のやり方に戻そうとするアジアの生産者たちの反乱[826]」と呼んでいるが、確かにこの見方にも一理ある。マクストッカーによれば、ＩＣＡに基づくインドの輸出割当はその輸出能力の約半分にすぎず、インドはＩＣＡ非加盟国、おもに共産圏に売らざるを得なくなった。[827]

ACPC——価格統制の終焉

価格を安定させるための国際供給統制の死亡宣告を最後に決定づけたのは、コーヒー生産国協会（ACPC）による一九九三年の取り組みだった。この協会は、価格を安定させるために供給統制を復活させようとしたが、軌道に乗るまでには至らなかった。割当の順守を確保する権限がなく、一部の大手生産者が参加することはなかった[828]。以降、法的輸出制限による供給統制は時代遅れになった。コーヒーの供給を減らして価格を上昇させるための戦略は、コーヒーを廃棄したり、各国に輸出を制限するよう説得したりするやり方を取らず、農家が生産を多様化できるように支援し、それによってコーヒーの価格を回避し、全体の供給を減少させるようにすることに変化していった[829]。

回避

世界的に余剰がある（需要よりも供給が多い）場合、価格の維持はできない。私たちが期待できる最善のことは、価格を安定させ、作物サイクルの始まりと終わり（開花から販売まで）の間の急激な変動にさらされないようにすることだ。これは、天候やその他の予期せぬ災害による収穫量の変動から農家を守るための作物保険という形をとることもあるだろうし、農家が（理論上）将来の、九カ月ほど先の作物への投資予算を立てた時点で実現可能な価格を固定するための小規模な先物取引のようなものも想定できるだろう。残念なことに、発展途上のコーヒー生産国の銀行はリスクを回避《ヘッジ》する傾向が強く、信用市場も薄い傾向にあるので、この取引は手を煩わせる価値のない半端仕事にしか見えない。あなたが銀行家なら、あなたの街のセメント工場や自動車販売店が素晴らしい業績資料や資産を持ち、全面的に資本提供を望んでいるのに、どうしてはるか遠くの無法の土地の小さな農家の面倒を見ようとするだろうか。生産者グループが、回避手段を管理するためのよりよい権利や能力を手にするためには、サプライチェーンが、生産者や生協が直面する変動を回避する支援をして、供給の回復力を強化してやらなければならない。

補助金

直接的な補助金

理由はなんであれ、収入の少ない農家の収入を増やしたいのであれば、それを実現するもっとも簡単な方法は金を与えることだ。これによって農民（有権者）の幸福度が（次の選挙までに）急速に高くなるので、政治的に魅力的な方法となる。直接補助金は、課税ベースでの負担と、ある部門から別の部門、つまり生産的な部門から非生産的な部門への富の移動を意味する。競争力のない部門に補助金を出すと、人々や企業がその部門に留まるのを奨励し、他の部門を消耗させることになる。直接補助金は不均等に分配されることがある。コロンビアのコーヒー直接補助金の場合、上位一〇パーセントの大規模生産者が補助基金の八〇パーセントを受け取っていたが、下位二〇パーセントの小規模農園は直接補助金を受け取れなかった。[830]

しかし、補助金を利用して効率性と競争力を高めるもっと効果的な方法がある。[831]補助金は、生産者にとって有利なほかの作物があるにもかかわらずコーヒー生産だけを奨励することにならないように、農業部門全体の利益になるように支給されるべきである。コミュニティ全体から集められた税収からコーヒーだけが不当な恩恵を受けるようなことがあってはならない。交通インフラなどの公共財に投資すれば、こうした利益はより多くの個人へと還元される。たとえばブラジルでは、コーヒー補助金の七〇パーセントが公共財に充てられ、直接補助金の形で支給されたのは三〇パーセントのみだ。その一方、コロンビアではコーヒー補助金の一〇パーセントが公共財の改善に充てられ、九〇パーセントが直接補助金として支給されてきた。

農業部門への補助金というのは、非生産的で非効率的な農民を、たとえどんなに困窮していようとも支えるためのものではなく、生産性と品質への投資を促進するためのものでなければならない。資金が適切に投資されることを保証するには、生産者に対する農業の戦略を方向づけないよう慎重に構築する必要がある。たとえば、コロンビアの農業銀行のプログラムは、粘液除去機（コーヒーのパーチメントに付着している粘液層を除去する機械）と森林伐採を促進することだが、どちらもほぼ間違いなく災害を引き起こす。[832][833]補助金は包括的な仕方で分配されるべきで、とりわけ小規模でもっとも立場の弱い生産者に確実に利益がもたらされなければならない。もしその基金の目的が救済であれば、当然のことだが、生産的にも財政的にも破綻のリスクがもっと高い困窮者たちに向けられるべきだ。特定の製品やサービスへの投資を要求したり、生産構造の特定の変化への対策を立案したりすると、長期的な生産費用の効率化が阻害されるため、生産費用の効率化を奨励する方法で補助金プログラムを設計することも重要だ。

安定化プログラム

為替安定資金などのプログラムの目標は、毎日の価格決定から変動性を排除し、実体としての市場原理に基づいて緩慢に推移する安定した価格を確立することだ。同じことは回避することによっても実現できるが、多くの小規模生産者にはそれが難しいことはすでに見てきたとおりだ[834]。安定資金プログラムの目標価格が市場原理で決定される価格からかけ離れすぎると、生産者に誤った市場シグナルを送ることになる。目標価格が高い場合は、コーヒーを植えることやコーヒー栽培を諦めないことを示すシグナルとなり、過剰供給が進む。目標価格が低すぎると、コーヒーは良い投資ではなくなり、それを植林したり栽培したりする動機が失われる。

もしうまく機能している資金安定プログラムが本質的に地元のコーヒー価格に対する回避となるならば、生産者が必要なときに必要なものを、ただ提供するだけでなく、生産者が回避手段を利用できるように単純に補助金を出し、将来の価格決定に対して責任を持ってもらうほうがいい。いわゆる安定基金は、生産費用に基づいて最低価格を目標とすることが多い。これは、市場原理で決定される長期的な価格に一致させようとするのとはまったく異なる。直接補助金では効率が悪すぎて状況の改善は望めないだろう。

コロンビアで物価政策を分析している研究グループによれば、世界各国の文献で見るかぎり、ほとんどの安定基金はさまざまな理由からうまく機能していないことが多いという。こうした基金は、市場価格が上昇すると（税金の形で）蓄積され、市場価格が下落すると（生産者補助金の形で）提供されることになっている。しかし、多くの場合、市場が上昇しているときの基金の増え方は、市場が下落しているときの基金の減り方に比べてはるかに少ない。多くの個人の短期的な心理、特に歯止めが利かない温情主義的構造に依存する心理を考慮すれば、受益者は調子のよいときでも大人しくしていないで、たなぼた式にもっと金を支給するようにと政策決定者に圧力をかけてくるだろう。政策決定者がコーヒーの価格変動サイクルよりも短い期間内で民主的に選出される場合、短期指向の行動リスクはさらに高くなる。[835] コスタリカにはコーヒーの価格安定基金があった。一九九〇年代後半から二〇〇〇年代前半にかけて、価格が目標を下回る期間が長く続き、基金は枯渇してしまった。その後、基金は資本増強のために政府から融資を受けた。しかし、この持続不可能な構造の本質は変わらず、基金は最終的に二〇一一年に清算された。八年後の今日（二〇一九年）に至るまで、生産者はこの基金に拠出を続けている。しかし、彼らは物価安定の恩恵を受けられず、むしろ彼らの拠出はまだ政府からの借金を少しずつ返済するために使われている。[836]

費用の範囲

単純に見えるもうひとつの解決策は、生産者に少なくとも生産費用を常に支払うという方法だ。これは理屈には合っていて、だれかがある農家のコーヒーが欲しければ、買い手は最低でも生産にかかる費用は無条件で農家に支払わなければならない。しかし、独占的なマイクロロットコーヒー〔種子から生豆に至るまで徹底した管理のもとで作られたコーヒー〕でもないかぎり、買い手が自分たちのコーヒーをどの生産者（たち）が供給しているかを知っているわけでないので、この発想は輝きを失う。

たいていの人は、ひとりひとりの生産者の生産費用に最低価格を設定できるが、どの生産者が供給するのかには無関心な買い手は、生産費用がもっとも低く設定されている生産者から買うだろう。いま起こっているのはこういうことなのだ。生産費用が高く設定されているにもかかわらず、ほかのコーヒーと比較して高価格を正当化できるほど差別化されていない製品は、売れなくなるだけだろう。

効率性

生産費用の違いは、生産システムの効率を反映していることがある。生産者に支払わなければならない最低価格に非効率の要素が反映されて、その分だけより効率的なほかの産地よりも最低価格が高ければ、これらの産地の需要は減少していくはずだ。

国内最低価格

もう一つの選択肢は、平均生産費用に基づいて国内の最低価格を設定することだ。この数字が、そのコーヒーの価値に対する市場の認識と正確に一致しているのであれば受け入れられるだろう。しかし、生産国の数と、大手ブランドのブレンドにおける大半の国の業務用グレード・コーヒーの代替可能性を考慮すると、買い手は依然として最低価格に属する国々を好むだろう。付加価値なく高額な価格を提示する国々を避ければ、下限価格が比較的高い国々では需要は減少するだろう。各国が売れ残りコーヒーを抱え込む状況を避けるには、そうした国は全製品が売れる程度まで、最低価格を競争力のあるレベルに引き下げることが求められるはずだ。こうして最終的には、需要と供給が業務用グレード・コーヒーの最低価格を決定するという自然な秩序に戻ることになる。

市場のシグナル

たとえば、それほど生産が効率化されていない国のコーヒー最低価格が、生産費用が低い国よりも高い価値を生み出しているわけではないにもかかわらず、高い価格で取引されているとする。この構造が認められると、最低価格は市場によって確立された均衡価格を超えることになる。これは追加の植林を奨励し、過大評価されたコーヒーの過剰供給を引き起こすだろう。過剰供給に対する唯一の解決策は、市場が成立する最低水準まで価格を下げることだ。

各国の価格設定を相互に分離し、市場からの情報なしに強制的に価格を設定することは必然的に不均衡を生じ、関係者に誤った市場シグナルを送り、混乱を引き起こすことになる。しかし、ほぼ無関係な製品が基本価格を歪める（ハードアラビカとロブスタに乗っ取られたマイルドアラビカ先物取引のことを指す）ことなく、市場での実際の価値に基づいて、より正確にそれぞれのコーヒーの価格を決定することは、興味深い試みと言える。

認証

消費者が農園へコーヒーを買いに行かないかぎり、小売店頭のコーヒーがどのように栽培され、取引されてきたかを確かめるには、第三者の認証や検証を信じるしか方法はない。しかし、生産者にとって認証を受けるという決断はそれほど単純ではなく、地域によって異なる要因に左右される。

その価値があるのか

認証を得るための手続きをしようと思っている生産者は、費用対効果を徹底的に勘案して、認証が自分たちにとって利益があるかどうか、あるとしたらどの認証を選ぶべきかを考える必要がある。合理的に予想できる価格と価格プレミアムを把握し、それからコンプライアンスの費用を差し引かなければならない[837]。コンプライアンスの費用には、認証の手数料、インフラの調整に必要な費用、認証された工程に従って生産するために必要な費用、終了損失の潜在的な機会費用などが含まれる。価格プレミアムを計算するときには、自分や自分の所属する組織が認証されたチャネルを通じてどのくらい確実に販売することができ、価格プレミアムを獲得できるかについても考慮しなければならない。ほとんどの認証コーヒーの価格設定システムは依然としてC価格に関連付けられているため、ショックや変動に対して弱い状態である。

小規模生産者にとっての問題[838]

特に問題となるのは、認証が認証費用全体を相殺するほどの大幅な価格上昇をもたらさない場合だ。これは、費用やノウハウ、その他の理由で認証を得られない小規模農園には参入の障壁になる。[839][840]多くの小規模農園にとって、認証市場向けに販売できる見込みがあるかどうかもわからないまま、認証を維持するための固定費を負担することは不可能だろうし、生産者の国に認証機関が存在しなかったり、生産者が認証活動を支援する組織に所属していなかったりする場合は、とりわけ費用がかさむだろう。国連の報告書は、生産国政府に対して「妥当な費用でサービスを提供する現地のコンサルティング会社や認証会社の発展を支援する」ことを呼びかけている。[841]

調和の欠如

認証の取得と維持には多大な費用がかかる。買い手がその地域で長期的に購入するという保証がないかぎり、生産者が投資を正当化するのは難しい。オーガニックでさえ、いくつかの消費国では基準や認証プロセスが若干異なるため、当然のことだが、国ごとに毎年の検査費用がかかる。小規模農園には提案された認証をすべて取得する余裕はないだろうし、それぞれの認証の相対的な重要性は容易に変動するだろう。

Voluntary Coffee Standards Index（自主的コーヒー標準指標ＶＯＣＳＩ）を作成したトランス・サ

ステインによると、「（略）さまざまなＶＳＳシステムやラベルが増加したために、それぞれのラベルが何を意味し、それが実際にどのような影響力を持っているのかについて、大きな混乱が生じている[842]」。混乱に対する消費者の反応は疑念であり、それが冷笑や無関心、あるいは「ラベル疲れ」に繋がり、それが次のふたつのいずれかの仕方で出現することになる。ひとつは「こんなにたくさんあるのだから、どれでもよいのだろう」という考え方。もうひとつは、認証なるもの一般に対する反発。このような基準の商品化によって、最小公倍数、つまりもっとも緩い基準が有利になる。

これが偽善的環境保護を生み出すことになる[843]。つまり、消費者がラベルのあまりの多さに混乱し、わざわざ深く掘り下げようとしないのをよいことに、持続可能性も責任も不十分な状態で生産された製品を、あたかもほかの製品と同様、持続可能であるかのように偽って提供するというわけだ。この複雑さに愛想を尽かした消費者は、ただ「いつもの」を注文するという解決策を選ぶこともできる。認証コーヒーの先駆者であるデビッド・グリズウォルドは「認証の重要な機能は、コーヒー農家に公正な価格を支払うよう消費者に主張するのに役立つ点にある。そうすれば彼らは、より良い対価が本当に生産者に渡るのかどうか確かめたくなるだろう」と言う[844]。

特定の認証スキームに準拠した取引条件は、認証コーヒーを信じ、必要とする消費者にとっては、生産者をとりまく状況のわずかな改善――つまり持続可能性と繁栄への第一歩――となるかもしれないが、それはおそらくコーヒーのサプライチェーンに対する彼らの取り組みの達成であり、終着点だろう。

第三者

オーガニック

オーガニックの基準は大半の大量消費国の政府によって確立・施行されており、栽培と出荷は第三者の企業が認証している。認証に関して、農園とその組織は詳細なプロセスを要求され、三年間は未認証の農薬を使用しないこと、手法と投入量の詳細な記録を保管すること、公認のオーガニック認証機関による年に一度の査察を受けることなどが求められている。オーガニック認証は日よけや自生樹木の種については不問としているが、これが持続可能なコーヒー栽培地の管理に関するもっとも重要な指標のひとつであることはほぼまちがいない。認証生産者が一定の地域に集中しているのは、オーガニックプレミアムの利用が均等でないためだ。オーガニック認証コーヒーの八五パーセントはラテンアメリカ産であり、世界のオーガニックコーヒーの四五パーセントはメキシコ産である。[845]

認証費用

協同組合や協会で多くの農園を認証する場合、オーガニック認証を維持する費用は妥当なものだろう。さもなければ、小規模生産者にはありえないものになる。地元に認証会社がない場合、認証会社を農園に数回連れて来るための費用がかかるため、投資を大幅に増やすことになる。収穫量に対する潜在的な影響も生産費用に組み入れなければならない。高度に工業化されたシステムから切り替える場合、収穫量は大幅に減ることがあるかもしれない。また、自生のシステムから移行する場合には、収穫量が増えることも考えられる。[846] 国連によれば、エチオピアでは九〇パーセントが自生するオーガニックなので、オーガニック認証の販売が容易だ。[847] あるオーガニック認証の支持者によれば、従来型の肥料集中システムから移行する途中で生産量が一時的に落ち込むことがあるが、そのような転換のための機会費用は認証費用の一部として捉えるべきだという。彼は、この最初期の後、収穫量が回復して転換前の収穫量を上回るのを見たことがある。コロンビア、カウカのオーガニック認証生産者は全国平均のおよそ二倍である一ヘクタールあたり三〇袋の生豆コーヒーを生産したとのことだ。[848]

自生するオーガニック

肥料を使わない認証システムは、自生するオーガニックと言われる。このようなシステムは認証を受ける資格はあるが、失われた栄養素を補充する従来の栽培法に比べて大規模な土壌劣化を引き起こすことがある。また、収穫量が少ない傾向にあり、栽培地の拡大を推進するために森林伐採の方法が取られるだろう。さらに悪いことに、土壌が劣化して収穫量が悪化した後、受動的なオーガニックのコーヒー畑は放棄され、再植林のために新たに天然林が伐採（通常は焼き畑）されることもある。オーガニック認証された土壌改良剤や堆肥化技術の利用が進めば、受動的なオーガニックコーヒー生産システムも改善されるだろう。

価格プレミアム（オーガニック）

消費者レベルで見れば、従来型コーヒーに対するオーガニックコーヒーの平均プレミアム価格は一ポンドあたり一ドルだ。[849] ただし、コーヒー生豆に対する平均FOBプレミアムは一ポンドあたり〇・一五ドルから〇・三〇ドルとなっている。[850] 金が農家に戻るまでに、オーガニックコーヒーの生産者に支払われる平均価格プレミアムは、二〇〇三年では一ポンドあたり〇・一五ドルから〇・二ドルである。[851] したがって、農家には、消費者がオーガニックコーヒーに払う追加金額の一五から二〇パーセントが支払われる。残りは輸出業者、輸入業者、そしてとりわけ、焙煎業者の手に留まる。

オーガニックコーヒーの価格プレミアムは、供給量の増加のせいで過去二〇年間で大幅に下落した。[852] 収穫量の減少と、より高価なオーガニック材料のために、オーガニックコーヒーの生産費用は以前よりも高くなり、生産者はその生産費用を正当化するのが困難な状況に陥っている。[853] スペシャルティグレードの品質や独占性／稀少性のためのプレミアムを付加することができないオーガニックコーヒーは、「最終的には量販ブレンドとして」わずか五パーセントの価格プレミアムしか得られないこともある。[854] プレミアムは下落したが、よいニュースもある。オーガニック認証農家は作物の平均八〇パーセントをオーガニックチャネルを通じて販売し、価格プレミアムを得ているという。[855]

フェアトレード

国際商取引における社会正義に焦点を当てた世界的な運動であるフェアトレードは、コーヒーの持続可能性認証として世界で二番目に広く製品を消費・生産している。この概念は一九四〇年代から生まれ、数十年をかけて大きく発展してきた。フェアトレード・インターナショナル（国際フェアトレードラベル機構、ＦＬＯ）が主催し、二〇一一年以降は別個にフェアトレードＵＳＡが運営している。その違いはおもに、ＦＬＯが民主的に運営され、小規模自作農で構成される政治的に独立した協同組合や団体だけを対象に活動しているのに対し、フェアトレードＵＳＡは大規模農場、企業、多国籍経営のプランテーションなどにも広く機会を提供している点だ[856]。

　フェアトレード認証の対象には、労働者の待遇といった社会問題が含まれている。その要件は国際労働機関が定める基準に基づいている。農場労働者は各国の最低賃金を受けとらなければならない。ただし、これは必ずしも保証されてはいない。東アフリカでおこなわれた調査で明らかになったのは、フェアトレード認証を受けた農園で働く賃金労働者の収入は、一般的に認証を受けていない農園で働いている労働者よりも少なかったことだ。フェアトレード農園の労働者のほうが、快適な環境を享受していたとは決して言えないのだ。もちろん、そういう農園もあるにはあるのだろうが[857]。

価格プレミアム（フェアトレード）

消費者が支払った価格プレミアムは生産者に一〇〇パーセント還元されるわけではなく、生産者は最低金額を受け取り、彼らの所属する組織も最低金額のプレミアムを受け取る。認証機関や仲介業者もフェアトレード・プレミアムの価格から恩恵を受けていることが示されている。[858] コーヒーに対する最低金額のフェアトレード・プレミアムはＦＯＢ（輸出）一ポンドあたり〇・二〇ドルだが、コモディティ価格に対して生産地および品質に関するプレミアムが乗る場合（差額によって高値になる場合）、平均ＦＯＢプレミアムは〇・五九ドルだ。[859] とはいえ、消費者がフェアトレードに魅力を感じることで恩恵を受けるのは生産者だけではではない。「カフェのフェアトレードコーヒーに支払われるプレミアムのうち、生産者が手にするのはわずか一〇パーセントにすぎない[860]（ハートフォード２００６、エコノミスト２００６b 七四ページより引用）」。評論家の中には、フェアトレード製品の差額が生産者に支払われる追加金額より高いということに倫理的疑問を呈する人もいる。分析によれば、フェアトレード認証コーヒーの収入の配分は、非認証コーヒーのサプライチェーンによく似ていることがわかっている。パイ自体は少し大きいが、生産者の取り分は同じなのだ。[861]

価格の下限

農家がフェアトレード認証を受ける最大の利点のひとつは、フェアトレードチャネルを通じて販売を続けられれば、販売価格が一ポンドあたり一・四〇ドルを下回ることがないため、下限価

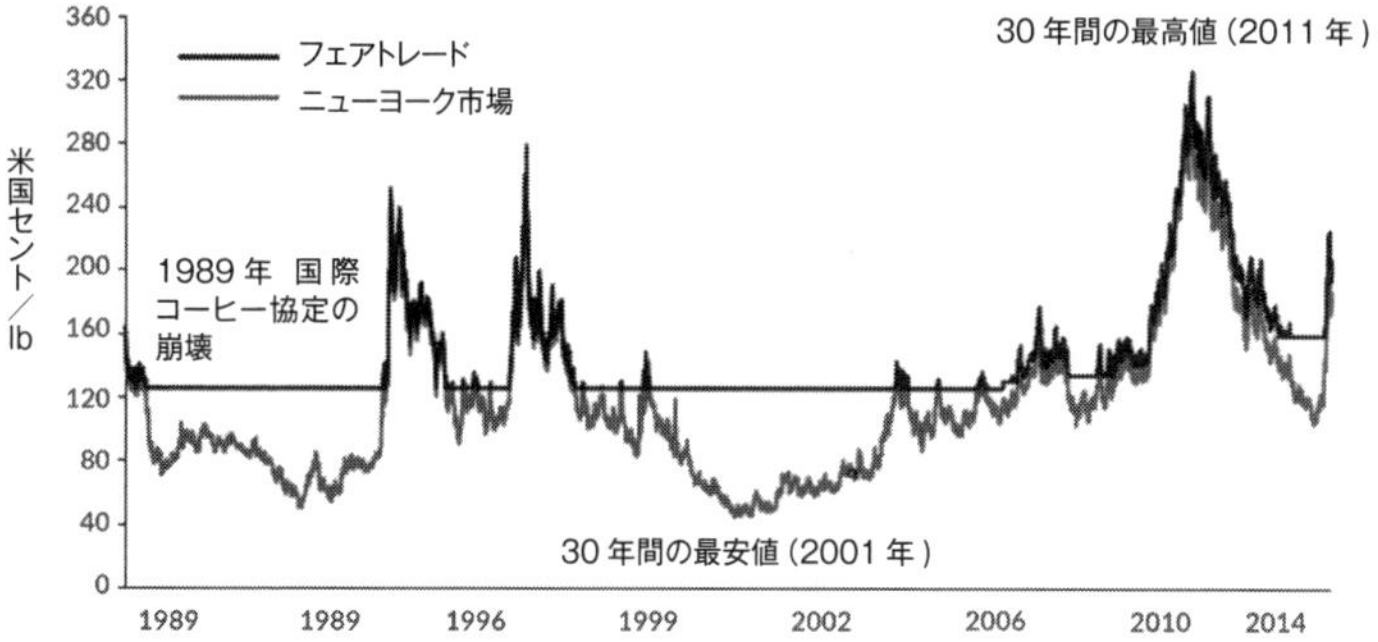

出典：© フェアトレード財団（許可のうえ改変）
注：NB フェアトレード価格＝140セント/lbの内のフェアトレード最低価格*＋20セント/lb フェアトレードプレミアム**
ニューヨーク価格が140セント以上の場合、フェアトレード価格＝ニューヨーク価格＋20セント。ニューヨーク価格は、ICEフューチャーズUSのコーヒーC先物契約（セカンドポジション）の当日決済価格。

* フェアトレード最低価格は2008年6月1日と2011年4月1日に上昇
** フェアトレードプレミアムは2007年6月1日と2011年4月1日に上昇

図5-1　フェアトレード認証の効果

格の保証が得られる点だ。しかし、市場価格がＦＬＯ最低価格を下回っている場合には、買い手にとって非ＦＬＯのほうが魅力的に映る。買い手は、フェアトレードコーヒーを買って追加プレミアムを取られるよりも、安いコーヒー買うほうがずっと得だとわかっている。このとき、買い手が認証を無視することでフェアトレードチャネルを簡単に回避できるなら、フェアトレードチャネルで保証される価格の上昇には効果がない。協同組合は、同じ商品をＦＬＯプレミアムなしで販売させられることが多い[862]。フェアトレードプレミアム付商品を組合の倉庫で荷降ろしする際に組合が農家に価格を送ったりすると、従来のチャネルを経由してフェアトレードコーヒーを販売するときに資本を引き揚げられてしまうかもしれない。

輸入業者の必要条件

生産者と生産者組織の努力だけを求める多くの認証とは対照的に、フェアトレードはその名前が示すとおり、製品がどのように取引されるかをも重視している。輸入業者と輸出業者は、複数年契約でＦＬＯ登録生産者協会から直接購入しなければならない。フェアトレード認証コーヒーの買い手は、協同組合または協会が最低価格、社会プレミアム、そしてオーガニック認証も受けている場合には追加プレミアムを支払わなければならない。さらに買い手は、生産者組織に事前融資を申し出なければならない。

協同組合を通じて配分される利益

義務付けられている一ポンドあたり二〇セントのフェアトレードプレミアムは直接生産者に支払われるのではなく、生産者の組織に入り、それをどうするかは会員が投票で決める。このことは新自由主義的あるいは自由主義的な観点から開発と公平性に取り組む人々にとっては頭の痛い問題だ。そのうえさらに協同組合員にはFLOへの参加が義務付けられてもいるのだ。農家の人々が協同組合に所属することに疑問を感じずに、効果的に利用しているのであれば、フェアトレードは優れた選択肢といえるだろう。しかし、もっとも立場の弱い農家には、認証を取らせたり認証市場を見つけたりする能力のある協同組合や協会を利用する手段がない。したがってフェアトレードは、強力な組織を持つ、より裕福な地域の農家に有利になることがある。十分な経営人材を確保できない比較的能力の低い協同組合や協会では、認証は取得できても、認証コーヒー市場との繋がりが不十分かもしれない[863]。

優秀な協同組合は、その民主的な運営やコミュニケーションは効果的で、さまざまな方法で組合員にプレミアムを分配してくれる。プレミアムの分配は、その生産者協同組合が買い手とどれだけ近い関係にあるかによっても異なる。生産者の所属先には、直接輸出する協同組合、輸出業者に販売する協同組合、あるいは巨大な協同組合の一組合員である場合がある[864]。

過剰供給

多くのフェアトレード農家が価格のセーフティネットやプレミアムの恩恵を受けられないでい

るもうひとつの原因は、認証コーヒーの供給が需要を上回っている点である。FLO認証農園から得られるコーヒー豆の推定供給量は一二〇万袋だった。輸入業者へのFLO認証コーヒーの販売量はわずか二二万袋。プレミアムはよいのだが、約一八から二〇パーセントしか購入されないとしたら、認証取得のための費用と手間には本当に価値があるといえるだろうか[865]。利用できる人にとっては利益が大きいが、認証は疎外された底辺の人々の手には届かず、多くの認証生産者はその恩恵を受けることができない。

市場の歪み

自由市場には自らを規制する能力があると信じる経済学者は、需要と供給によって決まる価格をそこから人為的に逸脱させるフェアトレードなどの機構を批判する。彼らの主張によれば、価格を引き上げれば、農家の人たちは市場が別のものを作るように告げていても耳を貸さず、コーヒーを栽培し続け、その結果、長期的な過剰供給が続くことになるというのだ[866]。

供給されるコーヒーが多すぎると価格が下がり、人々が栽培をやめるまで下がり続け、供給が減って初めて上昇に反転する。最低価格が決まっていると、過剰供給の状態でも農家にとってそれが生産を続ける動機となり、価格低下の原因である需給の不均衡状態がますます悪化していく[867][868]。投機で歪められた市場では、変動が誇張されて現れるため、下限価格を設定することは相手と同じ手段で対抗するようなものだ。フェアトレードとして販売される二二万袋が世界的な市場原理に影響を及ぼすとは考えにくいが、もしフェアトレードが世界の小規模農園のかなりの部分の生計を改善することができれば、それが持つ市場を歪める潜在力で従来のコーヒー価格を押し下げることになるだろう。

その他の認証

オーガニックとフェアトレード以外にも、農場レベルの環境や社会的条件をおもに取り扱っている、やや趣《おもむき》の異なる認証が多数存在する。レインフォレスト・アライアンスは、その名前が示すとおり、生物多様性の維持に関心を持っている。この認証には、コーヒー農園内の樹木のあり方、農薬の使用、作業条件などに関する特定の必要条件が設定されている。レインフォレスト・アライアンスの認証には、フェアトレードやオーガニックでは要求されていない自然生物多様性の基準が含まれているが、スミソニアン協会のバード・フレンドリーの必要条件ほどには厳格でない。レインフォレスト・アライアンス認証の欠点のひとつは、農家やその代表者に支払われなければならない最低価格やプレミアムがないことだ。「収穫量への影響は少ないが、労働の費用は増加する傾向にある。長所としては、コーヒーの品質が向上し、土壌の肥沃度が改善され、コーヒーの木の寿命が伸びる傾向にあることが挙げられる」[869]

レインフォレスト・アライアンスといくつか共通する側面を持っていたＵＴＺ認証は、現在レインフォレスト・アライアンスに統合されている。これまで、焙煎業者が消費者向けの包装に認証ラベルを使用するには、一ポンドあたり〇・〇二ドルを支払わなければならなかった。また、農家に支払われるプレミアムも定められていなかったが、その支払いを推奨していた。レインフォレスト・アライアンスやUTZのおもな対象になるのは、大農園や大規模農場だ。[870] ラテンアメリカでは、レインフォレスト・アライアンス/UTZ認証を受けた栽培地の一一パーセントが小規模農園によって管理されている。[871] スミソニアン渡り鳥センターが運営するバード・フレンドリー認証は、木陰や種の豊かさにオーガニック基準を組み合わせたもので、「コーヒーの分野でもっとも意欲的な環境認証の枠組み」である。[872] この認証は前提条件としてオーガニック認証を必要とするだけでなく、厳しい森林農業基準をも求めている。

検証と買い手専用

これまでに紹介したプログラムは、買い手や売り手と提携していない中立的な関係者がその完全性を保証しているので、第三者認証と見なされているが、認証機構は他にも存在する。買い手専用の認証とは、認証を所有する買い手に対してだけ有効なものであり、認証をおこなうのは通常、中立的な第三者ではない。持続可能性の基準の影響力を専門的に研究する組織であるトランス・サステインが実施した調査によれば、「UTZ、レインフォレスト・アライアンス、フェアトレードUSAなどNGOの参加によって開発された複数利害関係者型VSS(voluntary sustainability standard 自主的持続可能性基準)は、常に業界主導型VSSを圧倒している」[873][874] という。

プライベート認証

国際的に認められた持続可能性基準とそれぞれの認証に抵抗する形で、スターバックスやネスレなど一部の大手バイヤーや焙煎業者が独自の基準を設立した。バスタヌル・アーフィンは、これらのプライベートブランドによる個別の認証は、「世界の食料生産、貿易、消費に対する企業管理の新たな手段としてならば機能するかもしれない」と述べている。[875] 買い手は、認証を持つ多くの生産者から選ぶことができるが、もし生産者がプライベート認証に投資している場合、それを評価してくれる買い手は一社だけだ。

4C検証

ドイツコーヒー協会はドイツ経済協力開発省とともに、4C（コーヒーコミュニティのための共通規範）を作成した。4Cは小規模バイヤーの認定評価と同様に一定水準の環境・社会的責任に相当する基準を持っているが、それはオーガニックやフェアトレードのような国際的に認められた基準に比肩しうるものとは言いがたい。4Cは、より厳格な認証への足がかりと捉えられている。[876] これは、生産者を所定の手順の調整と記録の管理に慣れさせ、組織がより高価な認証プログラムやインフラの調整に投資する前に、どの生産者がこのような作業をおこなう意欲を持っているかを判断するには適切かもしれない。しかし、差異が消費者にとって明らかでなく、そのため、買い手にとって優先順位が低い場合、4Cが他の認証とどのように競合するかは不明だ。これは4Cが悪いのではなく、試行錯誤の途中だからだ。

　農家やそのスポンサーは認証とコンプライアンスに投資する必要があるが、それにともなう価格プレミアムや差額については設定されていないため、費用対効果の方程式が不安定になる。地元のサプライチェーンは、認証を受けた農家にわずかなプレミアムを提供するようだが、認証を管理し承認する買い手には、プレミアムを支払う義務や認証コーヒーすべてを購入する義務がない[877]。プレミアムで認証費用を賄いきれない場合、このことは一部の大手バイヤーとの取引に対する参入障壁となるし、認証を取得するための資源が不足している小規模農園の場合、さらに不利な立場に置かれることになる[878]。

これらのシステムで大きな問題となるのは、原産地と消費地の価値の不均衡だ。原産地側では、いつ消えてもおかしくない少額のプレミアムが期待されるだけだが、消費国では、このような「簡易な認証」を取得したコーヒーには、小売業者が有利に利用できる消費者向けの追加市場価値が含まれている。スターバックスは、オーガニックや野鳥の生息環境に配慮するものから、最小限の持続可能性よりわずかに優れたものまで、それが持続可能性の分布図中のどこに位置するかにかかわりなく、一律に「持続可能《サステナブル》なコーヒー」と呼んでいる[879]。

「簡易」認定のもうひとつの問題は、これらが低価格域で国際的に認められた認証の重要性を減少させているという点だ。C・A・F・E・プラクティスとフェアトレードは同じものかと尋ねられて、スターバックスの倫理的調達担当役員のケリー・グッドジョンは次のように答えた。「両者は似ていると思うが（略）われわれの関心事は、農家の生計がきちんと確保されることと（略）、コーヒーが地球と環境にとって有益であり、品質と経済の透明性を維持できることだ[880]」。私たちが目にしているのは本質的に、低コスト・最小公倍数に向かう「持続可能性の商品化[881]」だ。多くの証拠は、これらのプライベート認証（北半球の焙煎会社によって創設され、尊重されている認証）が、生産者の「声を抑え[882]」、低コストで北半球の企業と消費者の良心を晴れやかに保つための道具であることを示している。

日陰栽培

コーヒーが日陰で栽培されるというのは、消費者に向けておこなわれる環境面での主張だが、それが一定の基準や認証に基づいているのかどうかはわからない。約一〇年前に日陰栽培として販売されたコーヒーの商品価格に対する平均FOB（輸出）価格プレミアムは、一ポンドあたり〇・四六ドルだったが、その一方でオーガニックコーヒーは一ポンドあたり〇・四九ドルだった[883]。日陰栽培コーヒーは認証されていないことのほうが多いため、この主張は、ただ乗りの人や嘘つきにとってはよい商売の口実になる。第三者によって認証されていない場合、そのコーヒーが本当に日陰で栽培されたものかどうか、どうすればわかるというのだろう。それを調査するのは買い手の仕事だ。農場の生態系や天然の生物多様性に影響しない樹木は少数ながら存在する。バナナのような外来種もそうだ。そのため、日陰栽培という言葉は消費者にとって誤解のもとだ。これまで環境保護に関心のなかった人はこれを機会にぜひとも学んでほしい[884]。

効果

認証の影響

すべての認証には長所と短所があるが、それが良いか悪いかという問いに答えるのは難しい。

ある認証は特定の地域では他の認証よりも厳格である。さまざまな利害関係者に対する影響は一様ではない。バリューチェーンにおける認証とＶＳＳの影響を評価する方法は多数ある。以下に少し紹介しよう。

収入への影響[885]＝（価格プレミアム）－（認証、メンテナンス、コンプライアンスの費用）

価格プレミアムは、認証のために支払われた金額の合計であり、コーヒーが認証されていなかったら支払われなかったはずの金額だ。このプレミアムは、収穫されたすべてのコーヒーに対して支払われなかったかもしれない。認証費用には、認証の取得と維持にかかる料金、規格準拠の費用、生産損失の機会費用が含まれる。価格プレミアムは認証付きで販売された製品の部分にのみ適用される場合があるが、費用は必然的に生産の一〇〇パーセントに適用される。たとえ価格プレミアムが実現されても、それが認証付きで販売された生産量のごく一部であれば、全体的な収入への影響はマイナスになることも考えられる。

残念ながらこれは、認証コーヒーの供給が需要を上回っている今では十分にあり得ることだ。二〇一二年、認証コーヒーとして実際に販売されたのは認証コーヒー全体の二五パーセントだった。[886]世界の認証コーヒーの供給量は需要の四倍になっている。しかし、二〇一五年、コロンビアではそれがすでに五倍に達していた。[887]４Ｃ認証コーヒーの二〇パーセントが４Ｃ認証として販売され、[888]レインフォレスト・アライアンス、ＵＴＺ、フェアトレードの場合、二八から三五パーセントが認証付きとして販売されている。[889] 二〇一四年には、オーガニックコーヒーの五〇パーセントが、認証付きとして販売された。[890] 認証プロセスと基準を合理化する、あるいは利用可能な認証の種類を減らすことで、供給と需要の均衡が取れ、買い手が望まない認証に農家が投資するリスクが減る。「持続可能性を達成するための一連の重要な側面に関して共通の合意が得られれば、焙煎ブランドと原産地の取り組みに正当性が与えられ、持続可能性の報告に一貫性がもたらされ、持続可能性への取り組みに基づいた付加価値を生む機会が作り出されるだろう[891]」

値上げを示唆する必要性

最低価格の設定は過剰供給を悪化させることになりやすいが、生産者に利益をもたらすこともあり、消費者も価格プレミアムを積極的に支持するのであれば、たとえ通常価格が下落しても、弾性のあるサプライチェーンが構築されることが期待できる。プライベート認証の場合、焙煎業者が消費者から得るプレミアムに比べ、農家が手にするプレミアムはたいてい少ない。プライベート認証に関しても、焙煎業者は消費者から得た利益を公平に農家に還元すべきだ。一部の認証は、生産者に大きな追加純利益をもたらさないかもしれないが、買い手を見つけやすくするマーケティングツールとして役立てることができる。[892] リック・ラインハートは次のように述べている。「レインフォレストやUTZの認証が、多くの農家に十分な報酬を与えていないことに疑いの余地はなく、（略）オーガニックに対する市場のプレミアムの利益は、農家の収穫量の面でも、高品質のオーガニック作物を生産する努力の面でも、それに支払う費用に遠く及ばない[893]」

認証と生産者

認証に価値があると、認証されたコーヒーは非認証のコーヒーより高く評価される。生産者や原産地の名前の価値は、認証の価値より低くなるおそれがあり、これが「脱産地化」とサンペールの呼ぶ状態だ。このせいで、認証コーヒー生産者と商品の原産地は、非認証市場（認証コーヒーの約七五パーセントが実際に販売されている）への販売を回避するために、数少ない買い手を獲得するためにぎりぎりの競争を強いられている。[894]「VSSは最終市場で商品を差別化するのには有効だが、農家が費用の大部分を負担するのに最低限の利益しか得られないという、持続不可能な状況が続いている市場力学を変えるにはほとんど役に立たない。認証されたコーヒーの調達は、焙煎業者の委託方法が規定しているといえる。つまり、焙煎業者は、仲介業者に対して調達するコーヒーと認証の種類を指定するだけでよい[895]」。生産者または生産者グループは市場で安全性を確保するために、独自の特性に基づいて買い手のロイヤルティを獲得しなければならない。その証拠（と常識）は「認証は生産者の利益になるのか？」という疑問を投げかけているが、このことは認証の商業的意味とサプライチェーンとの相互関係が効果を生み出せるかどうかにかかっている。[896]

スペシャルティと認証コーヒー

持続可能性＋品質

スペシャルティコーヒーと認証コーヒーには繋がりがあると、焙煎コーヒーの買い手は認識しているらしい。ポンテによれば「持続可能なコーヒー」の買い手の九二パーセントが、それを選んだ理由として、淹れたときのコーヒーの品質がより優れた傾向にあるというのが重要な要点だった、と述べている。[897] ところが、持続可能なコーヒーに対する顧客の需要が重要な要素だとする買い手は五一パーセントだった。[898] つまりこれが意味するのは、業務用グレード品質の認証コーヒーには市場が存在しない、ということである。もしそれが本当なら、認証された高品質のコーヒーは、認証と品質に対して別々に補償されなければならない。さもなければ、農家が両方を持つことに価値がない。

その一方で、高級スペシャルティの焙煎業者にとって、認証は流行遅れになっている。それは、生産者が品質だけを重視していたわけではないからだという人もいる。「VSSの主流化は、スペシャルティコーヒーブランドに課題をもたらした。VSSの象徴が主流ブランドで使用されるため、高級コーヒーを差別化するための魅力を失い、コーヒーの産地の重要性とは対照的に基準の重要性を強化している」[899]。サンペールによると、「この持続可能性モデルをセカンドウェーブのブランドに拡大したことで、スペシャルティブランドはVSSを採用し続けることに魅力を感じなくなった」[900]。スライヴ・ファーマーズとオーバーン大学によるCOEオークションの統計分析によれば、「オークション価格と認証ラベルの間には何の関係も見出せない」と結論付けている。[901] マイケル・シェリダンは、多くの焙煎業者が次のような認識を持っていることを確認している。「今では社会正義についての話は、低品質の言い逃れであり言い換えである」[902]

消費者は認証を気にかけるか

カリフォルニアのUCLAのマガリ・デルマスとロバート・クレメンツによる研究では、持続可能性と社会正義の認証の存在価値は、消費者の購入決定において、「品質／味」、「入手しやすさ／利便性」「価格」「友人の薦め」「焙煎業者の名前／評判」に次いでそれぞれ六番目と七番目に重要な要素にすぎないことが明らかになった。[903] 研究では、「回答者の九・四パーセントが持続可能性認証を『非常に重要』と評価しているが、三〇・六パーセントが『重要ではない』という評価だった。社会正義の認証については、回答者の八・一パーセントが『非常に重要』という評価で、三三・三パーセントが『重要ではない』という評価だった」。[904] 同じ研究によれば、USDAオーガニックとフェアトレードの説明は、回答者のこれらの商品に対する将来の購入意欲を高めはするが、UTZ認証の説明は「もっとも熱意のない反応しか得られなかった」という。[905]

見逃される利益

認証後の純利益が上がり、有害物質の被害を減らし、そのほかの認証による利益を受けるほかに、直接的ではないが影響力のある利益もいくつか存在する。認証の成果として生産性の向上が挙げられてきたが、これは農園の管理と費用の制御、生産性の測定に対するより体系的・組織的な取り組みによるものと考えられる。[906][907] フェアトレード認証が、効果的・民主的な生産者協同組合のガバナンスの指標でもあるのは、認証の過程で、民主的な意思決定に関する特定のガバナンス基準や手順に合致することが求められるためだ。[908]

下限価格

価格に下限を設けることはできるが、それで買い手がもっと下の価格に魅力を感じないでいられるかといえば、そんなことはない。下限価格のせいで、認証生産者は孤立していると感じることになるかもしれない。しかし、認証コーヒーの下限価格と非認証コーヒーの市場価格の差が、買い手が認証コーヒーを販売して得られる追加利益より大きくなると、買い手はより安価な非認証コーヒーを選ぶようになる。生産者団体は認証下限価格で販売できない場合、基準市場価格で販売せざるを得なくなる。

農家の声が聞こえない

認証プログラムが批判されているのは、プログラムがおもに消費国の関係者によって設計され、文化的社会的に認証基準の作成者とまったく異なるコミュニティや個人に向かって押しつけられているという点だ。認証の枠に含まれる単純な因果関係の概念と個人主義的な論理、あるいはその規範的性質は、生産者の「世界内でのあり方やものの見方」と矛盾することがあると言われている。それは基準を作成した人々の見方とはまったく異なる、あるいは彼らが理解不能でさえあるものだろう。[909] 監査人、認証者、協力組織が持つ権限が、民族や部族を含むコミュニティにおける社会的な関係や階級を混乱させることだってある。焙煎業者がコーヒーを調達する方法を決定する倫理的規則は、生産者の倫理感とは異なるものかもしれない。社会的なあり方やコミュニティの人間関係や価値観が大きく違っているのだから当然のことだ。正義を定義する農家のやり方とはまったく異なる「倫理」の規則を農家の人々に課せば、特に経済的な絶望状態にある場合には、農家を居心地悪い立場に追い込むことになる。[910]

草の根の多数の利害関係者の取り組み

従来の第三者や焙煎業者主導のVSSの構造とは対照的に、草の根レベルで変化をもたらそうとするさまざまな観点と構造を持つ新たな一連の取り組みがあり、多数の利害関係者の視点と目標を取り入れようとしている。その例として、サステナブル・コーヒー・チャレンジ、グローバル・コーヒー・プラットフォーム、サステナブル・トレード・プラットフォーム、SAFEプラットフォーム、コーヒー&クライメート、トランスペアレンシー・コーヒー、アライアンス・フォー・レシリエント・コーヒーなどが挙げられる。

直接取引とマイクロロット

直接取引（ダイレクトトレード）の考え方は、表面上は理にかなっている。農家の収入は消費者がコーヒーに支払う金額のほんの一部であり、生産者の多くは貧しい暮らしをしている。サプライチェーンのなかにはいくつものリンクがある。そうしたリンクをチェーンから取り除けば、農家はさらに豊かになるしかない。そして、コーヒーは農園にあるときからカフェに届けられるまで見た目はほぼ変わらない。果肉を剝かれ、緑色から茶色に変わる程度だ。しかし、たとえ商品そのものの変化がなくても、資金調達やリスク代行といったサプライチェーン内の仕事を考えてみると、このような考え方は粉砕される。

理論的には、農家と焙煎業者のあいだの取引は、小規模農園と巨大な多国籍貿易企業のあいだの取引、および小規模焙煎業者と巨大な多国籍貿易企業のあいだの取引よりも対称的である。先に述べたとおり、このような非対称性が交渉力の不均衡をもたらし、小さな集団が本質的に巨大な集団のために働くこと、つまり「捕囚のサプライチェーン・ガバナンス」を引き起こす。より対称的な関係であれば相互依存となって、「より安定した柔軟な関係」が築かれる。[91]

貿易業者による虐待、仲介業者による農民からの搾取、認証の効果がなかった農民たちがいるという事実、「原産地への旅」の流行など、さまざまな誹謗中傷のなかでコーヒーを簡素化する方法は、直接取引にかかっているように思われた。もしコーヒーのサプライチェーンが大規模で複雑で厄介だとすれば、豆を直接農家から買って、すべての重荷を取り除き、農家に儲けてもらうことより簡単な方法はないはずだ。しかし、実際にこれを実行しようとすると、その複雑さは人の理解を超えている。「直接取引」という用語が市場のスペシャルティ分野で牽引力をつけるにつれ、より多くの人が大きな利益を得られるように、その定義はねじ曲げられていった。やがて、それが何を意味するのかだれにもわからなくなった。

粗悪化

多くの直接取引業者は第三者認証に断固反対しており、官僚主義、非効率性、排除などについて不平を述べている。そのため、第三者機関がオーガニック認証を規制するように、直接取引の主張を規制する第三者機関は存在しない。誰もが合法的にどんなものでも直接取引と呼んでかまわない。彼らは、非公式の「規則」を曲げたり、定義を緩く解釈したり、独自の定義をこしらえたり、「直接取引」のラベルを文字通り自分の好きなものに貼り付けたりすることができる[912]（ただし、デンマークではコーヒー・コレクティブがこの用語を抜け目なく商標登録し、その使用を一方的に管理している）。

直接取引は、インテリジェンシア・コーヒー、カウンター・カルチャー・コーヒー、スタンプタウン・コーヒー・ロースターズなど、内部基準を確立したいくつかの先駆的企業によって多くの人々の意識のなかに定義されている。もっとも広く受け入れられている定義には、「買い手と生産者の間での緊密なコミュニケーション」が含まれている。[913]それらの定義は、その名を冠することによって、それに関連すると見なされる製品の付加価値を確立する用語の意味を確立しているが、「直接取引」というラベルを貼られた製品が必ずしも消費者に対して暗示する基準に合致しているという保証はない。しかし、消費者と業界がこの用語の広範に及ぶ乱用をかぎつけるにつれて、この用語は信頼を失いつつある。[914]だれがこの用語を「選んでいる」のかはだれもが知っているが、基準を強制する権限を主張したり行使したりする者はひとりもいない。[915]ある著者は、「直接取引」という用語は、「コーヒーの品質を向上させ、公正な価格を決定するための緊密な長期的な協力関係から、焙煎業者が輸入業者に販促資料としてコーヒーの原産地の写真を依頼することまであらゆるものを意味するようになっている」と述べている[916]。

ある生豆の買い手は直接取引を次のように定義している。「我々にとって、それ（直接取引）はチェーン全体の透明性である」と[917]。しかし、だれがそのようなことを知っているだろうか。透明性と直接性は同じものではない。別の焙煎業者は、直接取引を定義して「生産者側が自分たちの仕事に対して正当な報酬を受け取ること」だと言う。しかし、報酬を受けることは必ずしも直接性とはかかわりない。簡潔な概念がなぜこんなにねじくれてしまうのか。

このような例は無数にある。あるペルーの輸出業者は、生産者協同組合と輸入業者が提供するサービスは「直接取引を保護する」ことだと主張している[918]。別のコロンビア企業は業界出版物で「直接取引輸出業者」と呼ばれており、ウェブサイトでは「直接取引（公正な条件）」など自社の価値観を強調し[919]、それ以上の説明もなく二つの概念を同一視している。米国のあるコーヒー豆輸入業者は、ほかの基準で認証されていないコーヒーにはどれも、申込用紙の「認証」欄に「直接取引」と記載している。直接取引は認証ではないばかりか、このやり方でラベルの貼られたコーヒーの多くでは輸出企業の商取引の種別を示してもいるのだ[920]。

直接＝倫理的？

「私たちは、自分たちが訪れた農園からしかコーヒーを調達していないと信じている。コーヒー業界の背後にある汚れた真実とは、大部分のコーヒーが第三世界の国々で栽培されており、ほとんどのコーヒー焙煎業者は栽培過程の実態を確認するすべを持たず、コーヒーをどこでどのように調達したかについて販売業者の言葉を、そのとおりに受け取っているということだ」と、スーパーロスト・コーヒーの共同設立者兼最高執行責任者デヴィッド・ロアはプレスリリースで述べている。「私たちはこうした状況をすべて変え、購入先の農場と確実に親密な関係を築き、栽培の各段階にかかわっていきたいと考えている。こうすることで、これまでの支援とは異なる仕方で小規模な農家の人々と連携できるようになる」[921]。この焙煎業者の発言は、焙煎業者が農家を知っていることと、その農家の状況が改善されることとのあいだに関係があることを暗に示している。焙煎業者が特定の基準を積極的に検証し、実売価格よりも良い価格を農家に支払っていることを確認し、農家の状況を改善する努力をしているのであれば、その可能性はあるかもしれない。ただ、実際には、状況を改善したり、社会に貢献したりするための行動は、調達に苦心したり農場を訪問したりすることとあまり関係がない。しかし倫理的調達や社会的影響力についてのイメージは、コーヒーの売買に現れる焙煎業者の姿と深く結びついている。

「いわゆる『サードウェーブ』運動は、VSSコーヒーに懐疑的で、原産地に直接赴き、成長するコミュニティと揺るぎない協力関係を好んでいるが、そのコーヒーがどのように発見されて調達されたかといった情報とともに販売できる、非常に高品質のコーヒーを探している」[922]。こうして、コーヒーの世界のインディ・ジョーンズの冒険物語は、「第三世界」で危機をどのように乗り越えたかばかりを誇張して、たいていはその豆を作るための農家の努力を称賛することを忘れてしまうのだ。

直接取引とフェアトレード：対照的な哲学[923]

「直接取引は品質を意味し、フェアトレードは正義を意味する。両者は決して交わることがない[924]」

フェアトレードは集団主義だ。つまり、われわれ全員が一丸となって、一生懸命に働いて金を稼ぐ。自分より少したくさん稼ぐ人がいたとしても同じ金額を稼ぐ。われわれは助け合う、ということだ。このやり方は、結束力のあるコミュニティにとっては効果があり、だれひとり取り残されていないことに注意を払う。しかし、ほかの生産者より優れた生産物を作っているのに正当な報酬が得られていない、と思う生産者は不満を募らせることになる。ところが、直接取引は個人主義的で起業家的だ。ある生産者がほかの者より良いコーヒーを作れば、だれよりも多くの収入を得られる。このシステムは、だれもが良い品質を追求しようとする誘因を作り出すが、農家の人々が嫉妬や不平等感を抱くことになるかもしれない。それは共同体意識を損ない、不安定で無情な市場のなか、弱い立場にある繊細な商品の生産者が、セーフティネットのない状態で取り残されることを意味する。

買い手は難しい選択をしなければならない。買い手は、非効率的な協同組合の官僚主義を支援することも、小規模農園を捨てて、自らコーヒーの輸出ができる一パーセントの農家を支援することもできる。彼らの決定は、生産者とそのコミュニティに大きな影響を及ぼし、不満の種を蒔き、コミュニティの生活の質の基盤である生産者組織を破壊さえしかねない。その逆の極端な場合もあり、彼らの決定によって、意欲的な人々が集団的無関心から抜け出し、生産者コミュニティのあいだでの責任感や将来の可能性を促進するための出口が見つかるかもしれない。コミュニティの外部にいるため、買い手は自分たちの調達活動の影響を正しく見積もることができないでいるのかもしれない。

コーヒー・サイエンス財団の最高研究責任者で、カウンター・カルチャー・コーヒーの元共同オーナーであるピーター・ジュリアーノは、「ひとたび資金が流れ始めると、組織を運営する人々は装備を整えられず、不適切な管理やあからさまな窃盗行為がはびこるようになる」と言う[925]。インテリジェンシア・コーヒーの副社長ジェフ・ワッツは、「協同組合が貧しい農民の利益を必ず守る組織だとはもはや考えていない」と言う。むしろワッツは、協同組合の大半が適切に運営されていないと考えている。「協同組合で役員に選出された人々は、多額の資金を管理するための訓練、気質、あるいは洗練された能力をほとんど持ちあわせていない[926]」。また、スタンプタウン・コーヒーの創設者デュアン・ソレンソンは、「私がこれまでの人生で見てきたうちでもっとも貧しい農家のなかには、フェアトレードの農家もあった」と言っている。「協同組合の経営者は裕福だったが、農家の大多数はそうでなかった[927]」。理想的な世界では、集団的な支援と協力、そして個人の向上心が好循環の中で共存できるはずなのだ。

現実

一世代前であれば、小規模農園がコーヒー豆を反対側の世界の焙煎業者に直接送るという考えを馬鹿げたことだと思っただろう。通信・輸送技術が向上したことで、少量から大量までのコーヒーを輸送するために必要だった取引費用と物流費用は削減されたが、農村の小規模生産者にとってはそれでもなお高すぎて、学習曲線はいまもなお非現実的だ。[928] 通信・輸送インフラは、世界の大半を占める小規模農園が国際市場を効率的に利用できるほどには整っていない。[929]「直接取引は貧困にあえぐ弱い立場の人々を置き去りにしたままのようだ[930]」

コーヒー取引のポロ（馬に乗っておこなう団体競技。上流階級に親しまれてきた）

直接取引（農家が他国の焙煎業者に直接販売すること）が機能するのは大規模な農場だけだ。[931]「リレーションシップ・コーヒーでさえ、公平性には懸念を抱かせる。なぜなら、関係を築く相手は、小規模農園や協同組合より大農場のほうが簡単だからだ[932]」。大規模農場と取引をするのは悪いことではないが、社会的影響に照らせば不誠実だ。というのも、北半球のコーヒー消費国にはびこる新植民地主義的無意識は、発展途上のコーヒー生産国の人々はみな貧しいという前提に立っているために、「彼ら」のだれかと直接取引して「彼ら」に外貨を送金することが大きな支援になると思っているからだ。これは真実からかけ離れているわけではない。しかし、発展途上国の裕福なコーヒー農園経営者との商業取引が、利他主義や社会的影響力を示すマーケティングメッセージと結びつくと、それは誤解を招く不誠実な態度として受け取られるだけでなく、スペシャルティの買い手との関係が築けていない、貧困にあえぐ小規模農園を搾取することにもなる。オレゴン州ポートランドの研究者タラ・ブラウンは、この地域のさまざまな中規模焙煎業者に取材し、それを分析した。それでわかったのは、彼女の「調査した直接取引関係はすべて、小規模農

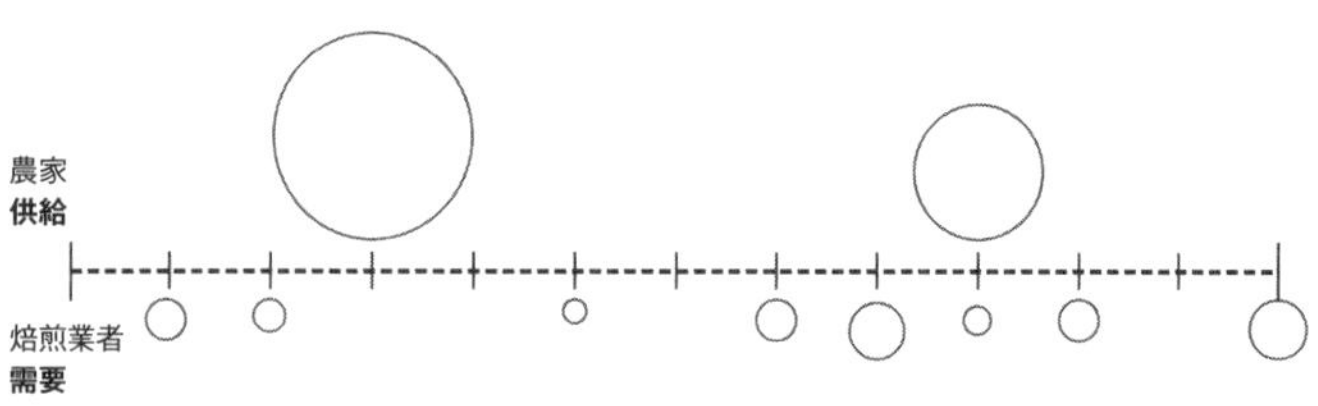

選択 1：農家が非常に長い時間支払いを待つ（おそらく5～10カ月）
選択 2：焙煎業者がすべて前払いする
──短期間のみ
──すべての調達に対しては不可

図5-2　供給のタイミングと需要のタイミング

園の協同組合や小規模農園ではなく、大規模な農園で生じていた」ことだった[933]。これを利他主義と混同するのは間違いであり、援助を必要としている裕福な農業起業家だけでなく、参加させてもらえない軽視されている小規模農園にも危害を加えることになる。

焙煎業者と農家との直接の取引関係には農園訪問をともなうことが多いため、国外の買い手をホストとして接待できるかどうかも、小規模で孤立した農場には参加の障壁になっている。買い手が飛行機から降りたら、だれかがＳＵＶで空港まで迎えに行って農場に連れて来なければならないのだ。「多くの買い手には、森のなかの水の出ない屋外トイレより、ホテルの柔らかなトイレット・ペーパーのほうが喜ばれる[934]」。そのため、買い手は輸出業者（透明性を確保したり、農家に品質プレミアムを約束したりする義務はない）や、企業や裕福な一族や個人が所有する大規模農場と取引することになる。ほとんどの小規模農園は、買い手に向かって快適性にまつわる独自の文化について説明したり、物流を組織したりすることは無理だと感じている。海外の買い手と効果的にコミュニケーションを取ることはできないのだ。

小規模生産者にとっての障壁

収穫が集中的で予測できない状態になりがちな小規模生産者が、焙煎業者のビジネスモデルの供給ニーズに応えることは難しい。そのビジネスモデルで生産者が求められるのは、一貫性のある供給であり、焙煎業者の予測できない販売や、定期的あるいは散発的な配送、そして掛け売り取引への合意だ。「コーヒー栽培は、一年のうちの一期であろうが二期であろうが、季節ごとの取り組みだ。ただし、焙煎は一年中おこなわれる。焙煎業者によっては一年分を購入・契約したり、季節単位で取引したりする場合もあるが、季節単位で取引しない焙煎業者のほうが多い。季節単位で取引する焙煎業者は、収穫日程が前年と一致しないと、同じ生産者のところに戻ってはこないだろう[935]」

キャッシュフローは、小規模生産者がバリューチェーンにおいて焙煎業者と対等な役割を果たす力を持たせなくする大きな障害だ。たとえ彼らが等級選別、精製、販売、品質管理における貿易業者の役割を引き受けるために訓練を受けたり、インフラを利用したりできたとしても、現在組織されているやり方で世界のコーヒー豆のバリューチェーンに参入するのに必要な運転資金の負担を引き受けることができない。農家は通常、今あるいは来週の収穫時に労働者へ支払いをするために、あるいは食卓に料理を並べるためにパーチメントを急いで売らなければならない。ただしそれは、パーチメントが販売できる状態になるまでコーヒー豆を保持していられる場合だ[936]。

コーヒーは乾燥を終えればすぐにその週の販売に回されるが、国外の焙煎業者から支払いを受けるには数カ月もかかることになる。収穫作業は数カ月続き、生産者はそのロットが完全に揃うまで市場に出すことができない。精製所までの輸送、精製と包装、港への出荷、港湾での検査と規制業務、国際輸送、消費国での輸入手続き、焙煎業者への搬送までには、さらにまるまる三カ月はかかる。焙煎業者が三〇日以上の支払い条件を希望する場合、またはすべてのコーヒーを直ちに必要としない場合、この工程にはさらに長い時間がかかる。この工程が示すキャッシュフローの重圧に耐えられる小規模生産者はほんのわずかだろう。

地理的な孤立

世界の小規模コーヒー農家のほとんどは、国際空港から車で数時間の場所にはいない。多くは主要な交通網から遠く離れていて、国際的なコーヒー業界との通信手段もない。謎めいた大胆な「コーヒーハンター」もやって来ない。また、武力紛争に苦しみ、犯罪や暴力の多発する地域に居住していることが多いために、海外の買い手がそうした地域を訪問できる状況にはない。ある焙煎業者は「訪問できる農家、連絡が取れる農家から買うだけだ」と言う[937]。ほとんどの買い手が考える訪問可能な範囲を考慮すると、「コーヒー冒険家」的な買い手に発見されることを望む農家は、国際空港から車で一日以内の場所に居住していなければならない。さもなければ、「原産地への旅」はそう簡単に実現するものではない。焙煎業者と接触することで生活水準が改善されるはずの貧困にあえぐ恵まれない生産者には、こうした機会は永遠に訪れない。なぜなら、もし焙煎業者が彼らとの未知との遭遇のような時間を過ごしていたら、週末に家に帰る（あるいはカルタヘナかリオのビーチリゾートに向かう）ことができないからだ。

小規模農園のウルトラ・スペシャルティでのみ実現可能

ロットの品質を追跡・監視するための品質管理および運営費用は、その量とはかかわりなく、費用構造に組み込まれなければならない（農家の収入から差し引かれる）。ロットが小さければそれだけ、ユニットあたりの費用は高くなる。カッピングラボにも固定費がかかり、ロットを介して埋め合わせることになり、小規模な農場ではおそらく数十年はかかるだろう。さらに、コーヒーの特殊な品質特性を評価・検証するためには、専門の訓練が必要となる。「大農園には、高級スペシャルティの焙煎業者の厳しい品質要求を満たすために必要な金融、市場、インフラに関して、より恵まれた環境がある。小規模コーヒー生産者は本当に優れたコーヒーを栽培できる可能性を備えているが、その可能性を生かすには取引相手側が大量の時間とリソースを投資しなければならない」[938]

本当の影響

焙煎業者は特定のコーヒーを農家から直接購入できることもあり、それはその農家にとって追加収入となるかもしれないが、その影響は、焙煎業者と生産者との取引内容を総合的に検討して評価されなければならない。

収穫のうち何パーセントを買ったのか。残りはどうなったのか。コモディティ市場にコモディティ価格で販売されたのか。買い手が拒否したロットはどれか。生産者は大量のスペシャルティ等級を作るために投資したにもかかわらず、買い手が一部しか買わなかったなら、その一部分のプレミアムが支払われても、その年の収穫に損失が出るだろう。

直接取引の実際のコスト

焙煎業者には支払われるべき金がすべて農家に払われたことが確認ができる。しかし、だからといって農家に充分な利益を与えたことになるわけではない。もし、農家が費用や管理上の責務を負い、資本配分（地元の高利貸からの借入さえありえる）を求められるといったさらなる手続きをしなければならないのであれば。輸出に関する追加の管理費用は、同じことをおこなう輸出業者の費用よりはるかに高額になるだろう。地元の販売業者と同じサービスを提供できない生産者から直接購入する焙煎業者には、より多くの費用と責任が課せられるかもしれない[939]。焙煎業者は、六カ月分のコーヒー生豆を事前に予約して毎月の必要分を三〇日後に支払うというやり方ではなく、おそらくその分を前払いしなければならないだろう。これは、焙煎業者が調達するコーヒーのごく一部についてなら問題ないだろうが、ビジネスモデルが大規模貿易業者から提供される低い保管費用に依存している場合、焙煎業者がすべてのコーヒーを調達することは不可能になる。特に小規模生産者と取引するとなると出張しなければならず、対象となるコーヒーの量次第では、一ポンドあたりの費用は大幅に増えることになる。

とあるソーシャルメディア世論調査に回答した焙煎業者の八五パーセントは、コーヒー農家から直接購入するおもな理由は、「農家の収入が増加することで生じる社会的影響」のためだと述べている。[940] 相互に直接取引することに関心のある買い手と生産者は、資本コスト、機会費用、旅費、管理と事務処理、品質管理、リスクなどを含むお互いの利益への影響の大きさを考慮しなければならない。それぞれの立場にかかるこうした費用を考えると、コーヒー農家との取り決めが、その一家の長期的な経済的安定と生活の質にどれほどの影響を与えることになるのだろう（もちろん、この分析は、生産者の生活の質を向上させる場合にのみ意義がある）。インテリジェンシア・コーヒーは、「直接取引」コーヒーを、フェアトレード価格より、少なくとも二五パーセント高い価格で購入している。カウンター・カルチャー・コーヒーは、FOB価格で一ポンドあたり一・六〇ドルを最低価格としている。しかし、「直接取引」に参加しているとしながらも、大規模スペシャルティ焙煎業者と同じ条件下にいない残りの小規模焙煎業者は、具体的なデータを公開していない場合が多い。

それで労働者は？

「直接取引」について確固たる基準を持ち、自社の調達プログラムにとってそれがどういう意味かわかっている先駆者でさえ、現在に至るまで、買い付け先の農家が遵守しなければならない労働の基準を持っていない。[941]「コーヒー焙煎業者が長期的協力関係を結ぶ相手は、普通は栽培労働者ではない。直接取引のマーケティングでは、グアテマラでコーヒー生産者に継続的な影響を及ぼす有力者がだれなのかが曖昧にされている」[942]。プロの焙煎業者の中には、農園を訪れて自分で適正評価をおこない、農園の労働者の労働条件を確認していると主張する人もいる。同じコミュニティの現場で一定の期間を過ごした研究者タラ・ブラウンは、この戦略の効果に疑問を抱いている。彼女によれば、「焙煎業者は客人として歓迎されるが、このようなコミュニティでは彼らは基本的に部外者であり、取引先とコーヒー栽培労働者とのあいだの複雑な力関係が理解できるとは思えない。（略）長い時間滞在したわけでもないのに、その場所について知った気になることは誤解の元であり、たくさんの金を使っている場合、それが危険になることもある」[943]。

物流業者の必要性

製品を加工しない仲介業者やサプライチェーンの関係者はいつから敵になったのだろう。すべての価値が加工の過程で付加されるわけではない。コペンハーゲンの焙煎業者にとって、モンバサ港の九〇ポイントのマイクロロットはどれくらいの価値があるのだろうか。実のところ、まったく価値はない。それに価値が出るのは、それを使える場所でだけだ。カルタヘナの輸出事務所にいる人にとって、トリマ州サンペドロにある五〇〇カ所の農場のうちの三〇カ所に置かれたコンテナの中にある、パーチメントの形態をした最高品質のコーヒー生豆にどんな価値があるのだろう。実は、たいした価値などない。付加価値仲介業者は、その一部（または多数）が付加価値を一定に保ちながら最大価値の獲得をめざして利益を増やそうとするために、価値を搾り取る元凶「コヨーテ」と見なされてきた。つまり、多くの企業が力の限りを尽くしてやってきたこととは、安く販売している競合他社を追い落としたり、実際の品質に基づいてできるかぎりの最高価格で販売したりするために、農家が品質を評価できないことを逆手に取り、また、早く売ろうとはやる気持ちを利用して大きな利益を得てきた。コーヒーのバリューチェーンで何かをするのは農家と焙煎業者だけなので、報酬を受け取るに値するのは彼らだけだとみなは思っている。しかし、物流業者たちが陰になり日向になっておこなっている厳しく調整された無数の活動がなければ、農家は支払いを受けられず、焙煎業者はコーヒーを手に入れられないはずだ。[944]「仲介者」や「サプライチェーンの進行役」がおこなっている重要な任務や支援は、サプライチェーンの機能にとって不可欠だ。[945]現在、それを実行している個人や団体はかけがえのないものだとは言わないが、彼らでなければなし得ない仕事をしている。

資金繰り

先に見たように、ほとんどの小規模農園、特に価格プレミアムの恩恵をもっとも必要としている農家は、運転資金を借りられず、商品を迅速に売りさばかなければならず、収穫期間が完全に終わってからさらに数カ月のあいだも焙煎業者から支払いを受けるのを待っているわけにはいかない。大半の焙煎業者は、品質が確認されないまま、いつどのような状態で届くかもわからないコーヒーに前払いをしようとはしない。農家と焙煎業者のあいだの調整、そして両者間のすべての業務にともなう経済的責任とリスクを、だれかが負わなければならない。

さらに、スペシャルティを消費する世界の焙煎業者の多くは、購入するコーヒー生豆の支払い条件では優位にあり、場合によっては委託販売であるかのように生産者と取引しているため、小規模農家にとってコーヒー豆の供給さえ困難になってきている。[946] また、通貨の異なる区域間の国際取引には、当事者が負担しなければならない為替リスク（契約合意から実際の取引までの通貨売買にかかわる為替レートの変動リスク）が生じる。[947]

規模の経済

国際取引には規模の経済が存在する。コーヒー取引の大部分を管理し、成長と統合を続けて巨大化する多国籍貿易会社は、これを熟知している。必要な指示に従って空輸費を支払い、一ダースの袋詰めを発送するのは非効率的すぎる。事務手続きをだれがするのか気にかけず、遠隔地から取引を優位に進めるには、少なくとも輸送コンテナを一杯にするレベルの容量が必要だ。[948] コーヒーを輸出する許可を取得したりそれを維持したりするのは、一部の国では困難であり、固定費で組織を維持しなければならないので、年間を通して相当な生産量がなければ輸出単位あたりの管理可能な水準で費用を相殺することができない。輸出国には、重要な報告要件や規制要件、そのほか煩雑な事務手続きが求められる。これには多くの時間がかかり、専門知識も必要だ。コーヒー生豆を販売するには、潜在的な顧客と良好な信頼関係を築くための専門的な知識や経験や投資が要る。「サプライチェーンの提携と振興戦略を開発していくのは、小規模農園の組織にとってはかなりの難題だ。輸出すること以上に、より複雑な新たな課題となっている[949]」

リスクを取ることには価値がある。「焙煎業者の多くは、配送時に承認した商品だけを購入する。このため、焙煎業者の要求を満たさないコーヒーが輸入業者のもとに残される。（略）このことから、卸売レベルでのスペシャルティコーヒーのプレミアムには品質以外にも、多くの要素が含まれていることがわかる」[950]。コーヒーのサプライチェーンの関係者は、ほかのリンクにいる関係者を敵ではなく味方と見なさなければならない。輸出業者は、農家の敵ではない。彼らは交渉や処理をしたり、「価値のある」ものを手に入れたりするのだから。また、輸出業者は輸入業者の敵ではない。輸出業者は頑なに交渉に応じない競合他社との争いのなかでささやかな市場占有率を確保しようと、なんとか値引きさせるために互いに協調しているのだから。

業界に必要なのは、新しい世代に属する有能で、チェーンのほかの関係者に透明性を提供し、コーヒーの取引で必要な製品、情報、資金を、発生した費用と提供する価値に見合った料金で運べる相手だ。焙煎業者は調達にこれまで以上に深く介入したいと思っていて、生産者は焙煎業者との取引にさらに関与したいと考えている。物流サービスの提供業者は、このような自分たちの責任領域への侵入に抵抗することもできれば、個々の取り組みでより強靭になったサプライチェーンに価値が付加される機会を受け入れることもできる。効果的な物流サービスは付加価値を高める。それで、「競争力のある価格や、品質、規則やその遵守が可能になるのは、消費者やサプライチェーンのほかの利害関係者が課してくる広範な質的サービスと情報の要件が満たされるからなのだ。その結果、物流のおかげで市場の需要に柔軟に対応できる体制がもたらされる」[951]

マイクロロットの概念

直接取引ということについて言えば、マイクロロットあるいは細分化ロットとは、大量のブレンド製品に使われる品種とは別のコーヒーのことだ。ただ、その定義には曖昧なところがある。マイクロロット・コーヒーとエステート・コーヒーには定義の重なる部分もあって、エステート・コーヒーとは、単独の農家または「農園」のコーヒーのことで、一般的にこの名称は大農場の製品に使われる。ある特定期間における収穫や特定領域からの小さなロットを指すことが多い。あるいは、小さな農場の収穫物すべてを指すこともある。どの程度の量のものを指すかは定かではない。それが存在する一般的な理由、すなわちブレンドしない状態でサプライチェーン上をコーヒーが移動するときに高額の物流コストが発生する理由は、あるコーヒーを他のコーヒーと比較した場合の特別な面、通常は感覚特性が強調されるためだ。

「コーヒーの小売りの非コモディティ化（マイクロロットの市場、原産地の重要性、農家との繋がりの観点から）で、（価値抽出の観点から）以前に比べて小規模生産者がいくらか力を持つようになった」[952]。農家はマイクロロットの生産で信用を得るようになり、焙煎業者は自分たちのアイデンティティをそれに乗じて打ち立てようとしている。しかし、農家はこのようにロットの分離独立と、遠くにいるらしい消費者の姿を知ることで、本当に大きな利益を得ているのだろうか。繰り返しになるが、消費者のあいだでは、生産者に関する情報と生産者の公正な扱いとには関連性があるものの、出荷価格のような事実と数字がなければ、この関連性は存在しないのも同然だ。

一貫性は、農家にとって永続的な変化のための鍵となる。最高のコーヒーだけを求める買い手の多くは、コーヒーが欲しくなるたびにたくさんのコーヒーを味わい、最高のもの、または彼らの考える価格の範囲の中で最高のものを購入する。世界には実に多くの生産者がおり、彼らのコーヒーは常にさまざまな品質テストを受けている。そのために、少なくとも買い手がある生産者の作るコーヒーの品質にこだわりを持たないかぎり、生産者が信頼の上に成り立つ安定した販売価格で取引を続けることは難しい。抽出したコーヒーの品質に対する厳しいこだわり、コーヒー生産量の変化する可能性、生産にかかる一貫した費用などを考えれば、農家に支払われるプレミアムは、ときには生産が無駄になるというリスクを正当化するものだとも考えられる。

輸出入の書類作成、支払い、輸送手配、包装印刷など、先に見たような大きな管理コストを考慮すれば、サプライチェーンを通じて農場から焙煎業者たちに小ロットで輸送する際の一キロあたりのコストは、コンテナ満杯のロットを輸送する場合の一キロあたりのコストよりもはるかに高くなると考えられる。そのため、中間業者にとって小ロットの取り扱いは、商品ロットの取り扱いに比べて割のよくない仕事だと言わざるを得ない。

たとえば、追跡不可能な単一国のブレンドコーヒーに、焙煎業者が一ポンドあたり一・五〇ドルを支払う場合、農家は一ドル、つまり六七パーセントを得ることになる。あるいは、焙煎業者がポンド四ドルで六袋のマイクロロットを買ったとしたら、農家は二ドル、つまり五〇パーセントを得られる。ポンドあたりの金額が農家に支払われる価格の割合だとすれば、安価なブレンドのほうが得をすることになる。農家の総収入という点では、マイクロロットを選ぶほうがいい。

チェーンを通じて累加されるロットごとの固定費用以外にも、私たちが「利害調整コスト」と呼ぶような関連コストが存在する。たとえば、コンテナに混載された一五個のマイクロロットをそれぞれの段階で品質管理すると、一つのコンテナに一つのブレンドロットを積載する場合に比べて作業量は一五倍になる。高級品の分野では、写真・動画撮影のための農場訪問、特別な包装の印刷、グレインプロの袋（米国グレインプロ社製の穀物専用ビニール袋）、マーケティングや追跡可能性の調査、不良品の発生、サンプリング調査、輸入業者の固定費／販売積み出し、パレット、請求書発行、売掛金などもある。買い手は、自分たちにとって何が重要かを判断しなければならない。生産者が手にするのはどれくらいの割合なのか。もしくは生産者は、家族を養うのに十分な収入を得ているのか、ということを気にしなければならない。

コーヒーのニッチ市場である高級スペシャルティの分野は、単一農場のマイクロロットを評価する傾向にある。この市場は、主流の分野よりはるかに厳しいルールにしたがって運営されている。どの市場も生産者への相応の補償を含むべきなのだ。需要を業務用からスペシャルティに移し、それをより多くの少数派の生産者にとっての代替手段とすることは賞賛に値する。しかし、世界にはそれができない圧倒的多数のコーヒー生産者がいることを忘れてはならない。そうした人々は、自分たちではどうすることもできない理由から、八五点のコーヒーを物理的に生産できないのだ。高級スペシャルティは、素敵で牧歌的な夢物語のままだ。コーヒーのサプライチェーン全体の関係者のなかで価値の分配義務を負っている者はひとりもいないが、より健全な少数派（実は、私は自分のコーヒーにかかわる経歴のほとんどをそこで積んだ）ならそのやり方を理解できる。

集団性と不公平

マイクロロット（単一農場ロット）は、ひとつの農場の努力の結果であり、個人（あるいは家族）の実績を反映したものだ。生産品質を平均化するコミュニティや協同組合のロットとは対照的に、生産者は自分の努力の結果と農場の実績に影響を与えるその他の要因に対して完全な責任を負い、金銭的な報酬を受け取る。論理的に考えれば、この個人指向の動きは、地域や組織内における生産者の集団的な連携を悪化させることになるかもしれない。「おおむね（略）自由主義的な考え方をしていると思われる直接貿易側の人々にとって、これはどこから見ても完全な自由主義的なメッセージだった」とリック・ラインハートは言っている。「十五年前に私は、協同組合運動が活発な経済圏で（直接取引）が拒否される率が高いことに驚いた。協同組合が個人の機会よりも、コミュニティの機会を重視していたからだ。それで私たちは撃退されたわけだが、それは納得できることだった[953]」

しかし、ほかのコミュニティでこれが常に当てはまるとはかぎらない。「非マイクロロットグループの中に、マイクロロットを作った人々に否定的な態度を取る人がいなかったのは注目に値する。実際、彼らはマイクロロットに心を惹かれ、成功した人々のあとに続き、みんなでその成功を分かち合うことをめざしていた[954]」。マイクロロットは、利益を最大化するもっとも理想的な戦略かもしれない。とりわけ、必要とされる品質基準を維持しようとする意気込みを持っている人たちや、ときには成功しない場合のリスクや、品質を良くするためにかさむ生産費用を気に掛けなくて済む人たちには。「十分においしい」コーヒーを「量に基づく戦略」で販売することは、リソースに制限のある小規模農園層にとって最善の戦略といえる。つまりそれは、稀少なリソースを合理的に分配して利益を手にできる戦略である。[955]

差別化

商品取引の完全な再設計が問題にされていないとしたら、生産者は販売価格を上げるためにどうしたらよいのか。差別化すればいいのだ。世界のコーヒー取引において、生産者が団体として交渉することを困難にしている理由に、ほとんどのコーヒーの特性がほかのコーヒーで代替できる、ということが挙げられる。もしグアテマラの小規模農園がすべて集まり、一ポンドあたり一・五〇ドル以下で売ることを拒否したら、買い手は提示した価格で調達するためにペルーかタンザニアに行くだけのことだ。差別化は代替を不可能にし、売り手の交渉力を高めることになる。生産者や生産者集団が自分たちの製品を差別化する方法はさまざまで、コーヒーを抽出したときの品質を上げる特殊な精製をすることから、第三者の認証や民族情緒豊かな秘境の部族の村に伝わる精霊の物語を利用することまである。

ただ、差別化へ投資することのリスクのひとつに、「独特」の側面を強調した製品は、過剰生産や再コモディティ化に対して脆弱性があることがあげられる。たとえば、特定のラベルの下に認証されたコーヒーの供給量が増加すると、その認証を使っていた価格プレミアムが低下する。

もうひとつのリスクが市場の嗜好の変化だ。コロンビアでは、ナチュラルプロセス・コーヒーは現在稀少なために需要が高まっているが、数カ月でたちまち流行遅れになるだろう[956]。直接取引のマイクロロットは、今年はみなの休日の買い物リストに載っているが、来年は原産地のコミュニティロットに変わっているかもしれない。コーヒーにかぎった話ではなく、あらゆる製品について言えることだが、消費者にとって重要とは思えない些細な決定の集積が、コーヒーのサプライチェーンの始点で勝者と敗者を分ける大きな変化を起こすことになる。

文化的な魅力

コーヒーのサプライチェーンにおいて焙煎業者と生産者の人間関係がありふれたものになるにつれて、双方の能力、特に売り手が外国人と関係を築く能力が、商業的成功を手にいれるための必要条件になっている。優しい笑顔、外向的な気質、そして陽気な性格の生産者は、不安そうで控えめで働きすぎの、悩みを抱える生産者より、欧米の焙煎業者の心をつかむ機会がある。双方が同じ言語を話せないとき身振り手振りやぎこちない直訳調の会話といった、自然な態度で心を通わせられれば、非常に有意義な関係と「つながり」を実感できるだろう。これは、協力関係における生産者と買い手の気質や関心の違いというよりも、両者の文化に深く関係している。

あるコーヒーの買い手によれば、調達関係はしばしば非公式の基準から、あるいは直感から始まることもあるという。「私は歓迎されているだろうか。積極的に質問してくれるだろうか。よそよそしい態度で迎えられている感じはないが、まるで（略）手がかりがつかめない感じがするなら、あなたはこう考えるかもしれない（略）、仕方ない、彼らは私が買うべき相手ではないのかもしれない」と[957]。

この買い手はまた、「幸福度」に基づいて取引のパートナーを選ぶとも言っている。これは恵まれない小規模農園の状況を改善することに日頃から関心を抱いているということを示しており、興味深い基準だ。部外者が窺い知ることのできる幸福度は、良好な協力関係や、その買い付けで農家の生活がどれだけ良くなるかを示す指標としての機能より、彼らの以前の生活の質と文化とにより深い関係があると言える。

商品化とコーヒーの「物語」の物神化

何かの差別化の枠組みや、コーヒーの品質の向上、認証、心温まる原産地の物語などを開陳することは、ほかとは違う特性を示しているので需要を高め、世界に行き渡っている商品より高い評価を得られる。もしその特性が普遍的なものなら、それを持つ商品が差別化されることはない。差別化されないならば、その特性はもはや価格差の根拠たりえない。差別化は特定の製品に適用されるだけだが、この差別化の特性でさえ商品化《コモディティ》されてしまうのは、製品に無関心な人々が、その特性をすべて「殺して」しまい、わずかな特性を基準にして分類しはじめるからだ。その結果、買い手によって無視された製品の価値は、ほかのものと同じになる。

包装に農場名や地名を印刷することが一般的になり、店頭に並ぶコーヒーの包装に付加価値が加えられている。しかし、包装に自分の名前が載ることを光栄に思っている生産者は、より高い報酬（生産者名が記載されることによって製品に付加される価値に対する報酬）を受け取っているのだろうか。実は、みながみな受け取っているわけではない。これは「直接取引」の印象を強くし持続可能性や社会的影響を意味する記号のように見えるが、何も保証してはいないのだ。つまり、消費者が導き出す結論は、もし買い手（焙煎ブランド）が農家の子どもたちの名前を知りたがるほどの関心を持っているのであれば、彼らを貧困に閉じ込めるサプライチェーンを支援するはずがない、というものだろう。それは購入を決めるのにおそらく三〇秒もかからない消費者を想定して価値を付加する非常に簡単な方法であり、農家の写真が意味する社会的実態に実際には関与することなく、その恩恵だけを享受しようとするものだ。しかし、サプライチェーンを知り、輸入業者によって提供される品質・価格比を超えて、それが支援すべきものであるかどうか確かめるのは、販売者ひとりひとりの責任である。

現代のコーヒー消費者の社会的意識は、サプライチェーンの示唆に富む意義を考慮しようとして拡大し、成長してきたものであり、刺激に富んでいる。それにもかかわらず、サプライチェーンは世界的に均一であるために、検証が困難であり、透明性に欠ける。消費者の意識を利用してより多くの製品を売ろうとする企業も同じく非常に抜け目ない。栽培からコーヒーを淹れるまでのひとつのサプライチェーンに何百人もの個人がいて、何千もの関係がある。そのため、環境責任のような価値提案を強調することで情報操作をおこなうのが簡単だが、消費者がその操作に気づくのは非常に難しい。コーヒーの原産地に関する標準的な関与点が、チェックボックスにチェックを入れるように物神化され、文脈から切り離されると、確認も証明もできない倫理規範の略号になってしまう。地球の裏側で作られたコーヒーの包装に記載された情報から、生産者は何も得ることなく、消費者に届けられる「物語」は破壊的なまでに商品化されている。

全体的な解決策

いかなる持続可能性にも、それに影響を与えているあらゆる力の均衡がある。そのため、持続可能なコーヒー生産部門とサプライチェーンを追求するには、影響を及ぼす要素を考慮して、全体的な取り組みをおこなわなければならない。ある要因や結果だけではなく、システム全体を重視することが大事だ。同時に、独自な均衡を模索しなければならないし、関係者全員が知恵を絞り、独自の道を切り開かなければならない。影響を与える要因や、それがすべての利害関係者に及ぼす長期的な影響を考えずに、ひとつの結果だけを重視した提案はどれも、不均衡を生み出す可能性が高い。最終的に失敗するか、別のどこかで負の影響を生み出すかのどちらかだ。紙幅が限られているため、本書が取り扱うものには限界がある。しかし、本書を読んで、これらの主題が相互に関連していることに気づいた読者が、新たに生じる難問や疑問を、優れた著者や研究者の著作に接して追求し続けていくことを期待したい。

全体論的な考察がたちまち苛立ちに満ち、皮肉で虚無的な見解へ向かってしまうことも多々ある。私たちは、自身で選んだ目標をかかげ、ほかの人々の目標を尊重し、たがいの戦略と計画ができるかぎり一致するように努め、一致しないときでもそれを正しく評価することが必要だ。

これは、善人を支援して悪人を支援しない、というような単純なものではない。そんなふうにわかりやすければよいのだが[958]。著者の経験では、明らかな悪人はそれほど多くない。人々は複雑で、普通のときには正しいことや思いやりのあることをおこなう。これからの仕事というのは、まちがった情報を与えられた善人が悪い結果を引き起こしたときに、良い結果を生み出すにはどうするべきかを示すことであり、新しい情報を得る必要性を示すことなのだ。自分の影響力をよく知る人は、持続不可能な活動をして経済的な不利益を生み出していけば、仕事を失うことを知っている。彼らの上司や投資家もおそらく根っからの悪人ではないが、自分たちの行為のどこがなぜまちがっているのかをよく理解していない。悪意あるたくらみなど滅多にない。自己満足や無知や勝手な思い込みのせいで受益者の利益を確保してきたその巨大な構造が、今日の世界にはびこる不正義と持続不可能性の元凶なのだ。こうした構造を解体することは大変な作業であり、その改革は苦痛をともなうこともある。

では、どこから着手すればよいのか。

「農村地域の低開発問題にとりかかるには、基本的なサービスの提供に投資し、信用や情報、市場の利用環境を改善し、公共政策を設計して実施するとき、それまで疎外されてきた地区を参加させることが不可欠だ[959]」

「解決策はひとつではない。さまざまな地域や多くの市場システムで、小さな解決策が多数あり（略）、品質だけが答えではない。農場の規模を大きくすればいいというわけではない。効率を高めればいいわけではない。収穫率を上げることだけが答えではない。一〇〇億ドルの再生可能基金はおそらくよい答えとなり得るが、それは不可能だ。それは根本的な答えではなく、問題の症状への対応に過ぎない[960]」と、リック・ラインハートは言う。

コーヒー業界における組織だった問題はより正確に言えば、「そういった問題を耳にすると、すぐに『で、それをどうやって解決するのか』と言う人がときどきいる。実は、そのことが問題の一部なのだ（略）四百年ごしの問題をそんなふうに解決できるわけがない[961]」。文化的・歴史的な流れを完全に理解し、症状と根本的な問題の違いを知ることが重要であり、それには時間がかかるのだ。

コーヒーを栽培する大半の農家は、コーヒーが目的達成のための手段になっている。その目的とは、経済的に生き残ることであり、一部の関係者にとっての目的は、生態系の維持や再生だ。私たちはコーヒー工場などではなく、人間であり、家族の一員であり、土地や生態系の一部なのだ。私たちのなかには、ほかの作物や土地利用をより効果的な手段とする人々もいる。たいていの人にとって、純粋にコーヒーだけを栽培するよりも、複数の作物を組み合わせたほうが有利になる。部分的に、または完全にコーヒー栽培から離れることが、農家に有利に働く場合が多いのは、別段嘆くべきことではない。一方、工業的な単作システムの導入や牛の放牧地を開墾するなどいくつかの代替案は、生態系の脅威になる。生産者や、そのコミュニティと連携するコーヒー専門家にとって重要なのは、生産者の目的を実現させることであり、たとえ私たちがいかにコーヒーを魅力的に思い、正しい方法だと思っていても、農家の人たちにとってそれは選択肢のひとつにすぎないことを知っておくべきだ。

市場——受け入れなければならない現実

好むと好まざるとにかかわらず、政治体制がどのようなものであっても、この世の中は利己的なものであり、資本主義的で市場志向である。それに反するどのような計画も、いずれは失敗する運命にある。人々は自分自身の（多くの場合、経済的な）利益を考えて行動を起こす。これは論理的な考え方であり、リソースの効率的な分配に通じるが、その捉え方はいろいろで、持続不可能な行動へ移っていくことも珍しくない。

持続可能性に関する微妙な問題、すなわち環境、経済、社会はすべて経済的前提条件と結びついていると言える。収入が減少（経済的不確実性、価格の脆弱性、取引条件の悪化）すると社会状況が劣化し、農家は環境と長期的生産の持続可能性を犠牲にせざるを得ず、苦境に追い込まれる[962]。

論理的な利益追求の活動は価格が一定して生産が安定するかもしれないが、論理的な行動ばかりしていれば、非論理的で持続不可能な結果になるかもしれない。たとえば、小規模コーヒー農家が子どもが栄養が足らず医療を受けられない場合、父親は日陰栽培用の樹木を伐採してその木材を売り、コーヒーの収穫量を一時的に増やすかもしれない。長期的に見ればその地域の環境の持続可能性と生物多様性を、中期的に見ればコーヒー生産の費用構造を損なうことになっても、目の前のことしか考えられなくなると、貧困の悪循環が始まる。

コーヒー業界が望む活動や条件に経済的な支援をすることは、業界とサプライチェーン全体の責任だ。生産者の多くは貧困のなかで生活し、その大半が彼らの製品の消費者と比べて、ごくわずかな経済的資源しか利用できない。生産者に環境の持続可能性を改善する責任と費用を負わせるようなことはするべきではない。日陰栽培、労働者への人道的な扱い、その他の持続可能なことを農家にしてもらいたければ、その費用を出すくらいのことはしなければならない。

持続可能性の追加費用は誰が負担するのか。それがこの問題を一般化できない理由だ。社会的および環境的な損害を長引かせるやり方でコーヒーを調達すれば、経費を節約できる。これは合法的な行為だが、消費者が無関心であるにもかかわらず、企業の財務上の利害関係者に、法律や顧客が求める以上の金額を支払うよう説得するのは難しい。フィリス・ジョンソンは、この状況を次のように説明している。「すべての権力を握っている大企業は、『もちろん、あなたの使命のためなら、協力したい気持ちはやまやまなのだが、あなたが仕事を得られるのは、一定の価格水準に達したときだけですよ』と言うかもしれない。そうすると価格が重要になってきて（略）、結局、私たちが持続可能性の費用を負担することになった[963]」。この追加費用がサプライチェーン関係者のあいだで共有され、一つのリンクがサプライチェーンでの不正使用という形で「無料」の外部性を利用できなくなるまで、私たちは曲がりくねった道を進むことになる。彼女は続けて言う。「大企業は、リスクや仕事への脅威が現れるまで動こうとしない[964]」。次世代は、投資利益率（ROI）の数値より重要な、より微妙な見方を受け入れなければならない。重視すべきは、生活の質、自然環境の質、外部性の勘案と公共財の保全、そして何よりも株主の経済的幸福だけでなく、直接的および間接的なすべての利害関係者の幸福を考慮することなのだ。リック・ラインハートは、次のように述べている。「これまでは資本主義の神としての株主の価値が大きかったが、しだいに利害関係者の価値をより総合的に見ることが大事だということになり、新自由主義についてのフリードマン／ハイエク／サッチャー／レーガン的な考え方は終焉を迎えようとしている。そうした考え方の終焉は、自由市場の世界を統制しているイデオロギーそのものの終焉であり、それによって私たちは個々の計画より大きなことができるようになるだろう[965]」。正確には、マーガレット・サッチャーが、人間の調整役であり人間の資源配分を担うとして市場に対して無情な信頼を置いていることを宣言したのは有名だ。「社会は存在しない。市場だけが存在する」と。ラインハートは、一部の若者たちの物の見方が進化してゆく先に希望を抱いている。「そうした考え方が変わり、世界中に大きな影響を及ぼすようになると感じる。そして市場の動きにも世代的な変化が生じつつある。次の世代は、この問題について私の世代とはまったく違った眼差しを向けるようになるだろう[966]」

エヴァー・マイスターは、責任あるコーヒーの仕入れは業界関係者の立場からの誠実な判断でおこなわなければならないという。消費者がお金を出すことを期待して持続可能性に賛成したり、消費者がお金を出したがらないからといって持続可能性に反対したりしたところで、構造変化が起きることもなければ、持続可能性に向かって一気に状況が改善することもないだろう。「私たちは、スペシャルティコーヒー業界に文化的な変化を生み出さなければならないと考えている。多くの人は、業界全体の役割を信じてくれている。ただ、あまりに難しいために最後までやりとおすことはできないでいる」[967]。彼女はさらに続けて、業界関係者が本当に公平で持続可能なサプライチェーンを支援したいのであれば、「エルサルバドルに出かけていく必要などない」。自分の手柄を見せつけたり、他人に認められたりしたいために、あるいは「『ほら、おれは取引相手の貧しい農家の人にこんなに好かれてる』と仲間に見せびらかすために、貧しい人々の肩を抱き寄せなくてもいい」と言う[968]。

取引の再定義――全体責任

気候にやさしい農業の本当の値段

トゥループライスとソリダリダードによれば、コーヒー栽培には、他の作物より特定の環境条件に関わる隠れ費用や社会的費用がかかることがあるという。特定の団体や個人は、社会的・環境的損害を引き起こす活動から利益を得るが、ほかの人々はその活動から損害を受けて、その「費用」を負担する。トゥループライスが挙げる環境費用の例には、「肥料を施した結果土壌汚染が進んだことによる社会的費用」があり、社会的費用の例としては、「外部労働者の過少賃金（生活賃金を下回る賃金）に関係する社会的費用」がある[969]。水質汚染で引き起こされる慢性的な健康被害や、経済的絶望から生じる犯罪組織の暴力といった費用のことは、農家もコーヒーの購入者も耳にしたことはないかもしれない。自分の行動に責任を持つという考え方が、グローバル化の進む今日の世界ではかつてないほど重要になり、自分の買い物の結果が、はるか遠くの大陸で表れるかもしれないのだ。

日陰栽培コーヒー農園と労働者の健康保険の支払いとの相関のように、感覚的な比較が難しいことは多い。これらはいずれもコーヒー農園の持続可能性を向上させるのに役に立つ。いずれにせよ基本目標は、農家の収入以外のあらゆる費用、すなわち外部費用を最小限に抑えることだ。

価格の確定

KCアラビカコーヒー先物市場、つまりC価格は、現在販売されている多様なコーヒーの価格を確定する基準として有効でないことが証明されている。ある価格を見つけ出すにはよいのだが、かつてマイルドアラビカ種と、スペシャルティコーヒーの二つの価格を確定してきたこの差別的システムは、生産者を引き留めることに失敗し、さらに重要なことなのだが、市場の基礎的条件を表すことができなくなった。

適切な価格を確定する方法には、交換される製品の多様性を考慮することが求められ、それぞれの市場の基礎的要因、つまり、さまざまなコーヒー製品の排他的な供給と需要を考慮しなければならない。価格基準を再定義する取り組みのひとつに、スペシャルティコーヒー・トランザクション・ガイドがある。もうひとつは、ハードアラビカなど現在広く取引されているコーヒーを念頭に置いて、ICE上でいくつかの追加の先物契約を作成することだ。

あるメカニズムが今後のコーヒー価格の基準になっていくだろう。その価格とは、今日のコーヒーが持っている麗しい多様性と豊かな風味という特性を生かし、維持するために、輸出業者と輸入業者の実際の交渉に基づいて決定されるものだ。さもなければ美しさと多様性は永久に失われることになる。

生産者の立場を強化する

生産者の声は、公平性や持続可能性、開発などについて世界的に論じられている場所には届いていかない。これは改善すべきことだ。ペイジ・ウェストの引用によれば、ブローフィールドは次のように述べている。「発展途上国の参加がもっと増えていかなければ、そしてとりわけ意思決定権が北半球の諸国から南半球へと移っていかなければ、人道的な取引は、最善でも温情主義的になり、最悪の場合には、利益を受けるはずの国々に害を及ぼすことになるだろう[970]」。開発は、それを生産者コミュニティが望むのであれば、そのコミュニティ内から発生していかなければならない[971]。さもなければ、外部の人々からの温情主義がなおも続き、見下すような眼差しが生産者の無力さに向けられていくだけだ。部外者からの同情は、低資源生産者の自尊心を害して、充実した未来を信じる気持ちやその取り組みには障害になるかもしれない。「立場が弱く無力な利害関係者は、一般的にサプライチェーンの川上に位置している。疎外されたコミュニティの低所得世帯に暮らし、一般にその声が取り上げられることのない集団として位置付けられる。このような状況では、重要な決断をする能力や、自分が果たす重要な役割への理解力が低下するばかりだ[972]」

いくつかのコーヒーチェーンに見られるように、富める世界から発展途上国へおこなわれる援助や協力は、腰を低くした慈善活動の体《てい》を装った自己中心的なビジネス戦術の場合が多い。コーヒー生産者の「採用」は、生産者の収入向上を促進させることを意図した積極的な介入であると見なされ、その実践者もそう信じていることがある。確かにそれで結果を出しているのかもしれない。しかしそこには、独占に関する一方的な黙契や、「われわれの農家」という言葉を冠した販促資料がつきまとう。このような「関係」は、破壊的な植民地主義的様相を呈することがある。エヴァー・マイスターは次のように明言する。「私たちは生産者を所有したいのだ。基本的に彼らをペットにしたいと考えている。私たちが彼らを育てたのだ。訓練し、品質を向上させた。市場に彼らの場所を作ってやった。名前を付けてやった。ブランドを作ってやった。しかし、生産者が『そのとおりだけれど、あっちの人はもっとお金を払ってくれる』と言ったとたん、私たちは怒り出すのだ[973]」。両者は、交渉力が極めて不均衡ではあるが、合意に至らないうちは、双方が独立した市場関係者であるということを充分に考慮しなければならない。

「下からのブランド戦略」

コーヒーのサプライチェーンは、生産者が良い生産物を作り、写真映りがよく、心温まる「物語」に彩られているからといって、必ずしも生産者の面倒を引き受けてくれるわけではない。農家は、価値を付加する農産物の属性の所有権を有し、自分たちの取り分を要求しなければならない。他者のビジネスに付加されている価値を自分たちで獲得しなければならない。このような考え方を「下からのブランド戦略」と言う。価値に対する責任を主張することで、商品の原料が焙煎業者というブラックボックスを経て、美味で唯一無二のブランド製品に変化するという形態になる。すべての焙煎業者が手に入れたい、取り扱いたい、消費者に届けたいと考える農園ブランドのコーヒー豆の価値は、その存在に責任を負う生産者が獲得すべきなのだ。[974]

「権限強化についての報告書によれば、特定の能力・技術・知識を開発し、創り出し、移転することで、サプライチェーン内の無力で弱い立場の利害関係者の状況を良くすることができ、さらにこのような利害関係者に積極的な参加を促す基盤を作り出し、価値の共同創成をめざす企画を通して利益を得ることができる」[975]。信頼属性、物語《ストーリー》、真正性《ブランド・オーセンティシティ》は、「消費者が製品を消費した後でも識別できない特性」[976]だ。このような価値は焙煎業者が発見し、描き出すことができて初めて商品に追加されるが、その大部分は生産者の手によるものだ。生産者は、自分たちが加えた価値で高められた価格を知り、市場に対し、交渉しなければならない。生産者は、新しい風通しのよい市場で商品を差別化するために、商品の実体のない面を定義し、開発し、強調しなければならない。市場での地位を確立するには、たとえ農家がその背後にある理由を理解したり認識したりすることができなくとも、需要の複雑な性質を認め、文化的には納得できない要求でも受け入れなければならない。

追跡可能性《トレーサビリティ》なしでは販売できない

双方向の透明性を備えた完全なフィードバックループは、生産者が自分たちの製品の価値を認識し、強調し、効果的に販売するための基礎となるものだ。貿易業者の多くは、生産者の提供する商品の質が優れているときに余分の支払いを要求されないために、生産者にはなにも知らせずにおくのがいちばんだと考えている。しかし、生産者は自分の生産物の品質をきちんと理解しなければ、その品質を維持する理由も、改善する方法もわからない。生産者は正直にフィードバックされて初めて、貿易業者に提供するうえで重要な商品の一貫性と品質を高め、業者がコーヒーを販売できる価格を引き上げることができるが、情報がなければ、鞘取り取引の機会は失われてしまう。「世界規模のチェーンの統合は、新しい制度と組織のネットワークを生み出すことになる。それによって発展途上国の生産者はビジネス要件と貿易基準を満たすことができる。また、情報の流れと代理関係の根本的な再編成も生み出され、消費者の需要に合うように供給を調整する機会を小規模農園に提供できるようになる」[977]。相互依存の方法が形成されれば、「長期にわたる焙煎業者／生産コミュニティの協力関係が築ける『リレーションシップ・コーヒー』のモデルができるだろう」[978]

協働が新しい成長に繋がる

一軒の農家がひと月に数袋をひとりの焙煎業者に空輸するのは、非常に非効率で実行不可能なやり方だ。ほんのわずかな規模の手続きであっても、そのひとつひとつは特定の商品の無形の価値を薄めたり損なったりすることなくきちんと遂行されなければならない。そのため、このような業務は、見えない価値を理解し、生産者と焙煎業者の利益と独立性を尊重する農家の団体や協同組合、輸入業者などの専門家によって橋渡しされるべきだ。こうした新しいバリューチェーンが登場すると、伝統的な販売業者や輸出業者、輸入業者の抵抗が始まる。そのサプライチェーンのせいで自分たちの重要性と供給に対する支配力が低下するからだ。[979] 伝統的な多国籍貿易業者を迂回する新しいサプライチェーンも、大手供給業者と同等のサービスを買い手に提供する努力をしなければならない。国連の報告によれば、「輸送の信頼性、輸送の速さ、製品の革新などで価値を付け加えることができる」[980]。これは、言うは易くおこなうは難しで、一定レベルの規模とインフラが必要になる。革新的で協働的で、小回りの利くモデルが共有型経済を活用している。また、議論に新しい声を加えることや、歴史的に排除されてきた人々に話し合いの場に出てもらうことで、過程が円滑に進むわけではない。新しい参加者が精通するためには、忍耐と経験豊かなサプライチェーン関係者のさらなる支援が必要だ。[981] 通信・輸送技術、「ＩｏＴ」、さらには慎重な調整がおこなわれれば、小規模事業者による国際貿易はこれまで以上に効率的で実行可能なものとなっていくだろう。

開発プログラムの再定義

「自然の脱商業化[982]」

市民たちには、自分の住む土地の自然条件がもたらす環境のなかで暮らす権利が等しく与えられているだろうか。その権利のために賃料を支払うべきなのだろうか。もし払うとしたら、いったいだれに？　これは実に複雑な問題で、政府や大きな企業は自然を商業的に利用できる可能性に気づいているが、市民のほうはそうした権利については知らされていない。水資源が民営化され、市民が水を買わざるを得なくなっている。河川は地元の人々から取り上げられ続け、その結果採掘作業がおこなわれ、「故意ではない」が不可避となった飢餓を引き起こしている。チリではアボカドが輸出され、生産者を裕福にしているが、自給自足のための作物にやる水がない地域がある。「経済の目標は、人間の尊厳を守り、人と共同体の生活の質を向上させる義務のあることを忘れず、自然環境をどう取り扱うか決める法律を大事にしなければならない[983]」。その一方で、環境破壊が明るみに出て、責任ある管理ができる人物が求められ、環境への責任からある種の価値が生み出されるようになった。その価値を責任ある生産者に還元できれば、強力な経済的動機によって自然保護活動がずっとやりやすく、安定したものになっていく。「透明性が高まり、技術が進歩するにつれて、環境管理を現金化することができるようになる[984]」

政策決定

バリューチェーンのリンク間の構造と価値分配を決定するうえで、市場と経済は重要であり、政策や政治、政府の力を見くびってはならない。本書の扱う範囲外だが、各国政府、NGO、国際協力組織は、今後、持続可能なコーヒー産業をいっそう促進し奨励するために行動する必要がある。それぞれが何をすべきかを詳述した処方箋はないが、二〇一八年にアメリカが国際コーヒー機関から脱退したようなはっきりした行動をとることはできる。ただ、こうした行為はICOが進む方向として正しくなく、共通の目標に向けた政府間協力の前例として相応しくない[985]。

政策立案者には、経済部門とコミュニティの将来を大きく変える力がある。彼らの判断を左右するのが誘因、目標、文化、経済などだが、それをここで議論するには問題があまりにも複雑すぎる。しかし、この難しい方程式を解くうえで政策のことを忘れたり、不動の定数と見なしたりしてはならない。政策があって初めて、全体的な経済の持続可能性を優遇したり、短期的なGDPの成長を促進したりできる。経験豊かな政治家は、誘因と目標のどちらを基準にしたがるだろう。IMFや世界銀行の債務者はどちらを支持するのだろうか。政策立案者は国家の主権と経済的独立、あるいは経済成長と所得指標を支持するかもしれない。彼らは、将来のあらゆる世代の繁栄よりも、今この世代の繁栄を優先するはずだ。将来の有権者の健康と繁栄を優先し、現在を生きている有権者の購買力を諦めるのは、（協同組合の指導者を含む）選挙で選ばれた政治家にとっては難しい選択だ。

外部性に対する国際的な費用負担

残念なことだが、現実には、環境に利益をもたらす決断がおこなわれるのは、費用のかかる法的報復を避けるときや優れた収益性をもたらすときなど、経済的に合理的な理由がある場合に限られる。コーヒー生産で環境の持続可能性の障害になっているのは、まだ見ぬ未来社会が将来その費用を支払うことになるのに、その違反者が環境劣化に対して鷹揚にかまえていることだ。これが外部性だ。つまり、そこから利益を得ているにもかかわらず、関係者がその費用を支払わないということだ。コーヒー生産と販売全般における環境破壊的行為を阻止するには、この種の外部性を事業費用に織り込む必要がある[986]。

コーヒー輸入国の消費者が、生産国で環境破壊をしながら生産されている低コストの製品の恩恵を受けている以上、コーヒー輸入国はその無責任の補償を税金でおこなうべきだろう。持続不可能なコーヒー製品の輸入や販売に対する課税は、焙煎業者の費用と消費者価格を全体的に押し上げることになるが、後にそれは生産国に返還され、研究や環境改善プログラムなどに利用されるはずだ。もしそのような方法が可能なら、それは持続不可能なコーヒーの調達を抑制し、ある企業を別の企業よりも不利にすることなく、ある種の製品の価格優位性を減らし、同時に持続可能なコーヒー栽培にかかる潜在的な追加生産費用を相殺することになるだろう。これは大雑把な思いつきにすぎず、効き目があるかないかわからないが、国際サプライチェーンの安定性と持続可能性を確保するには国際的な政策協力が必要であることを示す一例だ。

愚かな資本

ミルトン・フリードマンは、自由資本は常にもっとも効率的な用途へと流れ、社会は常にその流れに従って改善される、と私たちを熱心に説得しようとしているが、そのほかにも多くの筋書きがある。つまり、資本家の誘因と効率的な資本の分配が完全に社会をだめにするようなシナリオだ。利益の最大化を追求しないやり方で溝を埋めるのは、公的（税金で運営される）および私的（寄付金や助成金で運営される）機関の仕事だ。もちろんまだ、ゴミをすべて埋めて道路に地雷を設置すべきだと考える人々がいるが、それは自由市場による資本分配の恩恵をたまたま受けてきた人々だ。

たとえば、営利目的の透析業界が業界の収入の流れを維持しようとして、腎臓移植をやらないようにせよと人々を説得することは経済的な判断だ。企業とその株主の利益のために、他人に自身の身体にかかわる決定を迫るのはどうかしている。

医薬品の特許所有者は、需要と供給に基づいた資本主義的に「正しい」医薬品価格によって人命を人質に取っている。需要の価格弾力性は、買い手の資金調達能力だけにかかっている。つまり、薬品がなければ買い手は死ぬしかないからだ。

どちらがましだろうか。コーヒーの生態系に侵入して、特にコーヒー葉さび病菌だけを食べてくれる、生態系を乱さないが一度しか使用できない細菌を利用することか。それとも三カ月ごとに硫酸銅を無制限に使用して河川を汚染することか。だれに訊くかでその答えは変わる。地球上のどの未公開株式ファンドも、一ヘクタールあたり二〇〇ドルはかかる一度のみ適用できる持続可能な微生物学的解決策には投資しないだろう。環境に有害な薬品を定期的に使用することのほうが、ビジネスにはるかによい結果をもたらす。

農業起業家

世界に多く存在する小規模農園は、何世代にもわたって温情主義的なシステムの下で、ほそぼそと運営されてきた。よい時期もあれば厳しい時期もあり、そしてまたよい時期が来る。生産者は、自分の農園から出荷されてからコーヒーに起きることにほとんど関与できず、しかもなにも知らされず、自分の身に起きたことに反応するだけだ。小規模農業を経済的に満足のゆく状態にし、充実した職業に変え、ほかの資金の乏しい農村住民が作る生産物と競合できるようにするためには、生産者が将来の安全と繁栄を確保するために今後のあり方を自ら決めていかなければならない。「しかし、彼らはそのやり方をてんで知らない」と、あなたは考えているかもしれない。まさにこれが、農家や業界のあらゆる人々が直面している課題なのだ。

小規模農園は、自分たちの農園を給付保障や所得保障のない仕事としてではなく、ビジネスとして理解しなければならない。現在では多くの人がそのように見ている。そして農園主は経営の費用構造や採算価格を理解する必要がある。農園の真実の業績を測定するには、農園経営費用と家計費を分離することだ。さらに、それぞれの作物の成績と収益性を比較するために、作物ごとに個別に記録を取り、経費を分割する。農家は、畑の農作物を変えるかどうか、認証を取得するかどうかなどの判断をし、品質の向上に繋がる投資を進めるために、費用対効果の分析をしなければならない[987]。

サプライチェーンは、価値がどのように作られ分配されるかについて誠実でなければならない。コーヒーを淹れたときの味わいのフィードバックと感覚品質に関する品質プレミアムは、その栽培に責任を持つ生産者の手に渡るべきだ。大規模農場は、品質を向上させるためにこの情報を検証し、内部化し、実践できるため、感覚品質を販売に活用する場合に有利だ[988]。私たちがしなければならないのは、生産者を犠牲にして中間業者が利益を増やす機会を生み出す情報の非対称性に終止符を打つことだ。製品に関する情報を利用することを、裁定取引の機会とすべきではない。コーヒーを淹れたときの品質に対するフィードバックと補償は、それを向上させるための投資を奨励するものであり、だれにとっても歓迎されるものだ。

市場に賢いスタンスで参加するためには、生産者が正確な最新の市場情報に接していなければならない。その情報には毎日の国際価格と、市場が予想するＦＯＢの比率が含まれる。そして、製品に対する正しい価格を求めるためには、自分たちの製品の品質を客観的に判断し、それが市場にどのように適合するかを認識していなければならない。「ある程度までは、世界的な過剰供給と現在のコーヒー危機は、不十分な市場情報に基づいた生産決定に起因しているといえそうだ[989]」

無責任でリスクの高い集約的な栽培工程が立場の弱い農家に不利に働くのは、想定されるレベルのリスクを引き受けられる体勢になっていないからだ。資源の限られた小規模農園にこのような栽培法を勧めるのは危険だ。生産者が知るべきなのは、自分たちの農園の経済性とニーズを満たし、目標に向けた努力のできる生産システムを作り出すためにおこなう決断にはリスクがつきものだということだ。生物多様性を備えた森林農業システムは、日なた単作農業より生産性は劣るが、単位あたりの生産費用が低くなり、不採算期間を乗り切れない生産者には債務不履行に陥ったり債務を負ったりするリスクが少なくなる。こうした地域ばかりか地球全体が享受することになる農園レベルの利点や環境上の利益のほかにも、全体的に供給量を減らすことは価格に上昇圧力をかけることになるだろう。

環境に対する責任を持つことは、コーヒー市場の付加的資産になるだけでなく、市場での強みにもなり得る。自らの消費のせいで環境が悪化することを懸念している消費者は、栽培活動を検証することとその透明性を確保することによって、環境的に持続可能な行動を取っている生産者に見返りを与え、無責任な運営に走る農園を罰することが可能になる。消費者が無視できないやり方、つまり消費者には道徳的な決断や非道徳的な決断をする力と責任があることを思い知らせるやり方をすればいい。ブロックチェーンや「ＩｏＴ」などの技術に長けた検証システムがあればこの移行ができるだろう。「生態系サービスに対する支払いは、受益者から土地所有者に直接補償をおこなう手段のひとつであり、コスタリカ、メキシコ、中国など多くの国で導入されている」〔990〕

多様化と食料生産

人間中心のコーヒー政策があれば、農家の人々はコーヒー栽培からほかの換金作物や自給自足用の作物へと移行し、それを促進することができるようになる。その例として、農学的な新しい知見に基づいた作物や新しい販路を見出した換金作物などが挙げられる。マリオ・サンペールは「コーヒー複合」を提案している。この複合とは、「輸出へのかたよりを低下させ、コーヒーの輸出価格が下落したときの被害を少なくする効果のある（略）、共生関係を持つ植物のグループ」と定義している。〔991〕生産者には、収入源を多様化し、価格や為替リスクをポートフォリオのように回避《ヘッジ》する利点がある。〔992〕栽培条件や世界市場の価格設定、通貨評価の影響などを受けやすい単作で低利益率の生産物に頼り切ることは、非常に危険であって、推奨されるべきものではない。〔993〕リスクと価格の変動性、さらには潜在的な収益性の観点から、さまざまな作物が比較されるべきだ。多様化は需要によってでも推進されなければならない。販売のためには需要と販売経路が必要になる。たとえば、サフランは非常に役に立つ食材だが、ラオスの農村ではだれも見向きもしない。おそらく小規模農園が、変動するコーヒー価格と収穫実績から家族の暮らしを守るために導入できる最良の回避は、自分たちのための食料をできるだけ多く栽培することだ。その地域でコーヒーの収穫がなかった場合の機会費用よりも、被るかもしれない苦しみのほうがずっと大きい。一シーズンのあいだ、食料を買うための収入をコーヒーから得られなかったらどうなるかは、かつて多くの生産者が身をもって経験しているはずだ。

地方の若者に刺激的な仕事を

コーヒー生産地域の多くですでに起きていることだが、農村部から都市部への大規模な移住を防ぐには、コーヒー生産が農村部の若者にとって魅力的な人生設計とならなければならない。潜在的に選択できるほかの道よりも、農業がより良い生活の質と充実感を提供するものにならなければならない。コーヒー豆の取引条件の低下（同じ量のほかの商品を買うためにより多くのコーヒーを売らなければならないことは、生産者の生活水準の低下を意味する）が、地方から都市へ人々が移住していく大きな原因だ。[994] しかし、これが唯一の理由ではない。私たちがこれまで多くのページを費やして論じてきたのは、実行可能な生計手段としてのコーヒー栽培の経済的および財政的側面だった。それはもちろん、コーヒー栽培が存続するための前提条件なのだ。しかし、農民とその家族にぎりぎりの生計と生存を提供するだけでいいわけがない。若者たちが夢見ているのは生き残ることだけではない。生きぬくこと以上の大きな夢、自己実現と生きる充実感を求めているのだ。経済的な限界生活のなかでコーヒー栽培に携わることが、農家の若者に知的刺激と前進の機会をもたらさなければならない。

コーヒー農家は高級消費者市場で敬愛されているにもかかわらず、ときに農業やコーヒー栽培に関連する社会的汚名は働く人々の自尊心を傷つけ、若者がこの仕事を選ぶのを躊躇う原因になっている。〔995〕バリスタのチャンピオンや優秀な焙煎家に与えられる世界的な名声は、生産者にも与えられるべきなのだ。もちろん、この敬意には、尊厳のある生活水準を保障できるような収入が伴わなければならない。

それでは、小規模コーヒー栽培に知的刺激を与え、経済的に実行可能にし、無限の収入の可能性を提供できるようにするには、どうすればよいのだろう。それは感覚品質の差別化だ。特別な品質の製品はどんな地理的条件でも生産できるというわけではないので、だれにでもできるやり方ではない。しかし、おそらく多くの生産者にとって思っている以上にできそうな話だ。市場にもう一年間養ってもらえることを願いながら、毎朝早く起き出して一日中一生懸命働くことは、生活を営む方法としてよいものではない。しかし、それはまさに今日にいたるまで何世代にもわたって小規模コーヒー農家がやってきたやり方だった。将来も現在もコーヒー栽培に携わる人々は、仕事を通して創造性と野心を表現でき、その成果には正当な報酬を与えられるべきだ。これはウォッシュトプロセスを選べばできることだ。焙煎業者は、落札したコーヒーチェリーを入札して競売にかけようとしない。農家がウォッシュトプロセスのレベルで価値を付加し、将来の素晴らしいコーヒーを開発するには、完全なフィードバック・ループが必要だ。農家の人々は自分たちが生産した結果（努力ではない）を補償してくれるサプライチェーンや市場を使うための体制を必要としている。また、自分たちのコーヒーが最終的にどこへ行くのか、人々がそれとどうかかわっているのかを知り、焙煎業者や消費者からの評価を受け、自分たちの製品と収入を引き続き向上させるための情報を集め、サプライチェーンと自覚的に関係する必要がある。

金融と資金調達

コーヒーのサプライチェーンにおいて金融を過小評価できないのは、それがはっきりとわからない性質と、複雑な組織や業務と関係しているせいだ。サプライチェーンのなかで、コーヒーの生産、焙煎、抽出を専門とする人の数と比べて、コーヒービジネスの国際金融エンジンがどのように機能するのかを理解している人は少ない。金融はコーヒーのサプライチェーンの見えざる手であり、原動力であり重要な束縛だ。それが、いかに運営を組織化し、いかに資金を関係者に分配するかを決定づけている。

金融とは、単に通貨を持っているかいないかということではない。市場が変動したり変動しなかったりという状況のなかで、貸したり賭けたりして利益と引き換えにリスクを引き受けることだ。これには、現在の通貨の価値と将来の通貨の価値に対するあらゆる人の定義が含まれている。金融を利用できる環境（運転資金、融資、ヘッジ、貯蓄などのための金融サービスと手段）は、企業の設立国、企業の規模や歴史などの多くの要因があり、コーヒーのサプライチェーン上では極めて不均一だ。この違いは、オーナーが銀行に行ったことがないような小さな農園から、社内に金融機関を持つような世界最大の企業まで多岐にわたる。本書の冒頭で論じたように、信用市場、金利、金融サービスの環境や条件は、おもにコーヒー消費国である高所得国のサプライチェーン関係者に有利に働く。同じく、コーヒー生産者や生産国の企業は、消費国のサプライチェーンパートナーと比較して、有力な金融サービスを利用するのに不利な立場にあることが多く、それによってサプライチェーン内の彼らの交渉力が低下している。

生産者とその組織、さらに生産者と国を繋ぐビジネスが競争力のある（手頃な価格の）金融サービスを利用できることが、生産者の交渉力や権限、長期にわたる主権を平等にするためには必須条件になる。これまでの敵対的で重商主義的な取引関係とはまったく異なっている、サプライチェーンにおける関係者間の調整と開かれた協調は、資金調達の可用性と効率を促進させるだろう。おそらく技術を活用した実証で強まっていくかもしれない信頼と取り組み、さらに価格とリスクを決める長期契約のおかげで、生産者とその代表者のリスクプロファイルが軽減することになるだろう。その結果、金融機関にとっては、彼らがより魅力的な顧客となり、金融を利用できるようになり、サプライチェーンのパートナーは安定した供給を確保できるようになるだろう。[996]

金（貨幣）がすべてではない

コミュニティ開発を進めるには多くの要素が必要だ。現金だけではない。収入が増加すれば生活が安定するとはかぎらない。実際、収入が増えてよくない結果がもたらされる場合がある。生産者が物質依存に苦しんでいる一部のコーヒー生産国では、豊作や市場価格によって思いがけない収入を得たせいで、薬物乱用（とりわけアルコール）や家庭内暴力が増加するおそれがある。[997] 多くのコーヒー生産の現場が無法状態にあることを考えれば、経済的な僥倖《ぎょうこう》に見舞われると犯罪組織による強奪が増える。僥倖の享受者は泥棒の標的になるのだ。さらに、収入が増えれば家計費も膨らむ。この高いレベルの収入を維持できないと、のちになってさらなる苦難や借金を経験するかもしれない。コンテストで優勝した生産者が、賞金の一部がコンテストの買い手の派手な宣伝によってもたらされたことに無自覚な場合によく見られる。

収入の一貫性 v 現在の収入

一ポンドあたり、あるいは一袋あたりの常軌を逸した高い値段は、生産者の興味をそそるだろう。その値段は、生産費用を賄えてそれなりの生活水準を維持できる控え目で堅実な価格よりはるかに興味を引くことだろう。しかし、それが家計の純利益に大きな影響を与えることはないかもしれない。（著者がコロンビアでかかわっているプログラムは小規模農園の人々に安定した価格を提供し、彼らは少なくともまずまずの生活水準を手に入れているが、その金額の何倍もの金額を稼ぐことに興味を抱いた農民たちはこのプログラムを放棄することが多々ある。しかしたとえ商品チャネルで収穫の大半を原価以下の値段で売ることになったとしても、それで彼らの手に残るのは、わずかな収穫と壁にかかった証明書だけだ）。私たちは、生存主義者の考え方や部外者による事前の裏切りといった、風変わりな行為が横行する理由を理解しようと努力してきた。しかし、こうした釈明は正当化であってはならず、一家の長期的な安定と生活の質を優先するために、農業経営の現実的かつ包括的な視点を支持する立場から、やめなければならない。農家は、かつては前年の結果くらいしか気にしなかったが、急速に変化する世界経済のなかで現状維持を図るための能力の会得、教育、訓練を必要としている[998]。生産者は、過去の制度がそうしていたように、市場が自分たちを守ってくれるとは思っていない。

支払いの時期も、生産者が感覚品質のプレミアムを受けられる市場を利用できるかどうかに左右される。ほとんどの小規模農園は、サンプル分析、評価、集約、そして高品質に金を支払ってくれる買い手と交渉することができない。ほかの流通業者や企業はこの溝を埋めて利益を得ているが、品質プレミアムはすべて彼らの手元に残される場合が多い。農家は、理想的な市場を利用できる環境と企業が支払ってくれるかもしれないプレミアムを確保するために、サプライチェーンに沿ってさらに関係を拡大し、透明性のあるパートナーとの提携を進めなければならない。サプライチェーンがペソのレートや日々の支払いに汲々としていると、生産者やその組織から直接購入している人々は、収穫に先だって融資することができない（あるいはその必要がない）かもしれない。しかし、関係者間で調整と協力をおこなうことで創造的な解決策をサプライチェーンから引き出せるかもしれない。たとえば、事前注文書を利用したり、信用状を用意したりするなど、生産者への信用を高める方法が考えられるだろう[999]。

複数シーズンの価格固定契約

サプライチェーンが価格を安定させるための方法のひとつは、固定価格で複数シーズンの契約を締結することだ[100]。とはいえ、生産者に有利に働く変動性は利用できなくなるだろう。生産者とその組合には、受け入れやすい一定の価格で収穫物を受け取ってくれる買い手がいるのは心強いことだ。買い手は、必要なコーヒーを確実に受け取ることができ、ほかの買い手に負けるリスクがないので安心できる。

しかし、市場価格が固定契約の価格より高くなれば、生産者は安定を約束してくれた買い手ではない相手に売りたくなるだろう。また、市場価格が固定契約の価格を大幅に下回った場合には、買い手は差額の恩恵に預かろうとしてほかの生産者から買いたくなるだろう。双方が互いに一〇〇パーセントの真剣さをもって取り組み、疑惑の影に惑わされることなく潜在的な機会費用を受け入れる意気込みがあれば、金融デリバティブによって、双方が変動を利用して安定を維持できる。「高低差を好む投機家たちがこの市場に進んで資金を注ぎ込んでくれれば、あなたは絶えず彼らが賭けた反対に賭けることで、その同じ高低差を利用して身を守ることができる[101]」

垂直的調整

ジョン・ハンフリーが国連報告書で引用したクックとチャダッドの研究によれば、今日の世界的な通信技術の進歩で調整できるようになった契約メカニズムは、あらゆるサプライチェーン関係者のニーズを満たし、それぞれの特殊な取引の微妙な差異に対応しつつも、価格設定者として現物市場や先物市場に代わる力を持っているという。[1002] しかし、そのようなメカニズムによって作られた「キャプティブ・ネットワーク」は、特定のサプライヤーと契約しているため、資金調達において買い手が自由に動けなくなる。こうした関係や契約の管理調整に配慮しなければならないために、現物市場で単に額面どおりの価格で購入すると、明示されない費用がかかる。[1003] 稀少なスペシャルティ等級のコーヒーのために、業界のリーダーたちは生産者に複数年契約を要求している。こうした生産者との協力があって初めて、製品の素材品質に基づいて「C」市場から独立した固定価格を確立することができる。複数年契約は、業界のほかの部分で（機会費用は別として）費用を増やすことなく、生産者には大きな利益となり、さらにチェーン全体の取引費用削減にさえなる。[1004]

スペシャルティの品不足

スペシャルティコーヒー（と「ウルトラ・スペシャルティ」コーヒー）の需要が急速に増えている。現在の販売チャネルがおもに品質を犠牲にして収穫量の最大化を奨励しているせいで、スペシャルティが品不足になっているのだ。これに関しては、高品質のコーヒーの過剰供給がそれ自体の価値を落としていることにも注意しなければならないが、いまは過剰供給の話は措《お》いておく。差別化された品質をコモディティ制度から切り離すことができれば、高品質の豆を生産してそれに価値を認める市場にアクセスする手段を備えたスペシャルティ対応の小規模農園にとっては、大きな商機となる。その一方で、市場赤字にもかかわらず、高級アラビカの価格の決定がハードアラビカとロブスタの両方の供給に基づいたもののままならば、マイルド高級アラビカの生産は、市場では品不足であっても、不可能になる（あるいは不可能なまま）だろう。これは、農家にも消費者にも、そしてそれをなりわいとするすべての人にとっても好ましくない事態だ。

世の中にうまい話はない

アリゾナ州立大学のフランク・ツズォリーニ教授に教えてもらったことだが、そして金融学教授の九〇パーセントはそう教えていると信じているが、世の中にうまい話はない。社債市場を出し抜くことはできないし、コーヒー農家を出し抜くこともできない。確かに、従来の方法で取引されるコーヒーを淹れたときの品質に対する差額補償がないため、今は特定の非常に高品質なコーヒーを、業務用グレードのブレンド業者よりわずかに高い価格で入手できるかもしれない。しかし必ず、コーヒーを淹れたときの品質を「ただ」で得たツケを払う日がやってくる。その品質を栽培し、買い手の払う値段で販売し、それで生計を立てられなくなれば、生産者はそれほど長く仕事を続けられないだろう。彼らは苦痛を味わう一方で、あなたは短期的な利益を得る。しかし、長期的に見れば生産者は栽培をやめてしまい、あなたが買い取るものがなくなる。したがって買い手は、その後二年間、豆を安く手に入れて、それ以後二度と豆を手に入れられなくなるのがよいか、それとももう少し高い金を支払って、常に豆を入手できる状態を確保しておくのがよいか、決断する必要がある。

協調的なサプライチェーン

コーヒー生産者からなる協同組合や類似の組織は、たいていは代議制で民主的だ。そうでなければ困る。民主的であることは重要だが、場合によっては、機動性や商業的な積極性や継続性に欠けるという弱点があるかもしれない。このような弱点を放置しておくと、サプライチェーン仲介業者のなかには、生産者の幸福とは必ずしも一致しない多種多様な動機の中でもとくに利益を最大化するという目的に沿って重商主義的になる者も出てくる。こうして、非輸出協同組合や非提携の生産者に理想的なサプライチェーンが、別の種類の仲介業者を引き寄せ、双方の利益に最適な形でできあがることになる。フェアトレード財団はケニアのコーヒー業界の状況について言及しているが、業界の規制当局が民間企業と提携して、それぞれの長所を活かすような官民連携のパートナーシップを確立することを提案している。PPP[1005]は実行可能な解決策になるという意見もある。それは、フェアトレード財団によれば、「バリューチェーンにおけるパワーバランスが悪いせいで、農家が作物の潜在的価値を生かすための戦略的パートナーシップを築けないでいる」からだ。[1006]生産者が利益を得られるのは、誠実さと透明性と効果的な主張からだ。

小規模農園は、携帯電話にGの数字がいくつか付いていようとも、輸送用コンテナを満載にしたり、他国に輸入会社を設立したり、農園に最先端のカッピングラボを設置したりすることはできない。コーヒーを小規模農園から他国の焙煎業者に輸出するには、ほかの人々や団体の存在が不可欠だ。このようなサプライチェーン内で情報と価値がどう分配されるかが大きな問題になる。サプライチェーンの関係者は、生産者のために活動するのか、それとも生産者の利益に反する活動をするのか。先に「直接取引」について論じたとき私は、業務を最大限に効率化するにはサプライチェーン・サービス提供業者や「仲介業者」が必要で、その理由について話をした。では、仲介業者が優れているとしたら、どういう点が優れているのだろう。

すべての関係者が納得できるように価値を分配するには、仲介業者の資本主義的本能を抑えなければならない。収入が無限に増える可能性があるとしたら、それは粘り強く目的を達成しようとする仲介業者の努力があるからだ。補償（サプライチェーン収益の分配）は、おこなわれた作業と参加者それぞれが負ったリスクとに関連付けられる。生産者とその団体が肩を並べて前進できるように、動機を調整して合意を取らなければならない。双方は、ほかへの投資を正当化するために置き換えられたり無視されたりしないという保証を得る必要がある。生産者やその団体は、仲介業者のカタログの単なる一項目になることを望んでいるわけではない。仲介業者は、生産者が製品を売るために他の業者より多額の金を提示するような単なる一輸出業者になるのを望んでいるわけではない。将来有望なサッカー選手は、レアル・マドリードにメールを出して契約したいと言うはずはなく、代理人を雇う。その代理人は選手がスポーツに専念できるように選手に代わって交渉する。同じように多くのコーヒー生産者は、コーヒーを焙煎業者に販売して輸出してもらうよう自らお膳立てをするのではなく、誠実な本物の代理人の仕事を通して利益を得られればそれでよいのだ。いずれの場合も、当該関係者は必然的にふたつの大きく異なる競争の場に参加しており、両方の分野で優れているということは、あり得ないことではないかもしれないが、まずそんなことはない、と言っているのだ。

相互の取り組み

サプライチェーン間の垂直調整と開かれた協力が機能するためには、関係者の相互依存が尊重されなければならない。それぞれの関係者は、ほかの関係者の利益を最大化するために懸命に投資をおこない、リスクを負い、我慢もするが、それはすべてのメンバーに利益をもたらすサプライチェーンを誠実なやり方で強化するためだ。相互的な取り組みと、だれにでも開かれた共感的な集まりでなければ、協力的なサプライチェーンを持続させることはできない。

参加するつもりの生産者は、買い手がトラックで現れて同じ価格を提示しようと、別の輸出業者の「コンテスト」でより高い値段を出してくれる買い手が見つかるかもしれないと言われても、無条件で参加しなければならない。これは前述したように、ひどく軽んじられて、懐疑的になっている小規模生産者には難しいことだ。彼らは、背負わなければならないサプライチェーンのリスクが非常に大きいため、懸命にリスクを回避しようとして、[1007] 大きな錯覚をしてしまう。つまり、まだ合意に達していない買い手より数ペニー多く出すと言う、コーヒー探検家（買い手）の格好をして現れた救いの神にすがりついてしまうのだ。これは、相互に有益で献身的なサプライチェーンを築くことに関心がある（より特権的と見える）相手には苛立たしいことだが、事情は理解できるだろうし、彼らにしても仕事をすれば自信が持てるはずだ。おそらく善意の買い手が望むほど、事はうまく運ばないだろう。しかしその一方で、買い手はパートナー生産者の品質順位がどうしようもなく下落したときも優しく見守り、コーヒーを淹れたときの品質評価が八五点の彼らの製品を拒否したりほかの八七点の製品で代替したりしないよう、誠意をもって対応しなければならない。両者のどちらにも安定性を提供するサプライチェーンには、都合のよいときだけしか役に立たないような売り手や買い手を参加させてはならない。

献身と日和見[1008]

だれも「最後の拠りどころ」である買い手にはなりたくない。ジェフ・チェーンは、相互の信頼関係があると考えられていたサプライチェーンに、実はそれがなかったことを次のように報告している。「私たちはこのコーヒーをオアハカ（メキシコ）から購入していた。相手は四〇人の生産者からなる非常に小さな集団だった。彼らは一年にコンテナ一個分のコーヒーを栽培していた。付き合って二、三年目に、私はそこまで出向いて行った。するとだれかがＣＯＥで四位を獲得したということだった。そこへ、オーストラリアから来た人物が現れて、『あなたたちのコーヒーを全部、一ポンド五ドルで買おう』と言うんだ。うちの会社は三ドル足らずしか払っていなかった。コーヒーを取り返したかった。『うちは今年が三年目で、このためにここに来ているんだ。来年いい成績を収めなかったらどうなるんだ。それでも私はまたここに来るつもりだ。オーストラリアの男は来年もやってくると思うか。この男は来年も高い値をつけると思うか？』[1009]」。独占契約は、ほとんどの人にとって望ましい取り決めではないだろうが、協力的なサプライチェーンを機能させるには双方の献身と忠誠がなくてはならない。その機能が長続きしなかったり、そもそもそれが成立しなかったりする原因は、たいていこのせいなのだ。

協力的なチェーン全体をとおして透明性が確保されていることは、参加者たちが結果責任と自己管理を確保するための鍵だ。参加者全員が情報とフィードバックを共有することで、生産者が需要に応じて製品を差別化したり、変化に対応したりするような効率的な機会を大きく改善することができる。機会を増やすこともできる。ただし、それは両刃の剣だ。人は裏切ったり騙したり、腐敗したり利己的だったりするからだ。データの透明性は、サプライチェーンに悪用や改竄《かいざん》がないことを証明するために不可欠だが、参加者のうちのだれかがほかの参加者を切り捨てようとすれば、簡単に利用されてしまう。

たとえば、コーヒーを購入する焙煎業者の本性を知った生産者が、コスト構造や付加価値を知らないままに、最終価格に占める自分たちの取り分のことで仲介業者に腹を立てるかもしれない。その結果、生産者は直売をして収入を上げることに成功するかもしれないし、成功しないかもしれない。しかしこの例は、仲介業者との関係を決定的に破壊することになる[1010]。

契約の履行が困難だったり非効率だったりする地域、もしくは共通言語の識字能力が不十分な地域（小規模コーヒー生産地域の大半）では、契約は実行可能な解決策にはならないようだ。協力的な国際サプライチェーンは文化交流の場ともいえる。残念ながら、人々の虐待や支配が日常的におこなわれているようなコミュニティでは、協力や取り組みという考えを実行に移すことは難しい。

生存主義的なビジネス文化では、「誠意」という概念はあり得ない。唯一の誠意とは、手で触れることができて消費できるモノのことだ。地方のビジネス文化とは、相手がまちがいなく悪意を持って行動していることがわかっているなら、いざというとき相手と同じ態度を取らないのは馬鹿げているというものだ。

透明性

「商品市場で透明性がない場合、そこは信用ならない仲介業者が力を持つための安全な避難所になってしまう。（略）その結果、チェーン内でもっとも貧しい人々が犠牲になる。透明性の高いサプライチェーンは、生き残るために必要な、または付加価値のある仲介業者を優先するだろう。（略）つまり、このチェーンに参加できる人は、価値あるサービスを提供していることを意味する」とデヴィッド・グリスウォルドは言う〔101〕。

買い手（焙煎業者、消費者）にとって、あらゆることが真実かどうかを知る唯一の方法が、サプライチェーンにおける透明性と検証性だ。不誠実な人のせいで疑念を抱いたり、人々を意図的に混乱に陥れようとするような苦情を聞いてすっかり疲れ果てたりするので、透明性はなくてはならないものなのだ。コーヒー豆の仲介者を含むどのコーヒー会社も、農家に対してよいことをしていると主張する。農家にたくさんの金を払い、彼らの意見を尊重し、支援し、大事にしていると言う。しかし、こうした主張を裏付ける信用のおけるデータはほとんどない。「コーヒーの輸出入業者が発行する持続可能性に関する世界的な報告書には、大手業者のものにさえ、そのデータは載っていない。生産者団体は例外的に、独自の持続可能性の指針や指標を公開している。

報告という点から見れば、長期的な持続可能性への取り組みと優先項目に関して一貫して最新情報を提供するために、『北半球』の関係者から学ぶべきことがたくさんあるのは明らかだ[1012]」。基準や客観的なデータがないため、その報告書はすべて同じに見える。競合他社の倫理がどうやって測られるかといえば、彼らが自社のことを説明するために使う言葉と、声の大きさを左右するマーケティング予算だ。声が控えめで、マーケティング予算が少ないような本当に倫理的な関係者は、大規模なグローバル・システムのなかで存在感をわずかにでも示すのは無理だと感じている。

透明性は必ずしも「直接取引」を助長するわけではないが、確かにサプライチェーンから贅肉をそぎ落とし、特定の関係者が過剰な裁定取引に走ることを防ぐことができる。データは、売り手がチェーン内の各リンクで価格を正当化するためにも使える[1013]。透明性の高いデータは、チェーン内のそれぞれの交換点での価格を含んでいることもあるが、正確な比較ができる適切な文脈がなければ使えないような財務データでは意味がない。補足データには、製品含有物の品質、関係者の身元、各売買時の製品形態、資金調達とリスク負担の責任者情報が含まれることになる。透明性が要求されるのは、認証などの付加価値に対するプレミアムが生産者に還元されることを保証する場合だ。力のある大規模のサプライチェーン関係者が、小規模農園など弱い立場にある関係者を虐待できなくするためには、これがもっとも重要な方法だ。消費者が特定の原産地、加工、栽培方法に注目すれば、農家は自分の製品に象徴的（ブランド）価値を加えられ、その価値の一部を受け取れるようになり、大手ブランドが享受する象徴的な品質の独占に挑戦することができる。

価値の付加

透明性の高い情報が製品の価値として付加されると、その製品に消費者は進んで多く金を支払い、サプライチェーン関係者に高い基準を求めるようになる。透明性の高い情報は、価格を据え置き、サプライチェーンの費用を増加させるための参入障壁にならないことが重要だ。[1014] 透明性のある情報を収集し、検証し、整理し、提示し、それをもとにやりとりするには費用がかかる。[1015] その情報自体の費用を賄うのに十分な価格に値上げする必要がある。さもなければ絶えず費用がかかり、生産者の取り分を含む財源の総額が減っていく。

透明性の高いサプライチェーンを発展させるには、消費者がそれを望み、それで調達されるコーヒーに多くの金を進んで支払うようになることが大事だ。消費者がそれを要請しても、値上がりを望まない場合には、消費者が参入障壁となり、新たな費用を負担するのに十分な利益を得られない参加者が排除されることになる。幸いにも最近の研究では、透明性の「『ソフトな施行』が促され、公的な監視によって説明責任の必要性が醸成」されている。実際に消費者にとってそれが価値あるものと捉えられているという。[1016]

透明性は双方向でなければならない

公正で人道的なサプライチェーンの定義と検証には追跡可能性《トレーサビリティ》と透明性が必要だが、原産地の提示は残念ながら、異国風味をひどく大事にするようなやり方か、貧しい農民生活を一方的に覗き込むようなやり方でしかおこなわれていない。原産地の提示は気高い意図でおこなわれることもあるが、購入に繋がる感情的な反応を煽る貧困ポルノめいた目的でおこなわれることもある。真の透明性は――一袋でも多くコーヒーを売ることだけでなく、共感、相互理解、協働を促進することも目的とした――双方向であるべきだ。

生産者は、世界規模の業界で地位を向上するために、自分たちとその製品が業界にどのように適合できるかを理解すべきだ。人々が自分たちの製品をどう使用しているか、どのように販売されているか、市場の嗜好、価値観、優先順位はどうなっているか、といったことを理解して初めて利益が得られる。この情報は、生産者がもっとも価値のある製品を作り、提示された価値にふさわしい最高の価格を得るための交渉に役に立つ。この情報がなければ、不適切な決定や操作がおこなわれてしまうだろう。買い手と生産者の透明性は、生産者団体がメンバーを動機付け、メンバーとの信頼関係を築き、「結果責任の共有」を促進するのにも役に立つ[1017]。それは、より良い価格でより多く生産者のコーヒーを売ることには役立たないかもしれないが、サプライチェーンにおける消費者から生産者へ向けた透明性の収集、組織化、提示は、サプライチェーンの進化と順応性にとって基本的なものだ。

文脈がなければ価値はない

文脈のないコーヒーサプライチェーンからのデータは価値がない。FOB価格（輸出価格）は、統計を好む人々が農家の収入の代理データと考えているものだ。追加情報がなければ、つまり輸出業者がそのうちどれだけの金額を農家に支払っているのかがわからなければ、それには何の意味もない。数字がどこから出てきたのか、正確に何を表しているのか、どのように計算されたのか、そしてなぜそうなったのかがわからなければ、比較もできず、評価者がサプライチェーンの公平性と効率性を調べる役に立たない。

　透明性データは普遍的でなければならない。ある原産地の出荷価格を知らせる場合、すべての地域にその金額を知らせなければならない。普遍性がなければ、提案者はできるだけよい印象を与えようとする[1018]（正のバイアスとも言う）。現在、サプライチェーンに関する透明性データを公表している組織の大半は、収集と提案のシステムを自分で設計している。そのため、データを共有する組織間の比較は困難になる。データを簡単に評価できるようにするには、いくつかの計算方法と標準統計によるデータの標準化が必要だ。十分な情報量のある公的で、勝手な操作ができない標準化されたデータがあれば、業界関係者は公平性の要求基準を維持したり、市場から厳しい評価を受けるリスクを負ったりできるだろう。[1019]その例として、ＧＲＩスタンダードやサステナブル・コーヒー・チャレンジ・サステナビリティ・フレームワークが挙げられる。

だれが何に支払うのか

　ＦＯＢは農家の収入を意味しないが、ＦＯＢを使う利点というのは、それが絶対的であり、常に同じだからだ。農家の価格には、コーヒーを未加工チェリーから輸出用の豆にするまでに派生する多くの費用が含まれる。極端なことを言えば、農家の価格は、この先もウォッシュトプロセスや乾燥、脱殻、選別、包装、輸出を必要とする未加工チェリーのものかもしれないし、輸出できる状態の、選別されて包装されたコーヒー生豆のものかもしれない。それはサプライチェーンと農家のインフラ次第であり、原産地とも大きく関係している。

標準化と文脈がないと、サプライチェーンが悪意ある操作に対して脆弱になるおそれがある。たとえば、輸出業者が農家にドライパーチメントの購入のために一ポンドあたり一・三〇ドルを支払い、次にドライミルへの輸送に一ポンドあたり〇・〇五ドルを出資するとしよう。輸出業者が見た目の農家価格を値上げしたい場合、農家に輸送を手配させ、彼らに一・三五ドルを支払えばそれでよい。あるいは大農園が、ナチュラルプロセス、包装の調達、輸出税と通関仲介手数料の支払いを進んでおこなう場合もあるが、一ポンドあたり〇・二五ドルの追加費用と追加管理手数料が発生する。輸出業者が大農園に一・六〇ドルを支払うと、透明性データを確認する焙煎業者には、別の輸出業者がドライパーチメントに一・三〇ドルを支払うよりもはるかに良く見える。しかし、必ずしも一方が他方より優れているとはかぎらない。

生産費用は、評価者にとって持続可能な農家価格を知るためのよい基準となる。しかし、農場の効率、そして単位あたりの生産費用は大きく違う。農場の効率を統制できないときには、輸入業者と焙煎業者に農家の収益性のツケを払わせるべきではない。経営状態の良好な農場の平均生産費用を基準にするのが適切だ。

透明性の需要

透明性情報に興味がない消費者やその準備ができていない消費者に、そのデータを押しつけてはならない。このデータは消費者のほうから農家に要請されるべきだ。[020] たいていの場合、買い手は正しく、売り手が満足しているかどうかはだれも気にしない。小規模農園が輸出業者に対して、焙煎業者が自分たちの作ったコーヒーにいくら支払ったか教えてくれと頼んでも、なんの返事も期待できない。しかし、生産者に支払われた金額を知っていることを条件に輸入業者が購入しようとする場合、輸出業者はその金額を輸入業者に教えるかもしれないが、それは本当に失ったら大損害が出るような大手が相手のときだけだ。これが小規模な焙煎業者にはできない。経営を続けるために必要なコーヒー豆をすべて調達するときに透明性に気を遣っている輸入業者を利用できない場合、あるいは大手輸入業者から調達に関する透明性の高いデータを提供されない場合には、必要な価格情報は得られない。しかし、それぞれの焙煎業者があまりに小規模で情報の共有の仕方（あるいはその他の変更したいこと）を変えられないからといって、価格情報の入手を諦めるしかないかといえば、必ずしもそうではない。コーペラティヴ・コーヒーズは、利用できるサプライチェーンに納得していなかった焙煎業者グループのひとつである。この会社が協同組合を立ち上げたのは、自分たちの望む方法で独自のサプライチェーンを効率的に開発するためだった。

焙煎業者は出荷価格を訊くべきだ、とリック・ラインハートは考えている。「輸入業者が出荷価格を答えられないなら、輸入業者の実態と彼らのコーヒー入手方法について質問すべきだ。出荷価格が非常に安い場合には、次のように質問したほうがいい。出荷価格がなぜ安いのか。私にできることはないか。来期も購入したいが、この価格でずっと買い続けてよいとは思えない。というのも、農家が長期にわたってこの価格でこの品質のコーヒーを生産することなどできないと思えるからだ。では、この生産者からこの素晴らしいコーヒーの安定供給を受ける方法を探すために何をすればよいだろうか。その答えは、農家への答えと同じだ。だれも市場を大幅に下回ったり、上回ったりする値段をつけられない状態を確保できる、適切なヘッジを設定した長期固定価格契約だ[1021]」

消費者が、透明性の高い情報はサプライチェーンのすべての関係者によって公開されるべきであり、それができなければ市場のシェアは失われると主張すればいい。そうなれば、消費者はもっとも平等主義的なサプライチェーンに属する企業の商品を買うというやり方で支持することができる。問題は、消費者がこの情報を要求する方法を知らないことであり、そしてたとえ情報を得ても、それをどのように解釈すればよいかわからないことだ。このため、業界、特に焙煎業者や末端の小売店は、透明性を要求すれば効果があることを消費者に教える仕事に取りかからなければならない[1022]。

透明性の不都合な面

本書で私たちが開かれた協力関係と連携のために敵対的な取引関係から脱却することを提案しているのは、サプライチェーン関係者間の効率を向上させ、相互の持続可能性を確保することが大事だと考えているからだ。これは一部のサプライチェーンにとってはひどく理想主義に根ざした期待かもしれない。それぞれの当事者が、自らの利益を最大限に得ようとする従来の交渉では、取引相手を犠牲にすることがままある。「情報を『無差別』に公開すれば、『価値を主張する力』を制限することになるかもしれず、（略）情報を提供することは、交渉の主導権を放棄することにもなり得る[1023]」

どこにでもある普遍的なデータが利用できるようになり、各サプライチェーン関係者に支払う適切な価格についての明確な基準が明らかになるまでは、透明性のデータを公開することは、ほかのだれかがそれを不適切な価格だと解釈するおそれがあるためにリスクをともなう。とりわけ評価者の利益が大きすぎると見なされれば、なおさらリスクをともなう[1024][1025]。ピーター・ロバーツは、企業の競合他社に機密度の高い情報を知らせることなく、極秘の匿名データを使って指標を確立して追跡することを提案している。

もう一つのマイナス面は、情報を追跡し、透明性の高いデータを提示するのに費用がかかることだ。これらの追加費用は企業の予算を圧迫し、おそらくコーヒー豆の費用のどこかが確実に削られることになる。皮肉なことに、企業が農家に支払う金額を明示しようとする努力が、彼らが農家に支払うことができる金額を直接的に減らすことになるかもしれない。ロバーツは、「非営利および学術リソース」に頼ることを提案している[1026]。

自分の財産や同僚の財産を共有することには、ある種のリスクがともなうのは当然のことだ。透明性の高い情報を自ら公開することにともなうリスクとは、情報が不正操作されるかもしれないということだ。それは、裁判官であり陪審員であり刑の執行者である消費者の、実行力と統治力に依存している。代替できるものがほかにあるとしたら、第三者による監査だろう[1027]。異なる価格で合意した異なる買い手が互いの財務情報を共有することには商業上のリスクがある。コーヒー豆の買い手の多くは、農家に十分な支払いがおこなわれ、騙されていないことを確認したいと考えているが、生産者は自分たちの収入が公開されることを望んでいないかもしれない。完全に公的な透明性の高いデータを公開することは、関係する全員を尊重していないことになるかもしれない。ここで述べたような反対意見に屈して透明性を諦めるようなことがあってはならない。利益のほうが不利益やリスクよりずっと大きいように思われる。

　個人や企業がいくら、透明性の高いデータ共有は適切で自分たちの利益になるという結論を下そうと下すまいと、おそらく早晩、技術に感謝しないわけにはいかなくなるだろう。リック・ラインハートは、「私見だが、価格の透明性に関するだれの意見も、結局は、本質的なものではなくなる。それというのも、われわれが好むと好まざるとにかかわらず、技術が透明であることを私たちに強いるだろうからだ。今からでもその準備をし、正直になろうとすれば、われわれの暮らしははるかによくなるだろう」と言っている[1028]。デヴィッド・グリスウォルドは、「市場で有利なのは、インターネットやデータ共有によってもたらされた高い透明性のレベルを受容している組織だ[1029]」と考えている。コーヒーのサプライチェーンが透明性の高いデータの共有を積極的に採用すべきかどうか議論するより、組織された仕方でデータを収集、解釈、共有するための標準化された手順を設計することに時間をかけるほうがいい。そうしてコーヒー販売会社がさまざまな認証や倫理宣言をおこなっている、現在のような複雑怪奇な状況を整理して、共通の条件を作り出すことが望ましい。

消費者の圧力が鍵となる

消費者がコーヒーに置く価値こそが、価格引き上げの鍵になる。フィレミニヨンよりもホットドッグを好む消費者には、和牛肉の生産はエネルギーの無駄としか思えない。なぜなら、消費者に限界効用（安価な代替品を超える付加価値）をもたらさず、それにもっと高い金を払おうという動機が消費者にないからだ。

品質は必要とされ、評価されなければならない。消費者に高い値段を喜んで払わせるためには、消費者が品質に大きな実用性を見出す必要がある。ワインが多くの人に評価されるのと同じように、平均的な消費者によって優れたコーヒー製品が評価される場合、業界はムートンロートシルト1945一瓶とティオペペ一箱との価格対比に近い値段の違いがあっても、それを支持するだろう。世界中のこだわりのない人々が定期的にコーヒーの試飲に行き、休暇には原産地を探訪する計画を立て、特別な日のために普段の十倍以上の値段の特別なコーヒーを買うようになること。それが最終目標だ。目利きの消費者は多様性と、唯一無二の体験を喜ぶ。コーヒーがさらに多くのものを表現するようになれば、焙煎市場の細分化が促進されるだろう。多様性をさらに望むからこそ、社会正義を志向し、環境に配慮する洗練された消費者を満足させるために、多くの競争が生み出されてきた。こうした需要の高まりは自動的に起きない。コーヒー業界からの積極的なアプローチが必要になるだろう。

消費者にはサプライチェーンをより高い基準で維持する力があるが、企業は責任を消費者に押し付けてはならない。消費者が「持続可能性に関心を払わない」ことに不満を抱いていても、それがものを売る企業が責任を果たさない言い訳にはならない。

消費者価格が最安値の状態では、コーヒー豆が底値になることもあり、小売価格が高くなればなるほど、理論にしたがえば、生産者の取り分を含むパイ全体が大きくなる。あらゆるビジネスに言えることだが、生産者が生活のできる収入と、消費者が利用できる価格を実現することがこの業界の責任だ。しかし、ある種の状況では、これらふたつが互いに排他的になるかもしれないなどということをいままで真面目に考えたことがなかった。同様に、生産国での議論でよく問題にされるのだが、所得の高い国々では誰もが無限の可処分所得を持っているなどと考えないことが重要だ。エヴァー・マイスターが述べているが、多くの企業が実行に移せることとは、費用を削減して、生産者がなお生活のための収入を確保できる価格でコーヒー豆を購入し、消費者に適切な値段で売ることなのだ。「もっとたくさん金を支払わなければならないと私たちが消費者に訴えれば訴えるほど、好きに使える金のない消費者層の大部分が排除されていく。私たちは基本的に、（消費国）の貧しい人々に向かって、おいしいコーヒーを買う金がないなら、人道的ではない安価なコーヒーを飲みなさい、と言っているのだ。私たちが気に掛けるべきは、生産国の貧しい人々かそれとも消費国の貧しい人々のことなのか、どちらなのだろう。それもこれも、私たちが何百万ドルもかけて（コーヒーショップを）作らなくてはならないからだ[1030]」

消費者は、公正で持続可能なサプライチェーンと高い透明性を要求する唯一無二の機会を持っている。つまり顧客は常に正しいのだ。あるいは少なくとも売り手は顧客を失いたくなければ、消費者を満足させ続けなければならない。大多数の企業に、考え方を改めなければ大変なことになると思わせる唯一の圧力とは、彼らが収益性の維持・向上を図るために獲得したり防衛したりする市場シェアに対して圧力をかけることだと仮定してみよう。もしこの仮定が正しいとすれば、企業が持続可能性に積極的に取り組む動機を持つのは、顧客がそれを要求するときだけだ。企業がそうしなければ、顧客は製品を買わなくなる。

消費者教育

消費者がコーヒーを自分たちに届けるサプライチェーンの持続可能性を気にかけているとしよう。消費者が知っておくべきことは、コーヒーにおける持続可能性とは実際にどのようなものか、サプライヤーに何を求めるべきか、不透明なものを明らかにするにはどうすればよいのか、といったことだろう。消費者は持続不可能なサプライチェーンがどのような影響を与えるか、その残酷さと向き合うべきであり、その負のイメージから受ける罪悪感から逃げてはならない。だれかが消費者に教えるべきなのだ。企業には、自社が販売を独占できない商品について、需要を作り出す動機がない。もし彼らがお金をかけて非独占的な製品の市場を作ったら、たちまち競合他社がやって来て、彼らはその需要をただで利用するだろう（ただ乗りだ）。企業が自社のブランドや、民間の持続可能性認証や秘密のレシピなどの独占的なものを重視するのはこのためだ。

これが民間企業の利益追求の本質なのだが、より公平で持続可能なコーヒーサプライチェーンが広く活躍するためには消費者の教育は不可欠であり、それは業界全体に与えられた責任であり、機会でもある。政府、労働組合、NGOなどの組織が公共機関や第三者機関に対して支援することが、リソースの拠り所になるだろう。ファンドの目的のなかには、農家の収入を補助したり、農家がよりよい生産物を栽培するために多くの認証を取得したりすることが入っているが、その資金を消費者への教育に振り分けて、消費者が何に留意すべきか、何を要求すべきか、あるいはもう少し消費者がコーヒーにお金を使えないかを考えてもらうようにしたらどうだろう。ダヴィロンとポンテは、生産国の政府や代理人やNGOは栽培者に補助金を与えたり、抗議活動を計画したり、国際機関に働きかけたりするよりは、消費国の目利きにもっと投資すべきだと述べている[103]。

よいおこない＝よいビジネス

先に述べたように、コーヒーのサプライチェーンにいる利害関係者は、持続可能性に配慮しなければならない。地球と人類に配慮することが、目的達成のための大きな手段として有意義だということは、これまでの企業の歴史のなかで実証されたことはない。本書に取り上げたあらゆる虐待や歪曲や操作がおこなわれてきたのは、それがだれかにとって有益なものだったからだ。そうでなければ、そうした行為はなくなっていただろう。そういうことがこの先も変わりそうにないのは、経営陣がご立派だからかもしれない。彼らはご立派であるかもしれないが、それだけでは世界規模のビジネスを動かせない。企業とその経営者には、投資家や株主に対する説明責任がある。そのような組織や個人は、ビジネスにまったく関与しない場合が多い。遠く離れたところで、画面上に現れた売上と利益の数字を追いかけるだけで、自分がコーヒー会社に投資していることを忘れているかもしれない。個人投資家は、退職後の貯蓄をファンドに預けて利益をあげようとする。ファンドマネージャーはその資金を、投資家に約束した利益を生み出す企業に投資する。企業は必要な利益を生み出すか資金を失くすかどちらかだ。この方程式には利他主義が入り込む余地はほとんどない。そこを変えなければならない。個人投資家は、自分のお金が何をしているのか（あるいはお金を失うかもしれないというリスクで何をしているのか）、そして利益への渇望がどのような人に影響を与えているのか、そうしたことに無知なままでいていいわけがない。

教育を受けた才能を惹きつける

コーヒーのサプライチェーンで、無責任で持続不可能な活動をして莫大な利益をあげてきた人たちがいる。世界的に展開する多角経営企業の保守派たちは、考えを変えるつもりはないのだ。だとすれば、ミレニアル世代の、特にコーヒーを好む先進国のこの世代の人々の多くは、おそらく前の世代よりグローバルで利他的な考えができるはずだ。企業は有能な人材を求め、雇用しようとしている。ミレニアル世代は現在、多くの国で労働力の半数以上を占めており、その価値観や期待度は前の世代とは大きく異なる。その世代が起業家精神を持ち、弱者を守り、自分の仕事にやりがいを感じられるかどうかは、ひとえにその雇用者の社会的価値を提起し、提供する能力のあるなしにかかっている。[102] 企業が持続可能な業態を導入しないで、最高の人材を引き付けることができなければ（最高の人材を獲得する価値と持続可能であるためのコストとを比較検討した結果）、取締役会のすべき受託者責任は、必要な人材が納得するような程度にまで企業を持続可能にすることだろう。

アメかムチか

倫理的な経営をおこなうこと、または少なくともそういう意識を持つことは、企業にとってある種の利益となる。だれかが目を光らせているかぎり、非倫理的な経営や偽りの人道的主張は、重大な結果を招くおそれがある。人道的な企業と消費者に必要なのは、ただ乗りする者や加害者をつまみ出すことだ。経済学と資本の効率的な分配について私たちが学んできたことに照らせば、企業が確実に倫理的な行動をとるとなると、ありえないほど高くつく。調査報道は企業（やその他の関係者）を牽制するために不可欠であり、無数の不正を暴くのに効果があった。たとえばコーヒー業界には調査報道によって形成された反対世論がブラジルの大農場の奴隷制を打破したという前例がある。報道に端を発した圧力が、企画に根本的な対策を講じなければ市場シェアを失うという危機感を抱かせたのだ。もしジャーナリストの指摘がなかったら、買い手たちは決して、自らこの問題を理解しようとはしなかっただろう。[103] 今日のメディア消費の実態を考えれば、独立系ジャーナリズムが持続可能で客観的な立場を維持することはますます困難になるばかりだ。真実の情報へのアクセスは社会参加には不可欠であり、一般大衆はそれがあればこそ、政治家からスポーツチーム、企業に至るまで、誰を支持するかを判断できるようになる。企業の過失が暴かれれば、消費者は少なくとも購入する行為をもって投票に換えるくらいのことはするだろうし、草の根運動やボイコットに発展することさえあるだろう。たとえば、イギリスの新聞「ガーディアン」は、英国のスーパーマーケットが大豆を販売することがアルゼンチンの森林伐採につながると報じ、イギリスの消費者のあいだで問題になったことがある。[1034] 森林伐採によってアルゼンチンの大豆農家や、さらに重要なことに、その支援者の経済的利益になっているというのだ。生産者の意識にかかわらず、森林破壊のせいで顧客を失うということになれば、それはもはや利益追求のための活動はなくなり、森林を破壊する理由もなくなる。

業界にできることは何か

コーヒー業界とサプライチェーンは買い手がいなければ存続できない。買い手が下すコーヒー製品に対する嗜好と評価が、この業界の組織される仕方を決める。コーヒーのバリューチェーンのあらゆる間違いが正されたところで、消費者が生産される業務用コーヒーやスペシャルティコーヒーを積極的に支持しようとしなくなれば、すべては無駄に終わるだろう。業界全体の個人的および集団的な責任は、私たち全員が望む未来志向の高価値で持続可能な、平等主義的な国際社会を支援する良心的な消費者を生み出すことなのだ。「多国間投資家のほとんどは依然としてニッチ市場向けの生産活動を重視している。多国間投資家が消費者教育を促進し、別の市場を開拓しなければ、関係者は実に多くの人々を小さな出口に殺到させるという危険をおかすことになる〔1035〕」

コーヒーを消費する大勢の人たちは幸いなことに何も知らないが、無関心というわけではない。彼らは消費する製品の背後にある不正にきちんと向き合い、不正の責任が支持しているブランドにあるのなら、企業の決定の背後にある経済学を変えようとするべきだ。確実に変化をもたらす方法は、企業に利益を犠牲にするようていねいに依頼することではない。企業が、利益を守るためには利害関係者に尊厳ある態度を取らなければならない、と考えるように仕向けていくべきなのだ。私たちの希望というのが、企業や業界に株主の利益だけでなく利害関係者すべての幸福を考えてもらうことであるなら、消費者たちもこの方向性をめざして、企業にそれを要求しなければならない。

輸入国の消費者が、環境劣化分を他国の裏庭に移して自国の環境規制達成度を上げるようなことは許されるべきではない。世界規模で調達と販売に適用されている姿勢は、個人による環境規制達成度にも適用されなければならない。富裕国の消費者が経済力によって与えられている機会は、単に消費を最大化するためだけに利用されるべきではない。今日、世界で最大の購買力を持つ国の消費者が、公明な良心を持っているにもかかわらず、破壊的なサプライチェーンから製品を買い続けるのは容認できることではない。知らないということはもう正当な言い訳にはならない。私たちはもはや、「ああ、あの政府はもっと人々や環境に配慮した仕事をすべきだったが（略）それは私のせいではない、私は彼らが提供したものを買っただけだし（略）、それがどうやって作られているかまで知らなければならないとは思わなかった」とは言えない。知ることには責任がともなう。

　ここから先は長くて険しい道が続く。すでに述べたように、唯一の解決策というものはないのだ。少なくとも私たちが話を聞いた人のなかでそれを見つけ出した人はひとりもいなかった。コーヒー事業者とその環境のための漸進的で地域的な解決策はなくてはならないし、久しく待望されているものだ。しかし、その一方で、一般的に貧しい生産者と一般的に富める消費者のあいだでおこなわれる国際貿易のあり方に根本的な影響を与えるような重要な再編策を作るには、消費者が製品との個人的な経済関係をより大きく変化させなければならない。今日のサプライチェーンの国際的な性質と商品の規模の大きさのために、人間同士による交換要素は消滅した。退屈でありふれた製品を送り届けるサプライチェーンによって引き起こされた苦痛や無責任さを知って、消費者が後悔するような心理的な負担はなくなった。もし消費者が地元の農作物市場でコーヒー農家と対面したとしたら、自分に大きな楽しみをもたらす製品に使った金額のうち生産者に与えられたのはたった五パーセントにすぎず、農家の子どもたちには適切な医療環境や栄養が行き届いていないことを知るだろう。その事実を消費者は受け入れられるだろうか。おそらく無理だろう。商品には魂がなく、大規模なサプライチェーンには心がない。彼らが取り戻さなければならないのは魂や心だ。たいていの人にはある程度の慈悲の心が残っている。

　地球規模のサプライチェーンのおかげで世界中の消費者は極めて効率よく、ものを買うことができるようになった。しかし、サプライヤーを物神化《フェティシゼーション》（一般化・匿名化）し、売買の社会的側面が弱まった。コーヒーの場合、この物神化によって、人が作った素晴らしい偉業が、どれも正確に同じ商標ロゴが入った多国籍企業の三キロのアルミ缶に変えられてしまった。これを買うことを決断するうえでもっとも複雑な要因は、先週新聞で割引クーポンを見たとか、ドラッグストアへ買い物に行ったついでだとか、そういったことになるのだ。

今日、安価なグローバル通信技術の力によって私たちが利用できる相互連結性は、顔のない消費者と名前のない生産者を、ブラウザで集計される単なるクッキー情報から、お互いに共感を抱ける感情を備えた人間に還元するために利用されなければならない。それぞれが個性的だが、だれもが同じように充実感と繁栄を求めているのだ。こうした話を信じない人のために、彼らの物語をいくつか紹介したい。

物語

エルヴァー・パヤ

エルヴァー・パヤは、私たちが一年ぶりに山を登って彼の農園まで会いに行ったとき、とても喜んで迎えてくれた。二日半かかった旅だった。急な坂を登り、足は焼けるように熱く、汗まみれになりながら朝の八時過ぎに到着して、朝食をとった。彼とはこの三年のあいだに何度か会っていたが、そのときには言葉の壁が厚く、パエス語〔コロンビアのパエス族の言語〕のわかる通訳を介して話を聞いたのだが、彼はよそ者に対する懐疑心が強かった。しかし、今回は違った。エルヴァーとその家

族は、もともと内向的で内気な性格だが、彼らなりに私たちを温かく迎え入れてくれ、鶏のスープ、米、アレパの朝食でもてなしてくれた。私たちの組織の栽培プログラムを聞き入れて彼が取り組んだ結果、最近「驚き」のプレミアムが支払われたのだ。そしてついに彼は長年やりたかったことが実現できた。それは、水洗トイレ、シャワー、タイル張りの床、ドア、洗面台を備えた浴室を作ることだった。エルヴァーは、いかにも彼らしい禁欲的な態度と抑揚のない片言のスペイン語で、一家に対する私たちの援助について感謝の言葉を述べてくれたが、その眼差しには熱烈な愛情がこもっていた。私たちが彼に伝えたのは、彼とその家族が自ら生産する製品の品質と価格に対する責任を果たしていることだった。彼の収入の多寡を決めるのは焙煎業者と消費者であり、幸運なことに、私たちは

彼の製品に優れた点をいくつも見出していた。その後の収穫物は現在脱穀されているが、昨年よりも一点ほどよい状態だ。今年彼は、数年前に牛を放牧するために無法者に放火されてしまった彼の所有地の頂上部に、コーヒーの木と原生の森林樹を植えたいと考えている。よく説明したのだが、パヤの一家は私たちが出発するときに、まだまだ恩に報いたりないとでもいうように、生卵の入った袋を持って行ってくれ、と言った。卵は灼熱のトラックのなかで、激しい凸凹道の七二時間をなんとか耐えてくれたのだが、耐えているうちに世にも香しいスクランブルエッグになっていた。

ファン・ヒラルド

ファンは家族の農場でコーヒーを摘み、卵を集め、街の灯を夢見て育った。思春期の頃、金を貯めた彼と友人たちは八時間離れたもっとも近い町メデジン〔コロンビア北西部にあるアンティオキア県の県都〕に行き、大酒を飲んだ。ある夜、ジェラス公園でひとりの兵士が彼に、軍人カードを見せろと言った。コロンビアには兵役登録制度がある。彼の家族は登録免除料を支払っていなかった。彼は連行されて入隊させられた。彼の家がFARC-EP（コロンビア革命軍）の支配地域にあったため、彼もそして彼の家族も、地元当局とは敵対する立場だった。家族の安全を守るために軍隊を辞めなければならなかったが、兵士となった彼自身は、家族の住む地域に戻ることが許されなかった。それで避難所を求めてボゴタに行き、警備員の仕事を見つけた。彼はいわば状況の犠牲者だったが、その状況を変えることを決して諦めなかった。農園経営を多角化して発展させ、現在では産業鶏舎と乾燥用のコーヒーベッドも所有している。自身の農園で採れた商用グレードのコーヒーを焙煎し、五〇〇グラム入パックにして近隣で販売している。ファンは、近隣農家のスペシャルティ市場への参入や遠方へ無料配送できる物流体制の構築を支援している。自分のコーヒーについてはあまり深く考えたことがなかった。というのも、彼のコーヒーはこの地域では比較的低い標高で栽培され、コーヒーを淹れたときは通常、八三から八四点程度になる製品だからだ。本書の刊行の前年、私たちがいくつかの簡単な発酵実験をおこなったところ、彼は収穫量の半分を処理して八六・五点を達成することができた。ファンはだれよりもよく働き、仕事熱心で、しかも今、ゆっくりと着実に経営学の学位取得をめざし、大学で学んでいる。彼のほうが教える立場にあるはずなのだが。

ウンベルト・ペクパケ

ウンベルトは私が会ったなかでもっとも注目すべき人物だ。彼の物語もまた驚きに満ちている。子ども時代をコロンビアのトリマにあるナサ族先住民居住区で過ごした。彼は人に会うたびにその頃のことを話す。食料不足だった子どもの頃に、昔ながらのナサの馬小屋でトウモロコシを使ったいろいろな料理を作ったこと。大きくなって初めて履いた靴のこと、その靴がしょっちゅう脱げたこと。先住民の伝統や、自然との交歓の中で彼らの生と死後の生を導く山や森に住む精霊たちのこと。ナサ族は、国内の他の少数民族よりも二〇年早く、一九九六年にコロンビア革命軍と和平協定を締結した。しかしその後、侵攻に対する激しい抵抗が起きてウンベルトの父親は命を落とした。ウンベルトは幼くして孤児となり、祖先が代々居住してきた故郷ナサの近くの、コリントの路上でホームレスとして暮らした。当時、唯一そこで雇用を創出していたのは麻薬農業で、そのほかには何もなかったので、人々はそれでかろうじて生きる糧を得ていたのだ。そしてウンベルトはそのような暮らしを変えなければならないと心に決め、妻のドニャ・アルバと家族とともにトリマに戻ってコーヒー栽培を始めた。やがて心の故郷である先住民居住区に小さな農園を持ち、小さな家を建てた。

彼は、伝統と革新の両方を理解し尊重する独特の力に長けていて、コミュニティと外界との文化や経済の架け橋の役割を果たしている。そして市議会議員を八年間務め、内向的な先住民コミュニティを擁護し、起こりえる危険もかえりみず、差別と戦ってきた。コミュニティのために自分の小さな農園に外来の品種を植え、ほかの農園に代わってリスクを背負い、実験的な栽培に取り組んでいる。二〇一九年、ウンベルトの農園はすばらしい豊作で、焙煎業者の評判もよく、その収入を自分たちの農園のインフラの大幅な改善に充てた。そのうちのひとつに、チェリーを畑から深い渓谷の向こう側へ送り届ける滑車システムの導入があり、これで重い荷を負って険しい山道を三〇分かけて歩かなくてもよくなった。こうした改良工事が終わり、その季の二度目の収穫が近づいた頃、ウンベルトは滑車から渓谷に転落するという大きな事故に遭った。この転落で重傷を負った彼が倒れていた茂みから、いちばん近いまともな病院まで車で七時間もかかった。意識が恢復するまでに数週間かかり、体の麻痺は数カ月間つづき、入院中毎日そばにいた妻のアルバとともに足を引きずりながら農園に戻ったのは、事故から五カ月後のことだった。彼が事故前の状態に戻れるのがいつかはわからない。しかし彼がコミュニティと家族、そして私に与えた影響はとてつもなく大きく、生涯忘れることはない。

謝辞

本書を執筆する際に実に多くの方々に支援してもらった。その方々が、私の支えになってくれたことに気づいているかどうかはわからないが、コーヒーにまつわる取材を受け入れ、何十年にもわたる話し合いのなかでその経験と視点から意見を述べ、私の文章を修正するのを助けてくれた。普通では考えられない時間に送られてくる長い文章に耐え、延々と続くメールに我慢して、私が考えをまとめるのを手助けしてくれた。とりわけ、広範囲におよぶリストとはほど遠いが、そのリストをまとめるために手を貸してくれた次の方々に感謝の気持ちを捧げたい。リック・ラインハート、アンドレア・ジョンソン、セファー・グレシャム、エスタニッチ・グラント、フィリス・ジョンソン、フランク・ヴィラダ、チャーリー・アバーナシー、ウンベルト・ペクパケ、シンディ・ボール、サンギー・ターク、ポール・ウィーンホルド、ジュリアン・フェラーマン、ジョアンナ・ディアズ、デイヴィッド・ポール、マーティン・ディードリッチ、アンドリュー・フェルドマン、エヴァー・マイスター、デイヴィッド・グリスウォルド、エド・キャンティ、エルヴァー・パイア、ジュリアン・ジラルド、マガリ・デルマス、ジェフ・チェーン、ローラ・ゴメス、アダム・ストロース、エミリー・マッキンタイア。

また、ロアノーク大学のリサ・ヴェラスケス教授には心から感謝している。教授は二〇〇七年メキシコのミチョアカンで、無謀な夢を追いかける十九歳の私に寛大にも手を貸してくれた。その後の長い旅のなかで、教授はもっとも重要な触媒の役目を果たしてくれた。教授が導いてくれたこの旅は、充実した型破りなものとなった。私は探究し、変化を作り出し、今、ほかの方々に理解してもらえるように、これまで知り得た事実を伝えたいと思っているが、それは一四年前に出会ったベラスケス教授の指導の賜物《たまもの》であり、私にとってこれはその恩返しのつもりだ。

C・ロー・ゴダード教授にも限りなく感謝している。グローバリゼーションを活用して利潤を得る方法を学ぶMBAコースでゴダード教授は、利害関係者全員の幸福と過酷な商業に関心を持つことや、日々の生活を通して疑問を抱くことを教えてくれた。また、国際ビジネスにもうひとつの次元を付け加えてくれた。これは、経済的な機会をいかに実行に移すかということだけでなく、経済主体として行動しているかどうか、はるか先の未知の人々に波及的な効果をもたらしているかどうかを問うことでもある。

そして言うまでもなく、リリー・クボタ、コニー・ブランハート、「ロースト」のみなさんに心から感謝したい。広い視野を、あえて言えば多大な知識を分け与えてくれた。そしてこれまで多くの人々が取り扱わなかったり、巧妙に避けたりしてきたさまざまな困難な問題を、包み隠さずに書くという機会を与えてくれた。

最後に、私に悪文を書かせないように最大の努力をしてくれたフーパー氏と、文章の質などどうでもいいということを教えてくれたジャック・ケルアックにも、感謝したい。

参考文献出典

1 Samper et al., 2017, p. 2
2 Menke, 2018
3 International Coffee Council, 2018, p.3
4 World Population Review, 2021
5 Everett et al., 2010
6 Kassarjian & Robertson, 1970
7 Investopedia, 2020
8 Hayes, 2021
9 Land, labor, and capital
10 Dorfman, 1968
11 Frisch, 1965
12 Samuelson & Nordhaus, 2010, p. 26
13 Waked, 2016
14 Samuelson & Nordhaus, 2010, p. 27
15 Ariely, 2009
16 Samuelson & Nordhaus, 2010, p. 336
17 Brounen et al., 2019, p. 3
18 Loker, 1999, p. 42
19 Loker, 1999
20 West, 2012, p. 28
21 Daviron & Ponte, 2005, p. 15
22 Daviron & Ponte, 2005, p. 19
23 Daviron & Ponte, 2005, p. 19
24 Daviron & Ponte, 2005, p. 15
25 Loker, 1999, p. 14
26 Everett et al., 2010, p. 25
27 Loker, 1999, p. 96
28 Fitter & Kaplinsky, 2001, p. 4
29 Loker, 1999, p. 23
30 Daviron & Ponte, 2005, p. 16
31 Harvey et al., 2010.
32 Daviron & Ponte, 2005, p. 16
33 Daviron & Ponte, 2005, p. 16
34 Daviron & Ponte, 2005, p. 16
35 Topik et al., 2008, p. 221
36 Acosta, 2013
37 Acosta, 2013
38 Misoczky & Böhm 2013, p. 5
39 Loker, 1999, p. 15
40 Easterly, 2002
41 Everett et al., 2010, p. 13
42 World Bank, 2014
43 Jackson, 2011
44 Jackson, 2011, p. 7
45 Everett et al., 2010, p. 13.
46 Humphrey, 2006, p. 9
47 Humphrey, 2006, p. 1
48 Humphrey, 2006, p. 4
49 US Census Bureau, s.f
50 World Bank, s.f.
51 Barter, 2016, p. 12
52 Barter, 2016
53 Barter, 2016, p.15
54 Oxfam, 2016, p. 38
55 Acosta, s.f. p. 61
56 "Tropical Fate" idiom Michael Gavin and others
57 Oxfam, 2002, p. 5
58 Bonini, 2012, p. 3
59 Acemoglu et al., 2001, p. 3
60 Acosta, s.f. p. 62
61 Bonini, 2012, p.8
62 Bonini, 2012, p.10
63 Topik et al., 2008, p. 67
64 Fitter & Kaplinsky, 2001
65 Daviron & Ponte, 2005, p. 69
66 Daviron & Ponte, 2005, p. 73
67 Marx, 1867
68 Duncombe, 2012, p. 2
69 Fridell, 2007, p. 5
70 Oxfam, 2002, p. 34
71 Oxfam, 2002, p. 35
72 Sotelsek, 2008.
73 Fitter & Kaplinsky, 2001, p.5
74 Bonini, 2012, p. 4
75 Fitter & Kaplinsky, 2001, p. 11
76 Gibbon, 2005, p.4
77 Gibbon, 2005, p. 4
78 Fitter & Kaplinsky, 2001
79 Ric Rhinehart, 2019
80 Topik et al., 2008, p. 151
81 Ric Rhinehart, 2019
82 Baffes et al., 2005, p. 110
83 Ruuska, 2011
84 Dowds, 2016
85 Topik et al., 2008, p. 151
86 Van der Vorst et al., 2007, p. 20
87 UNCTAD, 2018, p. 32
88 UNCTAD, 2018, p. 34
89 Samper et al., 2017, p. 14
90 Lee et al., 2012, p. 1.
91 Lee et al., 2012, p. 38
92 Samper et al., 2017, p. 17
93 UNCTAD, 2018, p. 32
94 Euromonitor 2017
95 Dobson, 2002
96 Panhuysen & Pierrot, 2018
97 Potts, 2003, p. 5
98 UNCTAD, 2018, p. 10
99 Borrella et al., 2015, p. 3
100 Samper et al., 2017, p. 19
101 International Coffee Organization, 2019
102 Gibbon, 2005, p. 11
103 Panhuysen & Pierrot, 2018
104 UNCTAD, 2018, p. 21
105 Baffes et al., 2005, p. 141
106 Oxfam, 2002, p. 31
107 David Griswold, 2019
108 West, 2012, p. 204
109 UNCTAD, 2018, p. 20
110 Oxfam, 2002, p. 32
111 Samper et al., 2017, p. 4
112 Kaplinsky & Fitter, 2004, p. 8
113 Kaplinsky & Fitter, 2004, p. 21
114 Oxfam, 2002, p. 4
115 BBH, 2015, p. 4
116 UNCTAD, 2018, p. 20
117 Panhuysen & Pierrot, 2018
118 Daviron & Ponte, 2005
119 Panhuysen & Pierrot, 2014
120 Panhuysen & Pierrot, 2020
121 Baffes et al., 2005, p. 12
122 Ruuska, 2011, p. 16
123 David Griswold 2019
124 Samper et al., 2017, p. 22
125 UNCTAD, 2018, p. 39
126 Slob, 2006, p. 6
127 Oxfam, 2002, p. 38
128 Oxfam, 2002, p. 38
129 Fitter & Kaplinsky, 2001, 17
130 Daviron & Ponte, 2005, p. 265
131 Bernhard, 2015, p. 22
132 Bernhard, 2015, p. 22
133 Slob, 2006, p. 29
134 World Bank, 2015, p. 25
135 Ponte, 2002, p. 3
136 Bigirwa, s.f, p. 4
137 Ponte, 2002
138 Samper et al., 2017, p. 23
139 Daviron & Ponte, 2005, p. 154
140 Ponte, 2002, p. 15
141 Fitter & Kaplinsky, 2001, 18
142 Braunschweig et al., 2019, p. 34
143 Oxfam, 2016, p. 39
144 Braunschweig et al., 2019, p. 5
145 Braunschweig et al., 2019, p. 5; Panhuysen & Pierrot, 2019, p. 14
146 Braunschweig et al., 2019, p. 5
147 Bernhard, 2015, p. 7
148 Daviron & Ponte, 2005, p. 252
149 Oxfam, 2002, p. 40
150 Oxfam, 2002, p. 40
151 Baffes et al., 2005, p. 10
152 Bigirwa, 2004, p. 5
153 Oxfam, 2016, p. 60
154 Brown, 2012, p. 11
155 German et al., 2020, p. 7
156 Guido et al., 2020, p. 9-10
157 Guido et al., 2020, p. 9-10
158 Simon & Lambin, 2020
159 Baffes et al., 2005, p. 2
160 Cleland, 2010, p. 36
161 Acosta, s.f.
162 Oxfam, 2002, p. 15
163 Acosta, s.f.
164 Simpson & Rapone, 2000, p. 4
165 Topik et al., 2008, p. 149
166 Topik et al., 2008, p. 66
167 Barter, 2016, p. 11
168 Barter, 2016, p. 11
169 Reynolds, 2013
170 Lee & Clawson, 1993
171 Murphy & Timothy, s.f, p. 3
172 Troster, 2015, p. 8
173 Chisholm, 2010
174 Ponte, 2002, p. 8

175 Ruuska, 2011, 5
176 Ruuska, 2011, p.7
177 Ruuska, 2011, p. 24
178 Ruuska, 2011, p. 25
179 Panhuysen & Pierrot, 2018
180 Ruuska, 2011, p. 5
181 Ric Rhinehart, November 2019
182 Troster, 2015, p. 25
183 Bacon, 2004, p. 499
184 Ric Rhinehart, Emory University seminar, 2019
185 Borrella et al., 2015, p. 11
186 International Coffee Organization, 2018, p. 6
187 Ric Rhinehart, 2019
188 Ric Rhinehart, 2019
189 Macrotrends, Coffee prices - 45 year historical chart, s.f
190 Daviron & Ponte, 2005, p. 90
191 Gaitán et al., 2018, p. 3
192 International Coffee Organization, 2019, p. 3
193 Macrotrends, Coffee prices - 45 year historical chart, s.f
194 Ruuska, 2011, p. 12
195 Ruuska, 2011, p. 14
196 Troster, 2015, p. 12
197 Hicks, 2018
198 Baffes et al., 2005, p. 5
199 UNCTAD, s.f
200 UNCTAD, s.f
201 Daviron & Ponte, 2005, p. 90
202 International Trade Center, s.f
203 Ric Rhinehart, 2019
204 Fridell, 2007, p. 26
205 UNCTAD 2012, p. 2
206 Dowds, 2016
207 UNCTAD s.f
208 UNCTAD, 2018, p. 20
209 UNCTAD 2012, p. 2
210 UNCTAD 2012, p. 2
211 Troster, 2015, p. 14
212 UNCTAD 2012, p. 3
213 International Coffee Organization, 2019
214 International Coffee Organization, 2019
215 Ric Rhinehart, 2019
216 Ric Rhinehart, 2019
217 International Coffee Organization, 2019, p. 11
218 Potts, 2002, p. 5
219 Bacon, 2013, p.2
220 Panhuysen & Pierrot, 2018
221 Slob, 2006, p.6
222 Daviron & Ponte, 2005, p. 16
223 Baffes et al., 2005, p. 5
224 Daviron & Ponte, 2005, p. 246
225 Roldán et al., 2006, p. 20
226 DeInternational Coffee Council, 2018, p. 2
227 Panhuysen & Pierrot, 2018
228 International Coffee Organization, 2018, p. 1
229 Daviron & Ponte, 2005, p. 16
230 Daviron & Ponte, 2005, p. 121
231 Bacon, 2004, p. 3
232 Roldán, Gonzalez, Thu Huong & Ngoc Tien, 2006, p. 21
233 Daviron & Ponte, 2005, p. 16
234 Roldán, Gonzalez, Thu Huong & Ngoc Tien, 2006, p. 33
235 International Coffee Council, 2018, p. 5
236 International Coffee Organization, 2018, p. 11
237 Ric Rhinehart, 2019 – based on International Coffee Organization data 1989 to 2019
238 Ric Rhinehart, 2019
239 Ric Rhinehart, 2019
240 Ric Rhinehart, 2019
241 Ric Rhinehart, 2019
242 Fitter & Kaplinsky, 2001, p. 15
243 Bacon, 2004, p. 4
244 Panhuysen & Pierrot, 2020
245 Panhuysen & Pierrot, 2018
246 UNCTAD, 2018, p. 34
247 Slob, 2006, p. 8
248 Phyllis Johnson, 2021
249 Fitter & Kaplinsky, 2001, 14
250 Ric Rhinehart, 2019
251 Topik et al., 2008, p. 151
252 Daviron & Ponte, 2005, p. 110
253 Ruuska, 2011, p. 17
254 Fridell, 2007, p. 26
255 Acosta, s.f
256 Acosta, s.f
257 Fridell, 2007, p. 26
258 Gaitán et al., 2018, p. 2
259 Root Capital, 2016, p. 11
260 Martin Diedrich, 2019
261 Gilbert, 2006, p. 34
262 Gneiting & Sonenshine, 2018, p. 3
263 Gneiting & Sonenshine, 2018, p. 3
264 Humphrey, 2006, p. 36
265 Humphrey, 2006, p. 13
266 Humphrey, 2006
267 UNCTAD, 2018, p. 10
268 Liu, 2016, p. 14
269 Bager & Lambin, 2020, p. 4
270 Samper et al., 2017, p. 4
271 Slob, 2006, p. 24
272 Humphrey, 2006
273 Samper et al., 2017, p. 56
274 Slob, 2006, p. 8
275 Roldán et al., 2006, p. 12
276 Ruuska, 2011, p. 19
277 Fitter & Kaplinsky, 2001, p. 20
278 Hartwich, 2012, p. 27
279 Rincon, 2014, p. 54
280 Ric Rhinehart, 2019
281 Gereffi et al., 2005, p. 93
282 Phyllis Johnson, 2021
283 Samper et al., 2017, p. 8
284 Ruuska, 2011, p. 5
285 Technoserve, 2011, p.16
286 Gibbon, 2005, p. 17
287 Troster, 2015, p. 10
288 Troster, 2015, p. 14
289 Troster, 2015, p. 23
290 Gneiting & Sonenshine, 2018, p. 8
291 Technoserve, 2011, p. 16
292 Fridell, 2007, p. 10
293 International Coffee Organization, 2019, p. 3
294 International Coffee Council, 2018, p. 6
295 International Coffee Organization, 2019
296 International Coffee
297 Agri-business in Latin America: Coffee Production, 2017, p. 10
298 Martin Diedrich, September 2019
299 Jeff Chean, August 2019
300 Clay et al., 2018, p. 4
301 Clay et al., 2018, p. 10
302 Clay et al., 2018, p. 4-10
303 Oxfam, 2002, p. 4
304 Fischer, 2019, p. 6
305 Fischer, 2019, p. 6-7
306 Fischer, 2019, p. 7
307 Oxfam, 2016, p. 14
308 De la Escosura, 2005, p. 32
309 Daviron & Ponte, 2005, p. 8
310 Daviron & Ponte, 2005, p. 67
311 Roldán et al., 2006, p. 53
312 Loker, 1999, p. 83
313 Daviron & Ponte, 2005, p. 66
314 Daviron & Ponte, 2005, p. 66
315 Large, industrialized, export-oriented agricultural system often having relied on slave labor and later in American colonial history, different forms of coerced and/or debt-bound semislave labor, normally part of a feudal rural society https://www.ecured.cu/Latifundio
316 Fridell, 2007, p. 8
317 Binswanger & Deininger, s.f
318 Fridell, 2007
319 Martin Diedrich, 2019
320 Roldán et al., 2006, p. 53
321 Gereffi et al., 2005, p. 2
322 Topik et al., 2008, p. 316
323 Andrea Johnson, 2021
324 Topik et al., 2008, p. 56
325 Topik et al., 2008, p. 57
326 German et al., 2020, p. 3
327 Oxfam, 2016, p. 39
328 Lee et al., 2012, p. 4
329 Twin and Twin Trading, 2019, p. 4
330 Twin and Twin Trading, 2019, p. 4
331 Twin and Twin Trading, 2019, p. 4
332 Lee et al., p. 33
333 Twin and Twin Trading, 2019

334 Twin and Twin Trading, 2019, p. 7
335 Twin and Twin Trading, 2019, p. 4
336 Bacon, 2004, p. 505
337 Lessons Learned, 2011, p. 18
338 Lessons Learned, 2011, p. 18
339 Ric Rhinehart 2019
340 Gneiting & Sonenshine, 2018, p. 11
341 Bacon, 2004, p. 505
342 Bacon, 2004, p. 358
343 Twin and Twin Trading, 2019, p. 29
344 Carlos Santana
345 Twin and Twin Trading, 2019, p. 9
346 Technoserve, 2013, p. 21
347 Technoserve, 2013, p.18
348 Technoserve, 2013, p. 25
349 Technoserve, 2013, p.16
350 Technoserve, 2013, p. 18
351 Twin and Twin Trading, 2019, p. 15
352 Guido et al., 2020, p. 9-10
353 UNCTAD, 2003
354 Root Capital, 2016, p. 5
355 Root Capital, 2016, p. 4
356 Root Capital, 2016, p. 7
357 Baffes et al., 2005, p. 5
358 Emory-TTC webinar,February 2019
359 Ric Rhinehart – Emory- TTC webinar, February 2019
360 Daviron & Ponte, 2005, p. 141
361 Panhuysen & Pierrot, 2018
362 Daviron & Ponte, 2005, p. 141
363 Daviron & Ponte, 2005, p. 142
364 Wilson, & Wilson, 2014
365 Daviron & Ponte, 2005, p. 144
366 Daviron & Ponte, 2005, p. 205
367 Panhuysen & Pierrot, 2018
368 Fischer, 2019, p. 30
369 Fischer, 2019, p. 8
370 Fischer, 2019, p. 27
371 Wilson, & Wilson, 2014, p. 2
372 West, 2012, p. 18
373 Liu, 2016, p. 34
374 Mondolo, s.f, p. 12
375 Mondolo, s.f, p. 18
376 Lee et al., 2012, p. 5
377 West, 2012, p. 18
378 Ric Rhinehart, 2019
379 Liu, 2016, p. 97
380 Coffee Roasters Forum, s.f
381 Mondolo, s.f, p. 41
382 Wilson, & Wilson, 2014, p. 15
383 Wilson, & Wilson, 2014, p. 19
384 Martin Diedrich, 2019
385 Ever Meister, 2021
386 Ever Meister, 2021
387 Han Chau, 2018, p. 27
388 Ponte, 2004, p. 11
389 Adam Strauss, 2019
390 Liu, 2016, p. 89
391 Brown, 2012, p. 13
392 West, 2012, p. 236
393 West, 2012, p. 236
394 Wilson, & Wilson, 2014, p. 4
395 Wilson, & Wilson, 2014, p. 26
396 Alliance for coffee Excellence, 2016
397 Ever Meister, 2021
398 Ric Rhinehart, 2019
399 International Trade Center, 2012, p. 15
400 Samper et al., 2017, p. 5
401 Samper et al., 2017, p. 5
402 Kaplinsky & Fitter, 2004, p. 21
403 International Trade Center, 2012, p. 15
404 Slob, 2006, p. 34
405 Liu, 2016, p. 12
406 Fischer, 2019, p. 22
407 Daviron & Ponte, 2005, p. 238
408 Daviron & Ponte, 2005, p. 213
409 Daviron & Ponte, 2005, p. 213
410 Han Chau, 2018, p. 18
411 Daviron & Ponte, 2005, p. 225
412 Candelo et al., 2018, p. 1.
413 Fischer, 2019, p. 25
414 Samper et al., 2017, p. 46.
415 Condliffe et al., 2008, p. 19
416 Ponte, 2002, p. 11
417 Wilson, & Wilson, 2014, p. 11
418 Vellucci, 2015, p. 5
419 Oxfam, 2002, p. 44
420 Wilson & Wilson, 2014, p. 4
421 Kaplinsky & Fitter, 2004, p. 3
422 Fischer, 2019, p. 24
423 Liu, 2016, p. 18
424 Gneiting, 2018, p. 3
425 Gneiting, 2018, p. 3
426 Oxfam, 2002, p. 35
427 A situation where few, concentrated buyers enjoy high bargaining power over sellers and can influence their purchase price
428 Borrella, Mataix, & Carrasco, 2015, p.10
429 Oxfam, 2002, p. 52
430 Samper et al., 2017, p. 24
431 Condliffe et al., 2008, p. 8
432 Ponte, 2002, p. 11
433 Sustainable Coffee Program, 2014, p. 10
434 Topik et al., 2008, p. 130
435 Topik et al., 2008, p. 131
436 Daviron & Ponte, 2005, p. 66
437 Arifin, 2010, p. 79
438 Cleland, 2010, p. 17
439 Clay et al., 2018, p. 4
440 Clay et al., 2018, p. 10
441 Key & MacDonald, 2008, p. 3
442 Oxfam, 2002, p. 23
443 Technoserve, 2013, p. 5
444 Condliffe et al., 2008, p. 10
445 Technoserve, 2013, p. 7
446 Author interview 2017
447 West, 2012, p. 169
448 Oxfam, 2016, p. 42
449 Simpson & Rapone, 2000, p. 4
450 Simpson & Rapone, 2000, p. 4
451 Murekezi & Loveridge, 2009
452 Kaplinsky & Fitter, 2004, p. 19
453 Meeting with ProColombia, 2017
454 International Trade Center, 2012, p. 13
455 International Trade Center, 2012, p. 13
456 International Trade Center, 2012, p. 13
457 Roldán et al., 2006, p. 45
458 International Coffee Organization, 2017
459 Oxfam, 2001, p. 3
460 Fairtrade Foundation, s.f
461 Bacon, 2004, p. 502
462 West, 2012, p. 7
463 Fairtrade Foundation, 2014, p. 20
464 Fischer, 2019, p. 4
465 Fischer, 2019, p. 25
466 Lee et al., 2012, p. 32
467 Author's interviews 2015- 2019
468 Lee et al., 2012, p. 44
469 Gaitán et al., 2018, p. 5
470 Samper et al., 2017, p. 24
471 International Coffee Organization, 2016, p. 8
472 Bacon, 2004, p. 355
473 UNCTAD, 2018, p. 20
474 Olivar & Bustamante, 2016, p. 3
475 Olivar & Bustamante, 2016, p. 7
476 Olivar & Bustamante, 2016, p. 9
477 Bacon, 2004, p. 502
478 Barter, 2016, p. 12
479 Fair Trade USA, 2017, p. 6
480 Montagnon, 2017, p. 10
481 Oxfam, 2002, p. 39
482 Samuelson & Nordhaus, 2010, p. 336
483 Clay et al., & Bizoza, 2018, p. 11
484 Clay et al., 2018, p. 11
485 von Eden, 2015
486 Baffes et al., 2005, p. 4
487 Condliffe et al., 2008, p. 19
488 International Coffee Organization, 2016, p. 5
489 Panhuysen & Pierrot, 2018
490 Montagnon, 2017, p. 3
491 Gneiting, 2018, p. 4-8
492 Montagnon, 2017, p. 3
493 Montagnon, 2017, p. 23
494 Lee et al., 2012, p. 37
495 Van der Vorst et al., 2007, p. 17
496 Oxfam, 2002, p. 34
497 Oxfam, 2002, p. 34
498 Lee, 1994
499 Loker, 1999, p. 47
500 Samper et al., 2017, p. 31
501 Topik et al., 2008, p. 141
502 Daviron & Ponte, 2005, p. 154
503 Cleland, 2010, p. 20
504 Ponte, 2002, p. 4
505 Panhuysen & Pierrot, 2018

506 International Coffee Organization, 2019
507 International Coffee Organization, 2019, p. 12
508 Daviron & Ponte, 2005, p. 130-131
509 Fitter & Kaplinsky, 2001, p. 4
510 Fitter & Kaplinsky, 2001, p. 16
511 UNCTAD, 2018, p. 48
512 Daviron & Ponte, 2005, p. 154
513 Daviron & Ponte, 2005, p. 130-131
514 Ric Rhinehart, 2019
515 Ric Rhinehart, 2019
516 Samper et al., 2017, p. 25
517 Roberts, 2018, p. 4
518 Dowds, 2016
519 Condliffe et al., 2008, p. 16.
520 Baffes et al., 2005, p. 10.
521 Lessons Learned, 2011, p. 14
522 Gilbert, 2006, p. 27
523 Bacon, 2004
524 Simon & Lambin, 2020
525 Panhuysen & Pierrot, 2020, p.14
526 Topik et al., 2008, p. 221.
527 Lee et al., 2012, p. 4.
528 Gilbert, 2006.
529 Jeff Chean, 2019
530 Ever Meister, 2021
531 Roberts, 2018, p. 2
532 International Coffee Organization, 2019, p. 12
533 Gneiting, 2018, p. 9
534 International Coffee Organization, 2019, P. 9-12
535 West, 2012, p. 8
536 Hofstrand, 2019, p. 1
537 Ric Rhinehart, 2019
538 Hofstrand, 2019, p.2
539 Potts, 2003
540 Samper et al., 2017, p. 33
541 Root Capital, 2016, p. 22
542 Arifin, 2010, p. 77
543 Roberts, 2018, p. 3
544 Oxfam, 2002, p. 39
545 Potts, 2002, p. 7
546 World Bank, 2015, p. 17
547 Andrea Johnson, 2021
548 UNCTAD, 2003
549 World Bank, 2015, p. 15
550 Braunschweig et al., 2019, p. 5
551 World Bank, 2015, p. 13
552 Ric Rhinehart, 2019
553 Ric Rhinehart, 2019
554 Ric Rhinehart, 2019
555 Anserma women farmers association requested from the author for an additional price premium for being women.
556 West, 2012, p. 208
557 Fischer, 2019, p. 20
558 Kaskure & Krivorotko, 2014, p. 2
559 Kaskure & Krivorotko, 2014, p. 2
560 Liu, 2016, p. 97
561 West, 2012, p. 60
562 West, 2012, p. 66
563 Adam Strauss, 2019
564 Dowds, 2016
565 UNCTAD, 2003
566 Grabs et al., 2018, p. 2
567 Dowds, 2016
568 Dowds, 2016
569 Jeff Chean, 2019
570 Candelo et al., 2018, p. 3
571 Dowds, 2016
572 Dowds, 2016, p. 2
573 Ric Rhinehart, 2019
574 MacDonald, 2018
575 Oxfam, 2016, p. 33
576 Maxey, 2018, p. 1
577 Bacon, 2004, p. 3
578 Loker, 1999, p. 36
579 Loker, 1999, p. 106
580 Reichman, 2011, p. 12
581 Reichman, 2011, p. 27
582 Reichman, 2011, p. 27
583 Reichman, 2011, p. 21
584 Loker, 1999, p. 160
585 Loker, 1999, p. 160
586 Oxfam, 2002, p. 9
587 Mc Granahan et al., 2014, p. 2
588 Mc Granahan et al., 2014, p. 2
589 Mc Granahan et al., 2014, p. 5
590 Loker, 1999, p. 28
591 Martin Diedrich, 2019
592 Mc Granahan et al., 2014, p. 1
593 Oxfam, 2016, p. 67
594 Oxfam, 2016, p. 14
595 Oxfam, 2016, p. 28
596 Oxfam, 2016, p. 15
597 Sustainable Coffee Program, 2014, p. 10
598 Binswanger & Deininger, s.f, p. 20
599 Oxfam, 2016, p. 13
600 Binswanger & Deininger, s.f, p. 1
601 Loker, 1999, p. 149
602 Oxfam, 2016, p. 13
603 UOxfam, 2016, p. 18
604 Oxfam, 2016, p. 49
605 Kaplinsky & Fitter, 2004, p. 13
606 Dube & Vargas, 2013, p. 2
607 Dube & Vargas, 2013, p. 2
608 Dube & Vargas, 2013, p. 4
609 Fridell, 2007, p. 7
610 Oxfam, 2016, p. 37
611 Oxfam, 2016, p. 37
612 Loker, 1999, p. 183
613 Martin Diedrich, 2019
614 Bigirwa, s.f, p. 6
615 Topik et al., 2008, p. 221
616 Loker, 1999, p. 161
617 Topik et al., 2008, p. 221
618 Loker, 1999, p. 161
619 Loker, 1999, p. 97
620 A tactic not exclusive used by the U.S. government
621 German et al., 2020, p. 3
622 Bacon, 2004, p. 353
623 Oxfam, 2002, p. 12
624 Bacon, 2004, p. 339
625 Loker, 1999, p. 123
626 Cleland, 2010, p. 30
627 Cleland, 2010, p. 29
628 UNCTAD, 2018, p. 38
629 Technoserve, 2013
630 Easterly, 2002, P. 116
631 See development theories in section 1
632 Easterly, 2002, p. 127
633 International Coffee Organization, 2016
634 International Coffee Organization, 2016
635 Sustainable Coffee Program, 2014, p. 23
636 UNCTAD, 2018, p. 49
637 International Coffee Organization, 2019, p. 12
638 Free of defects and off flavors
639 Baffes et al., 2005, p. 6
640 Sustainable Coffee Program, 2014, p. 10
641 Steiner et al., 2015
642 Suzman, 2017
643 West, 2012
644 Ric Rhinehart, 2019
645 Earth Security Group, 2017, p. 7
646 West, 2012, p. 253
647 West, 2012, p. 253
648 Oxfam, 2002, p. 4
649 SCAA, 2016, p. 5
650 SCAA, 2016, p. 8
651 Oxfam, 2016, p. 16
652 Olivar & Bustamante, 2016, p. 7
653 SCAA, 2016, p. 5
654 SCAA, 2016, p. 6
655 SCAA, 2016, p. 6
656 Fridell, 2007, p. 9
657 SCAA, 2016, p. 7
658 OHCHR, 1991, p. 2
659 Lopes, 2018
660 SCAA, 2016, p. 7
661 Olivar & Bustamante, 2016, p. 13
662 Olivar & Bustamante, 2016, p. 3
663 UNCTAD, 2003
664 Oxfam, 2002, p. 14
665 Murphy & Timothy, s.f, p. 3
666 OHCHR, 1991, p. 1
667 Author's experience
668 International Coffee Organization, 2018, p. 1
669 Olivar & Bustamante, 2016, p. 3
670 Anecdote from author's experience
671 Oxfam, 2002, p. 12
672 Oxfam, 2002, p. 14
673 International Coffee Organization, 2018, p. 20
674 International Coffee Organization, 2018, p. 14

675 SCAA, 2016, p. 6
676 Oxfam, 2016, p. 18
677 Technoserve, 2013, p. 27
678 International Coffee Organization, 2018, p. 5
679 International Coffee Organization, 2018, p. 21
680 International Coffee Organization, 2018, p. 23
681 International Coffee Organization, 2018, p. 16
682 Fortson, 2003
683 SCAA, 2016, p. 5
684 Technoserve, 2013, p. 29
685 International Trade Center, 2012, p. 44
686 Michelle Stoler, 2019
687 Andrea Johnson, 2021
688 Phyllis Johnson, 2021
689 Bacon, 2013, p. 1
690 Earth Security Group, 2017, p. 7
691 Panhuysen & Pierrot, 2014, p. 5
692 Bacon, 2004, p. 338
693 Bacon, 2004, p. 344
694 Loker, 1999, p. 31
695 Panhuysen & Pierrot, 2014, p. 24
696 D'haeze et al., 2005
697 Cleland, 2010, p. 20
698 Simpson & Rapone, 2000, p. 5
699 Bacon, 2004, p. 338
700 Earth Security Group, 2017, p. 11
701 University of Delaware, 2019, p. 1
702 Hernandez et al., 2013, p. 1
703 University of Delaware, 2019, p. 1
704 Hernandez, et al., 2013, p. 1
705 Aguilera et al., 2019, p. 15
706 Ponte, 2004, p. 29
707 Beer et al., 1998, p. 3
708 Beer et al., 1998, p. 3
709 UNCTAD, 2003.
710 Bacon, 2004, p. 338
711 MacDonald, 2018
712 University of Delaware, 2019, p. 2
713 Daviron & Ponte, 2005, p. 188
714 Ponte, 2004, p. 35
715 Daviron & Ponte, 2005, p. 177
716 Beer et al., 1998, p. 4
717 Cleland, 2010, p. 15
718 West, 2012, p. 106
719 Cleland, 2010, p. 15
720 Ponte, 2004, p. 35
721 Aguilera et al., 2019, p. 3
722 Aguilera et al., 2019, p. 3
723 Beer et al., 1998, p. 4
724 Jha et al., 1996, p. 7
725 Ponte, 2004, p. 35
726 Gomes et al., Schulte, 2020, p. 2
727 Beer et al., 1998, p. 5
728 Jha et al., 1996, p. 5
729 University of Delaware, 2019, p. 3
730 Aguilera et al., 2019
731 Aguilera et al., 2019, p. 4
732 Jha et al., 1996, p. 7
733 Topik et al., 2008, p. 304
734 UNCTAD, 2003
735 Beer et al., 1998, p. 3
736 Bacon, 2004, p. 339.
737 Beer et al., 1998, p. 3
738 Gomes et al., 2020, p. 6
739 UNCTAD, 2003.
740 Beer et al., 1998, p. 8
741 Bronson et al., 2017, p. 3
742 Noponen et al., 2013
743 Bronson et al., et al. 2017, p. 4
744 Panhuysen & Pierrot, 2014, p. 12
745 Bronson et al., et al. 2017, p. 2
746 Panhuysen & Pierrot, 2018
747 Beer et al., 1998, p. 3
748 Jha et al., 1996, p. 2
749 Panhuysen & Pierrot, 2018
750 Oxfam, 2002, p. 34
751 Ponte, 2004, p. 28
752 Daviron & Ponte, 2005, p. 177
753 Gomes et al., Schulte, 2020, p. 2
754 Gomes et al., 2020, p. 2
755 Earth Security Group, 2017, p. 11
756 Aguilera et al., 2019, p. 7
757 Jha et al., 1996, p. 5
758 Rice, 1999, p. 17
759 Julio Bastidas interview 2/18/2020
760 Sustainable Coffee Challenge, s.f, p.1
761 Recent Experiences of Coffee Replanting Programs in Colombia
762 Jha et al., 1996, p. 2
763 Daviron & Ponte, 2005, p. 177
764 UNCTAD, 2003
765 Ponte, 2004, p. 28
766 Murphy & Timothy, s.f, p. 11
767 Earth Security Group, 2017, p. 11
768 Panhuysen & Pierrot, 2018
769 Aguilera et al., 2019, p. 7
770 Panhuysen & Pierrot, 2018
771 Panhuysen & Pierrot, 2018
772 Panhuysen & Pierrot, 2018
773 Earth Security Group, 2017, p. 11
774 Gomes et al., 2020
775 UNCTAD, s.f
776 Murphy & Timothy, s.f, p. 4
777 Earth Security Group, 2017, p. 7
778 Potts, 2002, p. 7
779 Topik et al., 2008, p. 127
780 Cleland, 2010, p. 15
781 Jha et al., 1996. P. 1.
782 Valent, 2019
783 Earth Security Group, 2017, p. 12
784 Earth Security Group, 2017, p. 12
785 Hartwich, 2012, p. 20
786 Bager & Lambin, 2020, p. 3
787 Bager & Lambin, 2020, p. 3.
788 U.S. roaster interview 2019
789 Bager & Lambin, 2020, p. 10
790 Jeff Chean, 2019
791 Bager & Lambin, 2020, p. 10
792 Bager & Lambin, 2020, p. 11
793 Phyllis Johnson, 2021
794 Hartwich, 2012, p. 41
795 Ever Meister, 2021
796 Ever Meister, 2021
797 Ever Meister, 2021
798 Ever Meister, 2021
799 Ever Meister, 2021
800 Fischer, 2019, p. 12
801 West, 2012, p. 150
802 Fridell, 2007, p. 10
803 Fridell, 2007, p. 11
804 Mazar & Zhong, 2010, p. 10
805 West, 2012, p. 248
806 International Coffee Organization, 2019, p. 3
807 Ric Rhinehart, 2019
808 Ric Rhinehart, 2019
809 Ric Rhinehart, 2019
810 Ric Rhinehart, 2019
811 Barter, 2016, p. 16
812 Peterson, 2012, p. 2
813 Twin and Twin Trading, 2019, p. 15
814 UNCTAD, 2017
815 Barter, 2016, p. 17
816 International Coffee Organization, 2016
817 International Coffee Organization, 2016, p. 23
818 Daviron & Ponte, 2005, p. 87
819 Bates, 2014
820 Daviron & Ponte, 2005, p. 88
821 Topik et al., 2008, p. 140
822 Roldán et al., 2006, p. 29
823 West, 2012, p. 44.
824 Daviron & Ponte, 2005, p. 88
825 West, 2012, p. 97
826 Barter, 2016, p. 61
827 McStocker, 1987, p. 41
828 Daviron & Ponte, 2005, p. 89
829 Kaplinsky & Fitter, 2004, p. 14
830 Steiner et al., 2015
831 Steiner et al., 2015
832 Because the demucilager common in Colombia eliminates coffee fermentation and tends to result in a clean but astringent and flat cup
833 Julio Bastidas 2/18/2020
834 Steiner et al., 2015
835 Steiner et al., 2015
836 Steiner et al., 2015
837 Murphy & Timothy, s.f, p. 11
838 Samper & Quiñones, 2017, p. 8
839 UNCTAD, 2003, p. 13
840 Grabs et al., 2018, p.2
841 Lee et al., 2012, p. 48.
842 Grabs et al., 2018, p. 1
843 Grabs et al., 2018, p. 2
844 David Griswold, 2019
845 Daviron & Ponte, 2005, p. 171
846 Murphy & Timothy, s.f, p. 11
847 UNCTAD, 2018, p. 45
848 Jeff Chean, 2019

849 Daviron & Ponte, 2005, p. 173
850 Daviron & Ponte, 2005, p. 173
851 Daviron & Ponte, 2005, p. 173
852 Daviron & Ponte, 2005, p. 130-131
853 Bacon, 2004, p. 357
854 International Trade Center, 2012, p. 28
855 Bacon, 2004, p. 344
856 Daviron & Ponte, 2005, p. 175
857 Langridge, 2017, p. 16
858 Daviron & Ponte, 2005, p. 175
859 Daviron & Ponte, 2005, p. 164
860 Bacon, 2004, p. 345
861 Muradian & Pelupessy, 2005
862 Dowds, 2016
863 Mayacert interview, October 2019
864 Langridge, 2017, p. 13-14
865 Bacon, 2004, p. 344
866 Oxfam, 2002, p. 6
867 UNCTAD, 2003, p. 12
868 Peter Roberts, Nicaraguan producer
869 Murphy & Timothy, s.f, p. 11
870 Murphy & Timothy, s.f, p. 11
871 Ponte, 2004, p. 30
872 Arifin, 2010, p. 70
873 Voluntary Sustainability Standards
874 Grabs, Deal & Dietz, 2018, p. 1
875 Arifin, 2010, p. 60
876 Panhuysen & Pierrot, 2014, p. 24
877 Baffes et al., 2005, p. 12
878 Panhuysen & Pierrot, 2018
879 Bacon, 2004, p. 351
880 Bloomberg Daybreak Asia 5/21/2018 s.f
881 Daviron & Ponte, 2005, p. 199
882 Daviron & Ponte, 2005, p. 224
883 Daviron & Ponte, 2005, p. 164
884 Ponte, 2004, p. 30
885 Daviron & Ponte, 2005, p. 188
886 Dowds, 2016, p. 5
887 Samper & Quiñones, 2017, p. 9
888 Panhuysen & Pierrot, 2014, p. 15
889 Panhuysen & Pierrot, 2014, p. 15
890 Panhuysen & Pierrot, 2014, p. 15
891 Samper & Quiñones, 2017, p. 14
892 Ponte, 2004, p. 39
893 Ric Rhinehart, 2019
894 Samper & Quiñones, 2017, p. 10
895 Panhuysen & Pierrot, 2018
896 West, 2012, p. 53
897 Daviron & Ponte, 2005, p. 167
898 UNCTAD, 2003, p. 15
899 Samper & Quiñones, 2017, p. 5
900 Samper et al., 2017, p. 46
901 Wilson & Wilson, 2014
902 Shediran, 2015
903 Delmas & Clements, s.f, p. 11
904 Delmas & Clements, s.f, p. 11
905 Delmas & Clements, s.f, p. 15
906 Samper & Quiñones, 2017, p. 8
907 Arifin, 2010, p. 70
908 Ed Canty, December 2019
909 West, 2012, p. 129
910 West, 2012, p. 240
911 Hartwich, 2012, p. 27
912 Borrella et al., 2015, p. 6
913 Hartwich, 2012, p. 1
914 Hartwich, 2012, p. 51
915 Macgregor, 2017, p. 40
916 Brown, 2012, p. 15
917 Han Chau, 2018, p. 49
918 Pezo Import, s.f
919 Inconexus, 2016
920 Bodhileafcoffee.com, 2019
921 Benzinga, 2017
922 Samper & Quiñones, 2017, p. 5
923 Hartwich, 2012, p. 37
924 Sheridan, 2015
925 Brown, 2012, p. 21
926 Brown, 2012, p. 21
927 Brown, 2012, p. 21
928 Hartwich, 2012, p. 28
929 Borrella et al., 2015, p. 10
930 Langridge, 2017, p. 27
931 Andrea Johnson, 2021
932 Langridge, 2017, p. 20
933 Brown, 2012, p. 16
934 Daviron & Ponte, 2005, p. 159
935 Van der Vorst et al., 2007, p. 17
936 Langridge, 2017, p. 27
937 Adam Strauss, 2019
938 Brown, 2012, p. 24
939 Hartwich, 2012, p. 44
940 Coffee Roasters' Forum. 2020
941 Langridge, 2017, p. 23
942 Brown, 2012, p. 25
943 Brown, 2012, p. 31
944 Borrella et al., 2015, p. 7
945 UNCTAD, 2003
946 International Trade Center, 2012, p. 15
947 Hartwich, 2012, p. 36
948 Lee et al., 2012, p. 51
949 Slob, 2006, p. 37
950 International Trade Center, 2012, p. 15
951 Van der Vorst et al., 2007, p. 32
952 Fischer, 2019, p. 23
953 Ric Rhinehart, 2019
954 Sheridan, 2012
955 Sheridan, 2012
956 West, 2012, p. 255
957 Adam Strauss, 2019
958 West, 2012, p. 2
959 Oxfam, 2016, p. 18
960 Ric Rhinehart, 2019
961 Phyllis Johnson, 2021
962 UNCTAD, 2003
963 Phyllis Johnson, 2021
964 Phyllis Johnson, 2021
965 Ric Rhinehart, 2019
966 Ric Rhinehart, 2019
967 Ever Meister, 2021
968 Ever Meister, 2021
969 Brounen et al., 2019, p. 3
970 West, 2012, p. 52
971 Clay et al., 2018, p. 2
972 Candelo et al., 2018, p. 4
973 Ever Meister, 2021
974 Lee et al., 2012, p. 42
975 Candelo et al., 2018, p. 4
976 Slob, 2006, p. 9
977 Van der Vorst et al., 2007, p. 17
978 Samper et al., 2017, p. 38
979 Samper et al., 2017, p. 70
980 Lee et al., 2012, p. 49
981 Phyllis Johnson, 2021
982 Acosta, s.f, p. 81
983 Acosta, s.f, p. 81
984 Ric Rhinehart, 2019
985 Panhuysen & Pierrot, 2018
986 Everett et al., 2010
987 Root Capital, 2016, p. 32
988 Daviron & Ponte, 2005, p. 158
989 Potts, 2002, p. 2
990 Jha et al., 1996. P. 11
991 Samper, 2003
992 Bacon, 2004, p. 506
993 Slob, 2006, p. 38
994 Kaplinsky & Fitter, 2004, p. 13
995 Roberts, 2018, p. 2
996 World Bank, 2015, p. 28
997 Author's community research in Colombia
998 Langridge, 2017, p. 23
999 Twin and Twin Trading, 2019, p. 29
1000 Twin and Twin Trading, 2019, p. 29
1001 Ric Rhinehart, 2019
1002 Lee et al., 2012, p. 11
1003 Lee et al., 2012, p. 12
1004 Potts, 2002, p. 5
1005 Public-Private Partnerships
1006 Fairtrade Foundation, 2014, p. 9
1007 Gneiting & Sonenshine, 2018, p. 8
1008 Jeff Chean, 2019
1009 Jeff Chean, 2019
1010 Borrella et al., 2015, p. 13
1011 David Griswold, 2019
1012 Samper & Quiñones, 2017, p. 12
1013 Roberts, 2018, p. 6
1014 Daviron & Ponte, 2005, p. 224
1015 Twin and Twin Trading, 2019, p. 14
1016 Simon & Lambin, 2020
1017 Twin and Twin Trading, 2019, p. 29
1018 Macgregor, 2017, p. 48
1019 Daviron & Ponte, 2005, p. 256
1020 Kaplinsky & Fitter, 2004, p. 20
1021 Ric Rhinehart, 2019
1022 Roberts, 2018, p. 9
1023 Roberts, 2018, p. 7
1024 Roberts, 2018, p. 8
1025 Macgregor, 2017, p. 41
1026 Hartwich, 2012, p. 42
1027 Macgregor, 2017, p. 40
1028 Ric Rhinehart, 2019
1029 David Griswold, 2019

1030 Ever Meister, 2021
1031 Daviron & Ponte, 2005, p. 269
1032 Samper & Quiñones, 2017, p. 12
1033 Lopes, 2018
1034 Badshah & Siddle, 2019
1035 Bacon, 2004

本書の翻訳について

本書の翻訳のお話をいただいたとき、経済や流通に疎いわたしに訳せるはずがないと思ったが、一読し、ここに描かれているのはコーヒー業界だけの問題ではないと痛感した。世界中で愛飲されているコーヒーが抱える問題は、そのままチョコレートやフルーツ、紅茶や小麦などの食品にも通じていく。生産者が置かれている状況がいかに過酷か、土地を守るという意味での農業経営がいかに大事か、そういった一般消費者には見えにくい事実を教えてくれる点でも重要な作品だと思った。

とはいえ、本書のような硬派な作品を翻訳するのは経済のことを何も知らない者には手に余るので、これまでにも翻訳を手伝ってくださったことのある西村正人さんと、経済学者の野地ももさんに応援を仰ぐことにした。まずは西村さんに第一訳稿を上げていただき、それを古屋が徹底的にチェックして表現を整えた。その後で野地さんに経済・金融の専門用語と表現について、さらに監修者の福澤由佑さんにコーヒー関連の表現について、間違いがないかどうかチェックしていただいた。そうして出来たのが本書である。コーヒー好きな方々にはもちろん、多くの方に読んでいただければ幸いに思う。

古屋美登里

監修者あとがき

2022年の2月、出張で訪れたソウルのオフィスでメールを打っていると、コーヒーの機械製造をしている仕事仲間のCho Joonbaeが、「一冊あるから一つあげるよ」とある洋書をぽんと渡してよこした。それが本書との最初の出会いだ。『Cheap Coffee』という書籍の名前はどこかで聞いていたが、どんな内容なのかは知らなかった。

帰国後さっそく読んでみたが、とくに前半の経済学に特化したセクションには難しい単語も多く難儀した。後半は比較的すらすらと読めたが、皮肉を込めた表現など難解な部分もあり、すべて読み切るのに二カ月近くかかったのを覚えている。

読了後は、答えの見えない暗いトンネルに入ってしまったような気がした一方で、それならそのトンネルごと壊してしまえばいい、そんな衝動に突き動かされるような自分もいた。

そして、この本の日本語版を出版しようと決意した。原書発行元から版権を取得し、当初はネイビーブルーのメンバーで翻訳を進め、独自に刊行しようと考えた。しかし業務のかたわらそれを十全にこなすのは簡単なことではない。その後、縁あって亜紀書房さんが本書の出版に協力してくれることになった。

おいしいコーヒーの淹れ方や焙煎のコツといった嗜好性の高いコーヒー本は世に多いが、本書のように学際的な視点から書かれた論考は日本ではまだ稀少だ。だからこそ、日本のコーヒー業界やコーヒーを愛する人々へ伝えたいと考えた。

著者が提唱しているコーヒー業界の問題は、小さな点だがどこかに確かに存在しているのだ。誰だってそんなものはないほうがいいと思っているし、解決できるなら解決したい。

でもたしかに、そんなに簡単にはいかないのも現実だ。なぜなら私たちの生活には資本主義経済が隅々まで張り巡らされていて、あらゆる物事の価格が需要と供給で決まる。売り手がいれば必ず買い手がいて、商品はさまざまな価格に自然と分散していく。「0か100か」になることはありえない。おいしくないコーヒーがあるからおいしいコーヒーに価値が付くのであって、みんながおいしいコーヒーを出したら、味の差別化に価値がなくなって価格は下落し、多くのロースターやコーヒーショップが市場から撤退を迫られるだろう。また、生産者への利益還元を抑えれば競合他社より有利になれる、と考える人々も当然現れる。

これがコーヒー経済に働いている力学であり、誰もその原理を変えることはできない。ただ、一つだけ変わりうることがあるとすれば、それは、本書を読んでコーヒー業界が抱える喫緊の課題や問題をあらためて知った皆さんの「意識」や今後の「行動」だ。

著者も言うように、この本は経済的な観点から見たコーヒー業界のケーススタディであって、それをもとに具体的な解決策を考え、実行していくのは我々一人ひとりだ。コーヒーを仕事にしている方とは、本書をきっかけにぜひ議論を交わしたいと思っている。どうしたらこの業界をもっと良くできるのか。素晴らしいコーヒーをこの先百年続けていくためにはどうしたらいいのか。本書に関して難解な点や質問があれば、私たちまで気軽に連絡してほしい。著者のカールともつながっているので、彼に聞きたいことがあればそれも歓迎だ。
おいしいコーヒーが世界で、日本で、この先も持続していくために、少しでも多くの新しい価値を世の中に生み出していきたい——本書の日本での出版に携わったことは、この業界に向けた私たちネイビーブルーのそんな所信表明でもある。

本書刊行にあたり、偶然にも原書をくれたThe Roasting ChamberのCho Joongbae、編集および発行に関わってくれた亜紀書房の皆さん、丁寧な翻訳をしてくださった古屋さんと西村さん、丁寧に校閲してくださった野地さん、浜名芳輝さん、NOG COFFEE ROASTERSの藤城くん、帯に推薦文を寄せてくださったローストデザインコーヒーの三神さん、ou·bai·tou·ri coffee roastersの小玉さん、ROUTEMAP COFFEE ROASTERSの松村さん、事前予約キャンペーンに協力してくださった全国のロースター、ショップの皆さま、そしてこの分厚くて難解な書籍を作ったカールと「ローストマガジン」編集長コニーに多大なる感謝を伝えたいと思います。

福澤由佑

カール・ウィンホールド　Karl Wienhold

1987年生まれ。ポストコロニアル農村開発に焦点を当てた農民社会とグローバル経済の交わりを研究し、アメリカ・サンダーバード大学（現アリゾナ州立大学の一部）、ブラジル・リオデジャネイロ連邦大学でMBAを取得。長年、経営コンサルティングとコーヒーの国際交易に携わり、2013年にコロンビアの零細コーヒー農家の権利向上を提唱する共同組合「セドロ・アルト」を創設。アリゾナ州のコーヒーブランドSwillings Coffeeの共同創設者にして生豆バイヤー、製品オペレーションマネージャーも務める。現在は、ポルトガルのリスボン大学で世界的に取引される零細農産物にまつわる開発学についての博士号を取得するための研究に従事。

古屋美登里　Midori Furuya

翻訳家。著書に『雑な読書』、『楽な読書』（ともにシンコーミュージック）。訳書にエドワード・ケアリー『B：鉛筆と私の500日』、『呑み込まれた男』、アイアマンガー三部作（『堆塵館』『穢れの町』『肺都』以上東京創元社）、アフガニスタンの女性作家たち『わたしのペンは鳥の翼』（小学館）、デイヴィッド・マイケリス『スヌーピーの父 チャールズ・シュルツ伝』、カレン・チャン『わたしの香港 消滅の瀬戸際で』、マイケル・フィンケル『美術泥棒』、ナタリー・リヴィングストン『ロスチャイルドの女たち』（以上亜紀書房）、ジョディ・カンター他『その名を暴け #MeTooに火をつけたジャーナリストたちの闘い』（新潮文庫）など多数。

西村正人　Masato Nishimura

京都市生まれ。早稲田大学第一文学部文芸専攻卒。出版社、ソフトウェアメーカーなどを経て、中国語と英語での表現を学ぶ。カレン・チャン『わたしの香港』、ナタリー・リヴィングストン『ロスチャイルドの女たち』（ともに亜紀書房）の翻訳に協力。

福澤由佑　Yusuke Fukuzawa

ネイビーブルー株式会社・代表取締役社長。オランダ焙煎機メーカーGIESEN COFFEE ROASTERSの日本総代理店を務め、エスプレッソマシンなどのコーヒー機器で国内のロースターやカフェのサポートをおこなう。焙煎競技会「1ST CRACK COFFEE CHALLENGE」の企画・運営にも尽力している。

スペシャルティコーヒーの経済学《けいざいがく》

2024年4月29日　第1版第1刷発行
2024年7月 8 日　第1版第2刷発行

著　者　カール・ウィンホールド
訳　者　古屋美登里　西村正人
監修・解説　福澤由佑（ネイビーブルー株式会社）
発行者　株式会社亜紀書房
郵便番号 101-0051
東京都千代田区神田神保町1-32
電話 03-5280-0261（代表）
03-5280-0269（編集）
振替 00100-9-144037
http://www.akishobo.com

印刷・製本　株式会社トライ　http://www.try-sky.com
装　丁　國枝達也
DTP　山口良二

Printed in Japan　ISBN978-4-7505-1835-6